W9-AHP-337

La mariée sur la « pierre des épousées »

*(Voir p. 101)*

# COUTUMES FRANÇAISES

## D'HIER ET D'AUJOURD'HUI

*PAR*

### M. S. PARGMENT

ASSISTANT PROFESSOR OF FRENCH, UNIVERSITY OF MICHIGAN

*PRÉFACE DU*

### Dr R. VERNEAU

PROFESSEUR À L'INSTITUT DE PALÉONTOLOGIE HUMAINE
CONSERVATEUR HONORAIRE DU MUSÉE D'ETHNOGRAPHIE

## D. C. HEATH AND COMPANY

BOSTON    NEW YORK    CHICAGO    LONDON
ATLANTA    SAN FRANCISCO    DALLAS

PRINTED IN THE UNITED STATES OF AMERICA

# PRÉFACE

Les ethnographes, qui décrivent les caractères d'une population exotique, ne manquent pas de nous renseigner sur ses coutumes, ses traditions, ses légendes, voire sur ses contes, si fantastiques qu'ils soient. Ce qu'on ne s'explique guère, c'est que, lorsqu'il s'agit de leur propre pays, beaucoup de savants dédaignent de tenir compte des renseignements de cette nature. Pour eux, tout ce qui concerne le folklore, en particulier, doit être considéré comme un simple passe-temps, bon, tout au plus, à distraire les oisifs, sinon à amuser les enfants. Quelle erreur commettent ceux qui pensent ainsi ! Les coutumes, les traditions populaires d'un peuple civilisé ont souvent, au point de vue ethnique, la même valeur que celles d'un peuple plus ou moins primitif, et c'est l'impression que j'ai ressentie en lisant l'ouvrage de M. Pargment.

En France, comme dans toutes les contrées où les moyens de communication se sont multipliés, il est incontestable que les mœurs tendent partout à s'uniformiser; mais, en dépit des progrès de la civilisation et de l'instruction, il persiste encore une foule de légendes, de superstitions dont l'origine remonte parfois à une époque fort reculée. L'auteur a soin de le noter, d'ailleurs, pour un grand nombre d'entre elles. Le gui, que les druides gaulois allaient cueillir avec une faucille d'or sur les chênes sacrés, a conservé, aux yeux de beaucoup de nos contemporains, son pouvoir magique; le carnaval n'est qu'une survivance lointaine des bacchanales que les Grecs et les Romains célébraient en l'honneur de Bacchus; les feux de la Saint-Jean ne sont qu'une réminiscence des bûchers que les Gaulois allumaient sur les hauteurs, à la même époque de l'année, en l'honneur de leur dieu Teutatès, etc.

L'auteur se demande si certaine coutume qu'on observe dans le Nord et le Pas-de-Calais à l'époque de la moisson ne pourrait pas être considérée comme un lointain souvenir des fêtes qu'on célébrait, dans l'antiquité, en l'honneur de la déesse Cérès. Le bouquet d'épis d'orge et de blé que les moissonneurs vont présenter au fermier avant de commencer leur travail et qui reste suspendu au plafond

iii

de la cuisine, fait songer, en effet, aux prémices de la récolte que les Anciens offraient à leur divinité.

De même le repas que les familles de Créances, dans la Manche, faisaient encore récemment, le 2 novembre, sur les tombes de leurs morts rappelle les repas funéraires des hommes de l'âge de la pierre polie. Lorsqu'on voit, en France, déposer des pièces de monnaie dans le cercueil d'un défunt, la pensée se reporte vers le temps où les Grecs plaçaient une obole dans la bouche du trépassé pour que son âme pût payer le passage du Styx à Caron, le nautonier des enfers.

Ce sont donc de véritables leçons d'histoire que donne, en passant, M. Pargment; et de ces leçons, présentées sous une forme attrayante, anecdotique, souvent même amusante, il restera une profonde empreinte dans la mémoire du lecteur. Elles lui permettront également de se rendre compte de l'évolution de la mentalité du peuple. Cette évolution a été parfois bien lente puisque, malgré les modifications qu'elles ont subies au cours des âges, certaines coutumes se rattachent incontestablement à des pratiques qui nous reportent tout au début des temps historiques.

Il serait facile de remonter plus loin encore dans le passé. Les croyances de nos vieux ancêtres ont été sûrement des croyances naturistes qu'on retrouve encore chez beaucoup de populations primitives. L'homme a rendu un culte au soleil, aux fontaines, aux arbres, aux pierres, etc. A l'âge du bronze, de nombreuses découvertes ont mis hors de doute que les vieux habitants de la Gaule professaient un véritable culte pour l'astre dont les rayons réchauffent les êtres vivants après les journées froides de l'hiver et fécondent ou dessèchent les plantes dont les semences sont confiées à la terre. Tout prêt de nos jours on retrouve, en France même, des traces bien manifestes du culte au soleil chez ces paysans du pauvre village des Andrieux, dans les Basses-Alpes, dont parle M. Pargment.

A l'âge du bronze également, les sources, les fontaines étaient l'objet de la vénération de la population. La croyance aux propriétés miraculeuses de certaines sources n'a pas disparu. Pour s'en convaincre, il suffit de lire la description que donne l'auteur des fontaines miraculeuses et du pèlerinage à Lourdes.

Le culte des arbres, vraisemblablement antérieur à l'époque

gauloise, n'est pas mort en France. En Vendée, le chêne de Menom-blet, celui de Saint-Martin de Connée, dans la Mayenne, le chêne de la Vierge-aux-Anglais, dans la forêt de Saint-Germain-en-Laye, l'arbre de Notre-Dame de l'Orme, près de Saint-Martin-du-Mont, dans l'Ain, et beaucoup d'autres, sont entourés d'une telle vénération que le clergé catholique a vainement tenté de mettre fin aux mani-festations païennes dont ils sont l'objet. En désespoir de cause, les prêtres se sont résignés à christianiser, pour ainsi dire, le vieux culte païen. La plupart des arbres miraculeux ont été placés sous l'invoca-tion de la Vierge ou d'un saint, certains même, dont il ne reste que le tronc desséché, ont été encastrés dans l'autel d'une chapelle. De cette façon, la prière du croyant est censée s'adresser, non à l'arbre fétiche lui-même, mais à la sainte ou au saint qui en est aujourd'hui le patron.

Il n'a pas été plus facile de déraciner le culte des pierres, dont l'origine remonte au moins à l'âge de la pierre polie. La véritable destination des menhirs reste problématique. Toutefois, la Bible nous apprend que Josué et Samuel dressèrent des pierres après des événements heureux dont le succès était dû à la protection de l'Éternel. Ce qui est certain c'est qu'à l'avènement du christianisme en Gaule, les menhirs et d'autres monuments mégalithiques étaient l'objet d'un culte; la preuve nous en est fournie par les ordonnances des conciles qui visent toutes à la destruction de ces souvenirs de rites païens et par un décret de Charlemagne, daté d'Aix-la-Chapelle, en 789, qui « condamne et execre devant Dieu » les arbres, pierres et fontaines auxquels des gens insensés rendent un culte. Malgré ce décret et les ordonnances, toutes les pierres visées n'ont pas été détruites et il en existe encore un bon nombre en France, principale-ment en Bretagne; elles continuent à être vénérées comme autrefois. Il en est qui ont été « christianisées », comme les arbres, par l'apposi-tion, à leur sommet, d'une croix et d'un Christ. Mais, christianisées ou non, elles sont fréquemment implorées par les jeunes filles qui désirent un mari ou par des femmes qui aspirent à avoir des enfants.

Autrefois, les paysans avaient l'habitude de faire bénir leurs bestiaux, et la coutume persiste dans le Berry et surtout en Bretagne. La cérémonie se déroule suivant des rites variables mais qui ne sont pas sans rappeler les pratiques païennes de jadis. Pour les voyages et les transports, l'automobile supplante de plus en plus les bœufs, les chevaux et même le chemin de fer. Les chauffeurs n'ont pas cherché un nouveau protecteur dans le paradis, ils ont adopté saint Christophe, qui a toujours été considéré comme le patron des voyageurs.

Un auteur, André de Paniagua, a dit avec juste raison: « La superstition est le dernier trait des legs ancestraux dont se débarrasse définitivement l'âme des peuples »; le livre de M. Pargment nous en fournit des preuves surabondantes. Une des plus répandues est la croyance à l'efficacité des amulettes et ce ne sont pas seulement les habitants les plus arriérés de la Bretagne qui ont recours à des amulettes. On cite un des écrivains les plus distingués de la capitale qui ne sortait jamais sans avoir un certain petit caillou dans la poche de son gilet. Si, par hasard, il l'avait oublié et qu'il s'en aperçût, il était convaincu que la journée ne se passerait pas sans quelque accident fâcheux. Pendant que j'écrivais ces lignes, je reçus la visite d'un ami, homme intelligent et fort instruit, à qui je fis part de ce que j'avais appris du célèbre littérateur et de son fétiche. Il me sortit lui-même de sa poche un joli petit caillou, en forme de haricot, bien poli, qui ne le quittait pas depuis plus de vingt ans. S'il changeait plusieurs fois de gilet dans la journée, le petit caillou passait d'une poche dans une autre.

Dans toutes les classes de la société moderne, on retrouve des traces de vieilles superstitions. Pendant la dernière grande guerre, on a constaté une recrudescence inouïe des idées superstitieuses et, partout, des amulettes. Presque toute la population avait son talisman. Les militaires portaient des gris-gris individuels et la plupart des groupes avaient leur mascotte. L'un des talismans qui ont alors connu la plus grande vogue nous est venu d'Italie sous la forme de deux petites poupées de laine qu'on dénomma *Nenette* et *Rintintin*. Ce porte-bonheur subit des transformations; la laine fut remplacée par différentes substances et on en fabriqua même en or.

Si les légendes et les superstitions sont tenaces, les coutumes, elles, se modifient rapidement sous l'action des changements qui s'opèrent chaque jour dans le genre de vie et la mentalité de groupes restés longtemps isolés. Il est grand temps de les recueillir, car elles font partie de l'histoire de notre peuple. Les costumes locaux disparaissent et bientôt on n'en trouvera plus de traces.

Ainsi que les costumes, les coutumes, les croyances, les légendes, les superstitions diffèrent sensiblement d'une contrée à l'autre et, comme je l'ai dit au début, leur étude peut être d'une très réelle utilité à l'ethnographe. M. Pargment nous fournit de nombreuses observations qui viennent à l'appui de mon opinion. Il n'est pas besoin de beaucoup d'attention pour s'apercevoir que le Français du Nord, celui de l'Ouest ou de la Bretagne, celui du Centre ou du Midi se différencient nettement les uns des autres par leur caractère et leur tempérament. Ce caractère, ce tempérament, que chacun d'eux tient de son origine, se manifestent dans toutes les circonstances de la vie et contribuent à distinguer les divers éléments ethniques dont se compose la nation française.

Comme conclusion, je crois pouvoir affirmer sans crainte que si le livre de M. Pargment est de nature à intéresser tous les lecteurs et à leur faire passer des moments agréables, il ne peut manquer de provoquer chez l'intellectuel des comparaisons, des réflexions philosophiques qui ne lui feront pas regretter les quelques heures qu'il aura employées à le parcourir.

Dr. R. Verneau

Nous indiquons ailleurs les ouvrages où nous avons puisé la plupart des connaissances nécessaires à la composition de ce volume. Ici nous voulons seulement exprimer notre profonde reconnaissance à M. le Dr. R. Verneau, qui a daigné s'intéresser à ce modeste travail et l'honorer d'une préface, et à nos collègues, MM. Warren F. Patterson, Ph.D., et Jean Ehrhard, Agrégé des Lettres, qui ont eu l'obligeance de nous faire profiter de leurs connaissances, soit en nous fournissant d'utiles observations, soit en nous proposant de judicieuses rectifications.

Nous remercions aussi M. Alexander Green de la maison D.C. Heath & Co. des soins minutieux et éclairés qu'il a apportés à la publication de cet ouvrage.

M. S. P.

# TABLE DES MATIÈRES

## TROISIÈME PARTIE

## QUATRIÈME PARTIE

# LES ANCIENNES PROVINCES DE LA FRANCE

Nous avons fréquemment employé dans ce livre le mot « province » pour situer des coutumes particulières à une région, et nos lecteurs, qui savent que la France actuelle est divisée en départements, seront probablement heureux de trouver ici des renseignements brefs, mais aussi précis que possible, sur les anciennes provinces de la France.

Avant la Révolution Française,[1] la France était divisée en 32 provinces auxquelles il faut ajouter la Savoie et le Comté de Nice, cédés à la France en 1860. Ces provinces étaient, par leur constitution, leur organisation et leur population, très différentes les unes des autres. Les unes, qu'on appela quelquefois *provinces géographiques*, étaient composées d'une seule région naturelle ayant, dans son ensemble, même climat, même sol, mêmes ressources. Les habitants y avaient même genre de vie et par conséquent mêmes mœurs et coutumes. D'autres s'étaient formées au gré de circonstances historiques, au hasard des successions, des mariages et des conquêtes; on les appela *provinces historiques*.

Mais géographiques ou historiques, les provinces étaient très différentes les unes des autres. Les unes englobaient des quantités de territoire énormes par rapport aux autres. La Guyenne, le Languedoc, la Bretagne, la Normandie avaient une vaste superficie; l'Aunis, l'Artois au contraire étaient exiguës. Chacune représentait en quelque sorte une individualité distincte et bien caractérisée, avait ses lois, ses mœurs et coutumes, sa petite vie à elle. Ses habitants avaient un caractère à part qui s'expliquait par leur origine et la nature de leur sol. Les grandes et les moyennes provinces se subdivisaient d'ailleurs en *pays* de petite étendue et à limites assez mal définies: tels, par exemple, la Bresse, la Beauce, le Périgord que nous citons également dans ce livre.

[1] 1789.

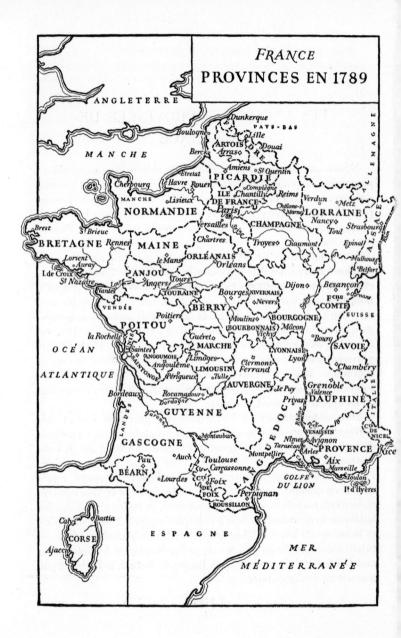

FRANCE
**PROVINCES EN 1789**

Pour briser le plus possible les anciens cadres et réaliser plus complètement l'unité du pays, la Révolution supprima les divisions existantes et partagea la France en départements. Il y eut ainsi 89 départements au lieu de 32 provinces. Les départements ont des superficies variables, mais ces variations sont peu importantes. Une province comme la Normandie fut remplacée par 5 départements; tandis qu'on réunit, par exemple, l'Aunis et la Saintonge pour former un seul département.

Quoi qu'il en soit, les anciennes appellations des provinces et la compréhension de ces provinces subsistent toujours en France et même à l'étranger. Le nom de Normandie ou de Provence, par exemple, éveille par lui-même un sol très particulier, un genre d'habitants à part, des produits naturels très spéciaux et dont les noms des départements formés par la Normandie ou la Provence n'éveilleraient aucune idée. Aussi, bien que les anciennes provinces n'aient pas d'existence légale depuis plus d'un siècle, on en parle couramment et quotidiennement, et cela dans toutes les classes des Français.

Pour caractériser les produits, par exemple, on dit le beurre de Normandie, le vin de Bourgogne, etc. On continue même à attribuer aux gens les qualités morales de leur province d'origine. Ainsi, on qualifie de Normand l'homme tenace, économe; de Breton, le mélancolique et l'obstiné; de Gascon, le téméraire et le menteur, etc. Et cela avec bonne raison, car le type physique et moral des habitants d'un certain nombre de provinces s'est perpétué dans certaines limites ainsi que l'hérédité des penchants, des aptitudes et des traits principaux du caractère.

Il est d'ailleurs à remarquer que malgré la grande fusion qui s'est produite pendant le siècle dernier entre les divers types de Français, les anciennes provinces semblent sortir de leur léthargie et réclamer à nouveau une individualité déterminée. Dans chaque province s'organisent des comités, des ligues, des associations qui s'efforcent de préserver de l'oubli les anciennes traditions, et de faire revivre les qualités essentielles de la race du terroir.

## TABLEAU DES PROVINCES

Voici les 33 provinces de l'ancienne France, y compris la Corse:

| | |
|---|---|
| 1° Au nord | la *Flandre*, capitale Lille |
| | l'*Artois*, capitale Arras |
| | la *Picardie*, capitale Amiens |
| | l'*Ile-de-France*, capitale Paris |
| 2° A l'est | la *Champagne*, capitale Troyes |
| | la *Lorraine*, capitale Nancy |
| | l'*Alsace*, capitale Strasbourg |
| | la *Franche-Comté*, capitale Besançon |
| | la *Bourgogne*, capitale Dijon |
| 3° Au sud-est | le *Lyonnais*, capitale Lyon |
| | le *Dauphiné*, capitale Grenoble |
| | la *Provence*, capitale Aix |
| | la *Corse*, capitale Bastia |
| | le *Roussillon*, capitale Perpignan |
| | le *Languedoc*, capitale Toulouse |
| 4° Au sud-ouest | le *comté de Foix*, capitale Foix |
| | le *Béarn et le Navarre*, capitale Pau |
| | la *Guyenne et la Gascogne*, capitale Bordeaux |
| 5° A l'ouest | l'*Angoumois*, capitale Angoulême |
| | l'*Aunis et la Saintonge*, capitales la Rochelle et Saintes |
| | le *Poitou*, capitale Poitiers |
| | la *Bretagne*, capitale Rennes |
| | la *Normandie*, capitale Rouen |
| | le *Maine*, capitale le Mans |
| | l'*Anjou*, capitale Angers |
| | la *Touraine*, capitale Tours |
| 6° Au centre | le *Limousin*, capitale Limoges |
| | l'*Auvergne*, capitale Clermont-Ferrand |
| | la *Marche*, capitale Guéret |
| | le *Bourbonnais*, capitale Moulins |
| | le *Berry*, capitale Bourges |
| | le *Nivernais*, capitale Nevers |
| | l'*Orléanais*, capitale Orléans |

# COUTUMES FRANÇAISES

## D'HIER ET D'AUJOURD'HUI

Un lit-clos en Bretagne

(*Voir légende p. 214*)

# PREMIÈRE PARTIE

## DU 1ᵉʳ JANVIER À LA SAINT–SYLVESTRE

### LE PREMIER DE L'AN

**L**ES COUTUMES actuelles observées le 1ᵉʳ janvier en France ont presque toutes leur origine dans des coutumes très anciennes, venues jusqu'à nous à peine transformées malgré vingt siècles et peut-être davantage.

*Le gui.* — Aux temps lointains où la France s'appelait la Gaule, le gui qui pousse sur les chênes et dont les touffes vertes parent de loin en loin la forêt dépouillée par l'hiver, le gui des chênes était considéré comme une plante sacrée, comme un symbole de jeunesse et d'immortalité. A l'époque du 1ᵉʳ janvier il est en pleine floraison et ses gracieuses petites perles blanches en font une plante ornementale unique. Les Gaulois d'autrefois n'avaient pas été insensibles au charme du gui, au mystère de son épanouissement dans la froide saison, et c'est ainsi qu'ils l'honoraient et que leur religion en avait fait la plante fétiche. Au début de chaque année, dans les forêts immenses qui couvraient alors le sol de la Gaule, les prêtres des Gaulois, les druides, coupaient avec une faucille d'or le gui des chênes. On le recueillait au pied de l'arbre dans un grand drap blanc et le prêtre le distribuait ensuite aux assistants comme un talisman sacré. Le cri « au gui l'an neuf ! » retentissait alors sous les branches enchevêtrées des futaies. Ni le symbole, ni même ce cri ne sont complètement tombés dans l'oubli.

En Normandie surtout, la province qui fut un des derniers refuges de la religion celtique, le gui est toujours à l'honneur . . . et à la peine.[1]  Car sa tâche est grande !  Le bouquet de gui qu'on suspend le 1er janvier dans la grande salle de chaque maison doit préserver des maladies, de l'incendie, de la foudre; son heureuse influence doit même s'étendre à la qualité du cidre et à celle . . . des gendres à venir !

Le marchand de gui

Mais dans toute la France, dans les villes comme dans les campagnes, le gui fleuri, le gui porte-bonheur orne ce jour la table familiale.  C'est une tradition très respectée.  Naturellement, on ne croit pas partout qu'il soit une égide contre les épreuves et l'infortune, mais ces petites boules blanches qui bravent le gel et la pluie sont une leçon d'endurance et de philosophie.

*L'aguilaneuf*.[2] — Le gui historique et sacré n'est pas venu tout seul jusqu'à nous.  Les chants qui célébraient jadis le

[1] On dit quelquefois en France: « Il a été à la peine, il est bien juste qu'il soit à l'honneur », paroles de Jeanne d'Arc légitimant la présence de son étendard au sacre de Charles VII.

[2] Corruption probable du cri: « au gui l'an neuf ».

renouvellement de l'année l'ont accompagné. Dans les campagnes de Guyenne, de Picardie, de Normandie retentit encore le 1ᵉʳ janvier le cri archaïque « au gui l'an neuf ! » Dans le Bordelais et en bien d'autres endroits, de vieux airs et de vieux couplets, appelés « aguilaneufs » sont chantés le 1ᵉʳ janvier et même les jours qui le précèdent.

On appelle aussi aguilaneuf la petite offrande réclamée par des bandes de jeunes gens qui vont quêter de ferme en ferme aux approches du 1ᵉʳ janvier, et quelquefois même avec beaucoup d'insistance, ainsi qu'en témoignent les couplets de la chanson que nous publions plus loin.[1]

**Les étrennes.** — La coutume des étrennes vient de Rome. Les Romains honoraient Strenna, déesse de la Force, et lui avaient consacré un bois. Le premier jour de l'année ils y coupaient des rameaux qu'ils offraient aux magistrats comme marque de déférence. De là le nom de « strenna », étrenne. Plus tard les rameaux firent place à des cadeaux somptueux et variés. Les empereurs romains en furent comblés, et la coutume passa dans la Gaule conquise.

Au xviiiᵉ siècle, on donna beaucoup aux hommes des « manchons à odeur musquée », ce qui aujourd'hui semblerait bizarre: nous ne voyons pas bien nos contemporains avec les mains enfouies dans un manchon ! Pendant la Révolution, on donna des « bijoux constitutionnels », c'est-à-dire taillés dans des pierres de la Bastille.[2] Mais les femmes se lassèrent vite de boucles d'oreilles et de broches qui ressemblaient à de vulgaires cailloux, et on en revint aux pierres précieuses. En 1800 on joignait aux bijoux des pelisses de fourrure, des éventails, des sachets de parfums imprégnés de senteurs orientales et des boîtes de papeterie munies d'un cachet d'argent.

En France on ne donne pas cependant autant d'étrennes qu'on donne de cadeaux de Noël aux États-Unis. Des trains

---

[1] Voir p. 220.

[2] Prison d'État dont le siège et la démolition furent les débuts de la Révolution Française.

spéciaux n'en transportent pas pendant quinze jours d'un bout du pays à l'autre, et des milliers d'employés spéciaux ne sont pas nécessaires pour les distribuer. Mais la coutume veut qu'on en donne, en argent, aux domestiques, au concierge, au facteur, aux petits télégraphistes, aux livreurs, etc.

On donne à ses proches parents, comme en Amérique, des bonbons, des fleurs, des bijoux de toutes sortes; aux enfants, on donne des jouets, et aux pauvres des cadeaux utiles. Mais on distribue surtout beaucoup de livres. Ce sont généralement des romans d'aventure, des œuvres de vulgarisation scientifique ou des œuvres littéraires que les éditeurs parisiens annoncent à grands frais, et qu'ils présentent sous les apparences les plus attrayantes.

Les étrennes sont tellement passées dans les mœurs que ceux qui essaient de se dérober à l'usage sont impitoyablement traités, ainsi qu'en témoigne cette épitaphe:

> Ci-gît, dessous ce marbre blanc,
> Le plus avare homme de Rennes,[1]
> Qui trépassa le dernier jour de l'an,
> De peur de donner des étrennes.

Une très amusante saynète de Courteline [2] intitulée *Les Étrennes* nous fait apprécier le désespoir d'un père de famille, obligé de donner des étrennes quoique régissant un modeste budget.

Un grand nombre d'administrations et d'entreprises privées aident d'ailleurs leur personnel à supporter le surcroît de dépenses occasionné par cette coutume des étrennes et donnent à leurs employés méritants des gratifications importantes.

***Les souhaits et les visites.*** — Presque toute la journée du 1er janvier est consacrée aux visites. Dès l'aube, une touchante et gracieuse visite a lieu dans chaque famille: c'est

---

[1] Ancienne capitale de la Bretagne.
[2] Grand écrivain comique, mort en 1929.

celle des tout petits à leurs parents.  Puis, dans la matinée, les parents accompagnent souvent leurs enfants chez les grands-parents, chez les parrains et marraines.  Dans l'après-midi et quelquefois dans la soirée on va présenter ses souhaits aux parents et aux amis intimes.  A ceux des parents ou amis à qui on ne peut souhaiter la bonne année de vive voix, on exprime ses bons vœux dans une lettre.  La lettre est souvent remplacée par une carte de visite sur laquelle on écrit quelques amabilités et quelques souhaits.

L'usage des visites officielles qu'on faisait ce jour-là disparaît peu à peu devant les exigences de la vie familiale. Cependant le Président de la République Française reçoit le 1<sup>er</sup> janvier à l'Élysée [1] les ambassadeurs, les ministres, les personnalités gouvernementales qui lui offrent leurs vœux pour la France et pour lui-même.

A la campagne, dans les villages qui ont souci de ces visites officielles, le corps des pompiers, et quelquefois une société de musique ou d'orphéon vont souhaiter la bonne année aux autorités et à leurs chefs.  Puis, l'année ainsi inaugurée par un témoignage de fidélité aux institutions de l'État, on va de porte en porte, chez ses voisins, apporter ses souhaits, presque toujours avec cette formule: « Je vous souhaite une bonne année et le paradis à la fin de vos jours. »

Les vignerons lorrains avaient même autrefois un souhait presque rituel:

> Je vous souhaite pour étrennes
> Cent bouteilles de muscat pleines,
> L'œuf de l'heure, pain du jour
> Toujours plein la bouche du four;
> Une hotte de pistoles,
> La flûte et les violes,
> Vivre tant que vous voudrez,
> Et le paradis quand vous mourrez.[2]

[1] Le palais du Président de la République.
[2] *Revue des Traditions Populaires*, 1896.

Voici la description d'une visite extraite d'un roman[1] français:

« Les voilà ! » s'écria la vieille Jeannette; et elle emporte bébé jusque dans la cuisine, où ma mère, les manches retroussées, donne le coup de grâce à son gâteau traditionnel.

Mon père, qui descend à la cave, la lanterne à la main, escorté de son vieux Jean, qui porte le panier, s'arrête tout à coup: « Eh ! mes enfants, que vous arrivez tard ! Venez dans mes bras, mes amis, c'est le jour où l'on s'embrasse pour de bon ! Jean, tiens un peu ma lanterne. » Et tandis que mon vieux père me serre contre lui, sa main cherche la mienne et la serre longuement. Bébé, qui se faufile entre les jambes, nous tire par l'habit et tend son petit bec pour avoir un baiser.

« Mais je vous retiens là dans l'antichambre, et vous êtes gelés; entrez dans le salon; il y a du bon feu et de bons amis. »

On nous a entendus, la porte s'ouvre, et l'on nous tend les bras. Au milieu des poignées de mains, des embrassements, des souhaits et des baisers, les cartons s'ouvrent, les bonbons pleuvent, les paquets se déchirent, la gaieté devient du vacarme, et la bonne humeur tourne au tumulte. Bébé debout, au milieu de ses richesses, semble un homme ivre entouré d'un trésor, et de temps en temps il jette un cri de bonheur en découvrant un nouveau joujou.

« A propos, dit mon père, où diable est ma lanterne ? J'ai oublié la cave. Jean, mon vieux, prends ton panier et allons fouiller derrière les fagots. »

Le potage fume, et ma mère, après avoir promené autour de la table son regard souriant, plonge la cuiller dans la soupière.

Ma foi, vive la table de famille, où s'assoient ceux qu'on aime, où l'on risque au dessert un coude sur la table, où l'on retrouve à trente ans le vin de son baptême !

*Les repas du premier janvier.* — En France, comme probablement partout ailleurs, la bonne chère a partie liée avec toutes les fêtes. Elle les consacre. Le 1er janvier on observe des rites gastronomiques un peu spéciaux.

Ainsi, dans le Midi, et particulièrement en Provence, on a

---

[1] Gustave Droz, *Monsieur, Madame et Bébé.*

conservé, dans beaucoup de familles, la coutume de manger un coq au repas du 1ᵉʳ jour de l'An. On a engraissé depuis plusieurs mois un coq énorme qu'on farcit de chair à saucisses, de foies de poules et, si possible, de truffes ou de marrons. Dans les maisons riches, on accompagne le coq de douze perdreaux, de trente truffes noires et de trente œufs. Le coq représente l'année, les perdreaux, les douze mois; les truffes sont l'emblème des nuits, les œufs, celui des jours. On salue ce mets symbolique d'exclamations joyeuses et les enfants poussent de joyeux cocoricos.

A Rouen et dans les environs, le plat de résistance n'offre rien de spécial, mais on vend, au 1ᵉʳ janvier, des pâtisseries curieuses qu'on appelle « aguignettes ». Elles sont en pâte feuilletée et représentent des cerfs, des poissons, des girafes, des cochons, des chiens, des coqs, des lions, des renards, des chasseurs, des amazones, des polichinelles, des arlequins, des bossus, des soldats, des ballons, des trompettes, des moulins, la tour Eiffel, etc., etc., etc., tout ce qu'on peut imaginer en joujoux, pantins et curiosités.

***Préjugés et superstitions.*** — Beaucoup de croyances et de superstitions dérivent d'anciennes coutumes tombées dans l'oubli, et c'est pour cette raison que nous en mentionnons quelques-unes dont la naïveté fait aujourd'hui sourire, mais qui avaient probablement autrefois une raison légitime.

Un peu partout on croit en France qu'un verre à boire brisé involontairement porte bonheur, mais cela est surtout efficace le matin du premier de l'An: toute l'année sera heureuse. Elle le sera davantage encore si le verre brisé était à demi plein et que la boisson se fût répandue sur la nappe. Ces libations involontaires qui appellent la chance à elles rappellent trop les libations sacrées et prescrites de la Rome antique pour qu'il n'y ait pas de rapport entre elles.

En certaines campagnes où les difficultés de l'existence ont rendu les paysans parcimonieux et avides, on croit qu'il ne faut rien donner le 1ᵉʳ janvier avant d'avoir reçu soi-même quelque chose. Cette règle aidant, les cadeaux du 1ᵉʳ de l'An ont beaucoup de peine à arriver à destination. En d'autres endroits où le sentiment de charité combat heureusement l'égoïsme et l'avarice, il faut aller au-devant des mendiants et leur donner l'aumône avant qu'ils l'aient réclamée si l'on veut que la santé et le bonheur s'installent au foyer pour une année entière.

Dans le Midi poétique, c'est l'eau de la fontaine qui, la nuit du 1ᵉʳ janvier, a un pouvoir magique. Le premier qui en boit, aussitôt que les douze coups de minuit ont tinté, est assuré contre la mauvaise chance et la maladie. Aussi, il n'est pas rare de rencontrer, la nuit du 1ᵉʳ de l'An, auprès des fontaines de villages méridionaux des rassemblements de paysans et de leurs bestiaux qui attendent que l'horloge ait sonné l'heure fatidique pour se précipiter, verre ou broc à la main, afin d'avoir cette « crème », cette « fleur » de l'eau. De véritables batailles se livrent quelquefois autour des fontaines et des puits. Il arrive aussi qu'un passant attardé a la chance de rencontrer une source à laquelle personne n'a songé. Soucieux de la tradition, il boit, sans lutte et sans témoin, l'eau claire et toutes ses vertus magiques. Il doit alors déposer sur le rebord du bassin une pierre ou un objet quelconque afin d'avertir ceux qui pourraient venir qu'il est trop tard, que l'eau de cette fontaine est dépouillée pour toute une année de son pouvoir miraculeux.

## LA FÊTE DES ROIS

E CALENDRIER appelle cete fête « Épiphanie » et l'Église catholique la célèbre le 6 janvier. D'après la tradition évangélique, c'est ce jour-là que les rois mages, guidés par l'étoile miraculeuse, arrivèrent à Bethléem pour adorer l'Enfant-Jésus et lui offrir leurs présents. Ils étaient trois: Melchior, roi de Nubie, qui apportait de l'or; Balthazar, roi de

Chaldée, qui apportait de l'encens, et Gaspard, roi d'Éthiopie, noir comme l'ébène, qui apportait de la myrrhe. Au moyen âge, cette fête fut célébrée, comme tant d'autres, par des représentations quasi-théâtrales dans les églises et les monastères.

Au XIIIᵉ siècle, pour fêter l'Épiphanie, les chanoines de chaque chapitre élisaient l'un d'eux, auquel ils déféraient le titre de roi et qui représentait Jésus-Christ lui-même. Trois autres, vêtus l'un de blanc, l'autre de rouge et le troisième de noir, figuraient les trois rois de la légende. Devant eux l'on portait un flambeau à cinq lumières représentant l'étoile. Ils assistaient aux offices dans cet apparat. Quelquefois, à Besançon notamment, ils offraient des présents et rendaient hommage au roi.

La cour imita l'Église, mais comme roi choisissait souvent un enfant pauvre qu'on parait pour la cérémonie d'un habit royal, et qui, dans la suite, était élevé aux frais de l'État.

La fête, de religieuse, puis civile, devint bientôt populaire. Son caractère sacré se perdit. Elle servit de prétexte à des bals travestis et à des mascarades dont on retrouve un vestige en Alsace. Dans ce pays, les trois rois mages sont encore en grande vénération, ce qui est dû sans doute à la proximité de leurs reliques qui, selon la tradition catholique, sont déposées à la cathédrale de Cologne. Aussi, dans les villages, un groupe de trois ou quatre gamins parcourt les rues, quêtant de maison en maison des œufs, du lard et des gâteaux. Ils sont vêtus de longues chemises blanches retenues à la taille par des ceintures de couleurs diverses, et sur leurs têtes ils portent un diadème en papier doré. Celui qui ouvre la marche brandit au bout d'un long bâton une fallacieuse étoile en carton qu'il fait tourner au moyen d'une ficelle. Les trois personnages représentent les trois rois, et celui qui incarne le roi nègre a le visage et les mains consciencieusement barbouillés de suie. Ils s'adjoignent quelquefois un quatrième personnage: le roi Hérode.

Les trois rois sont aussi en honneur en Provence où l'air populaire qu'on trouvera à la page 222 maintiendra longtemps encore leur royale réputation.

La Fête des Rois est surtout à présent une fête familiale et

Les trois rois en Alsace

sa coutume prédominante est celle qui consiste à partager et à manger la fameuse galette des Rois.

*La galette des Rois.* — A la campagne, la mère de famille confectionne elle-même le précieux gâteau; à Paris, on l'achète chez les pâtissiers ou chez les boulangers.  C'est une pâte feuilletée dans laquelle on a introduit quelque minuscule poupée de porcelaine, représentant souvent l'Enfant-Jésus. Autrefois, les ménagères ou les boulangers cachaient dans la galette un gros haricot ou une fève; celui ou celle qui les trouvait dans sa part de gâteau et qui ainsi était roi ou reine, devait, le dimanche suivant, offrir à son tour une galette identique.  Or il arriva que quelques plaisants ou quelques avares avalèrent la fève sans vergogne pour se soustraire à cette obligation.  Aussi remplaça-t-on la fève par un fétiche de porcelaine.  Celui-ci ne peut guère passer inaperçu. D'ailleurs chacun mange avec précaution sa part de gâteau: il ne s'agit pas de se casser une dent en allant trop vite.

*Le partage du gâteau.* — Le partage de la galette est toute une cérémonie immortalisée d'ailleurs par un célèbre tableau de Greuze.[1]  A la fin du repas, la galette est apportée à l'aïeul ou au père de famille qui coupe autant de parts qu'il y a de convives, plus une part qu'on appelle « la part à Dieu » ou la « part du pauvre ».  La galette divisée est alors couverte d'une serviette blanche et au fur et à mesure que le grand-père prend un morceau du gâteau sous le napperon, le plus jeune enfant désigne celui des convives à qui il doit être attribué. Enfin, quelqu'un trouve le petit symbole dans sa part.  Au milieu des rires et des effusions, celui ou celle que le sort désigne choisit une reine ou un roi pour partager les honneurs de la royauté.  Chaque fois que le roi ou la reine boivent, toute l'assemblée se lève et s'écrie: « Le roi boit !  La reine boit ! » et les imite.  Le convive indocile qui n'observait pas cette règle était autrefois puni de façon grotesque.  On barbouillait de suie les mains et le visage du récalcitrant qui pouvait alors — et bien malgré lui sans doute — figurer le mage Gaspard.[2]

---

[1] Célèbre peintre français du xviiiᵉ siècle.

[2] Le mage Gaspard est d'ailleurs le plus populaire des trois rois et il a inspiré des coutumes locales particulières.  A Cannes, par exemple, il y a trois fétiches dans la galette: un Gaspard à la tête et aux jambes d'au-

*La part du pauvre.* — C'est une touchante tradition, encore
en honneur dans beaucoup de campagnes. Les malheureux
se présentent dans les maisons où l'on fête les Rois et reçoivent
la part du pauvre, qui est souvent augmentée d'aumônes
variées. Il n'y a pas longtemps, en Bretagne, à St-Pol-de-
Léon, cette coutume charitable s'amplifiait ainsi: la veille de
l'Épiphanie un pauvre de l'hospice conduisait par les rues de
la ville un cheval paré de gui, de lauriers, de rubans et porteur
de deux énormes paniers. Le tambour de la ville et quelques
notables l'escortaient, et, de porte en porte, ils recueillaient
des dons en nature ou en argent destinés à réconforter le
lendemain tous les miséreux de la ville, les malades et les
vieillards de l'hospice.

*Autres coutumes de l'Épiphanie.* — Comme tant d'autres
fêtes, l'Épiphanie a son lot de superstitions. L'année, le 6
janvier, commence à peine. Quels biens et quels maux va-
t-elle apporter ? S'il y avait moyen de le savoir, on pourrait se
réjouir d'avance des uns et, peut-être, conjurer les autres.
Dans les Ardennes, on a coutume de faire « sauter le blé » à
la Fête des Rois. Autour de la grande cheminée, toute la
famille se rassemble. On fait alors chauffer la pelle à feu et on
y place quatre grains de blé en forme de croix, puis un cinquième grain qu'on jette au hasard en disant « pour janvier ».
S'il reste en place, c'est que le grain ne variera pas de prix
durant tout le mois; s'il saute vers la personne qui tient la
pelle, il se vendra moins cher; s'il saute vers le foyer, au con-

---

tant plus noires qu'il est vêtu d'une tunique blanche immaculée; une
reine blonde et blanche en costume d'apparat, et un page. Pour celui-ci
on ne s'est guère mis en frais: il n'a que l'apparence d'un simple haricot,
à l'extrémité duquel on a ébauché un facies humain. Il a pourtant un
rôle chargé à tenir. Celui qui a reçu sa figurine en partage doit verser à
boire au roi et à la reine et être attentif à tous leurs faits et gestes. C'est
le page qui donne le signal du cri traditionnel: « Le roi boit ! La reine
boit ! » et si le roi ou la reine, en signe de grande joie ou de grande affection, embrassent à la ronde leurs voisins ou leurs voisines, le page, avec
sa serviette, essuie minutieusement la joue des embrassés.

traire, le blé va augmenter.  Ce sera bientôt le bon moment pour le propriétaire d'en porter quelques sacs au marché.

Dans le département de la Manche, c'est de la récolte future qu'on se préoccupe.  La nuit qui précède l'Épiphanie, les garçons des villages munis de torches faites de paille et de résine supportées par un très long bâton, parcourent les champs et les vergers.  Ils passent la flamme de leurs brandons sur l'écorce des arbres fruitiers pour en détruire les parasites, et ils chantent des couplets appropriés, destinés à conjurer les méfaits des taupes, mulots et autres animaux redoutés des cultivateurs.  Leur tâche terminée ils font un feu de joie de ce qui reste de leur paille et de leurs gaules et dansent autour en chantant une cantilène particulière.[1] Cette coutume est connue sous le nom de « Coulaines d'É-piphanie ».

## LA CHANDELEUR

**L**A CHANDELEUR ou fête des chandelles se célèbre le 2 février.  Son origine religieuse est la commémoration de la purification de la Vierge. Autrefois, à l'office de ce jour, les prêtres et les fidèles tenaient chacun à la main une chandelle allumée.

*Le cierge de la Chandeleur.* — En beaucoup d'endroits on bénit à la messe de la Chandeleur des cierges de grandeur plus ou moins respectables présentés par les croyants, qui y attachent beaucoup de propriétés merveilleuses.  Tout d'abord il s'agit de rapporter à la maison, tout allumé, le cierge bénit. Celui qui a cet honneur et cette chance est assuré de ne pas mourir dans l'année.  Avant de pénétrer dans la maison, le père de famille en fait trois fois le tour, toujours avec son cierge allumé, puis, sur le seuil, bénit ses enfants et les met sous la protection du cierge.

[1] D'après P. Kauffman, *Costumes et Coutumes régionalistes de France.*

Dans quelques villages du Jura cette bénédiction s'accompagnait autrefois d'un rite spécial. Sur l'épaule découverte de chacun des gens de la maison, le chef de famille faisait tomber quelques gouttes de la cire du cierge, puis avec la flamme il dessinait au plafond de la grande salle et au-dessus des portes de ses granges et de ses étables de grandes croix noires. Les bestiaux participaient quelquefois aussi à la bénédiction et les gouttes de cire qu'on leur versait devenaient pour eux des amulettes contre toutes sortes de maux.[1]

La cire du cierge de la Chandeleur a été longtemps regardée, et dans quelques coins isolés est encore regardée, comme un talisman précieux contre les sortilèges. Elle est d'ailleurs moins chère que le vétérinaire et on la prodigue dans le breuvage d'une bête malade, ou d'une vache dont le lait tarit. Dans le Jura et la Savoie, gens, bêtes et récoltes sont sous la protection du cierge précieux pendant les orages brusques et terribles qui éclatent en montagne. La ménagère angoissée l'allume au premier éclair, le promène par la maison, et pour se garantir elle-même de la foudre, le tourne trois fois autour d'elle.

C'est encore le cierge de la Chandeleur qu'on allume aux moments solennels de la vie: le départ des premiers communiants ou des fiancés pour l'église; le départ du mort pour le monde inconnu d'où l'on ne revient pas.

En Bretagne, outre ses vertus protectrices, le cierge de la Chandeleur a une propriété toute particulière: il retrouve les noyés. Lorsqu'on présume que quelqu'un s'est noyé dans un ruisseau, un étang, une fondrière, on fixe le cierge de la Chandeleur sur une planchette ou une sorte de petit radeau, on l'allume et on l'abandonne au courant. Là où il s'arrête, tournoyant quelquefois dans les remous d'un tourbillon, là est le noyé, et là on explore et on cherche.

***La neuvaine de la Chandeleur.*** — Charles Nodier,[2] dans

---

[1] *Revue des Traditions Populaires*, 1899.
[2] Écrivain français du xixe siècle.

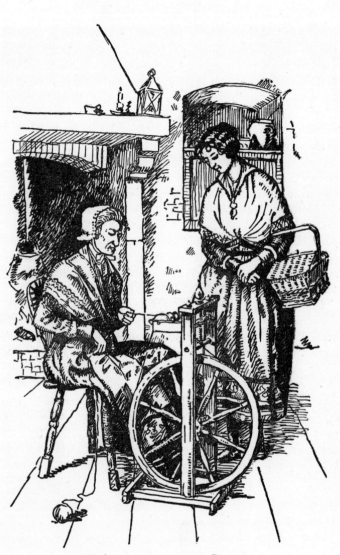

FILEUSE AU ROUET EN SAVOIE

17

une bien jolie nouvelle, a rapporté cette coutume supersti-
tieuse qui jadis attribuait au cierge de la Chandeleur le pouvoir de dévoiler l'avenir. Les impatientes jeunes filles que
leur destinée inquiétait priaient d'abord avec ferveur pendant
les neuf jours qui précèdent la Chandeleur. Puis, le soir du
2 février, elles allumaient, tremblantes, le cierge bénit,
mettaient deux couverts sur la table et laissaient la porte de
la chambre grande ouverte afin de laisser libre accès au destin.
Avant de se coucher, elles mangeaient dans l'un des deux
couverts un peu de pain bénit, buvaient un peu de vin, tout
cela avec une angoisse bien compréhensible et aussi beaucoup
de courage. Une fois endormie, la jeune fille qui avait ainsi
interrogé le sort voyait en rêve le mari à qui elle était destinée.
Mais elle pouvait aussi voir défiler une procession de nonnes,
ce qui signifiait qu'elle entrerait au couvent, ou, chose terrible, elle pouvait assister à ses propres funérailles, ce qui
signifiait clairement qu'elle mourrait dans l'année.

*Les crêpes.* — La fête de la Chandeleur est aujourd'hui
débarrassée de toutes ces pratiques superstitieuses. On
accueille le 2 février avec joie, car il marque un acheminement vers les jours longs, vers le printemps enchanteur. Les
poules, dans les poulaillers, sortent de leur engourdissement,
et les œufs apparaissent de nouveau nombreux dans les nids.
Alors, on fait des crêpes. Cela est de rigueur, paraît-il, pour
être assuré d'avoir de l'argent toute l'année. Cependant,
pour la réussite certaine de cette conjuration, il faut tenir en
même temps dans la main une pièce d'argent et la queue de
la poêle pendant qu'on fait sauter les crêpes fines et fumantes.

## LE CARNAVAL, LE MARDI-GRAS ET LA MI-CARÊME

N CROIT généralement que les réjouissances du Carnaval sont une survivance des fêtes antiques et romaines qu'on appelait les « bacchanales » et les « lupercales », orgies grossières qui avaient lieu à peu près à l'époque où l'on fête à présent le Carnaval. Leur époque et leur esprit seuls concordent; leur fin, non, car le but des bacchanales et des lupercales était de glorifier respectivement Bacchus, dieu du vin, et Pan, protecteur des troupeaux, tandis que le Carnaval vise surtout à rassasier, avant le Carême,[1] les appétits de l'homme.

*Origine du Carnaval.* — Les bacchanales étaient elles-mêmes originaires d'Égypte et consistèrent au début en mystères religieux célébrés seulement par des hommes. Lorsque les femmes furent admises à ces cérémonies, elles dégénérèrent en orgies effrénées. Bacchanale est encore aujourd'hui synonyme de folie, d'ivresse et de grossière furie. Les Grecs, puis les Romains adoptèrent ces fêtes licencieuses et, dans la Gaule romaine elles furent accueillies de pair avec les premiers enseignements du christianisme. L'Église, indulgente, et comprenant combien elles étaient chères aux mentalités naïves du moyen âge, ne put les interdire. Elle essaya par tous les moyens en son pouvoir de les atténuer, mais ses efforts furent longtemps vains contre le besoin d'épanchement et de détente du peuple, contre l'atavisme païen qui restait au fond des consciences mal éclairées du moyen âge. Pendant des siècles, la Fête des Fous, la Fête de l'Ane, la Fête des Innocents déshonorèrent les vastes cathédrales gothiques qu'un écrivain français qualifie d'« image du monde, abrégé de l'histoire et miroir de la vie morale ».

---

[1] Les 40 jours de jeûne et d'abstinence prescrits par l'Église catholique avant la fête de Pâques.

*La Fête des Fous.* — On la célébrait dans plusieurs cathédrales, mais tout spécialement à Reims, à Sens, à Chartres et en Dauphiné. Son caractère général était la mascarade. Le bas-clergé se revêtait de costumes grotesques et avait la figure couverte de masques grimaçants. « Il élisait un pape ou un évêque des fous; on le conduisait à l'église au milieu de chants et de danses, l'on y parodiait les offices. » [1] Après la parodie, on dansait dans l'église, on se livrait à mille folies. A Reims particulièrement avait lieu une procession bizarre: les chanoines précédés de la croix, se tenaient sur deux files et chacun d'eux traînait derrière lui un hareng attaché par une ficelle. Le jeu consistait à marcher sur le hareng du chanoine précédent pendant qu'on défendait de son mieux son propre hareng des tentatives du chanoine qui suivait. Ce divertissement en lui-même était moins répréhensible que les pratiques exposées plus haut, mais il prêta à tant d'abus qu'il fut sévèrement interdit.

*La Fête de l'Ane.* — A Sens, un âne était tout particulièrement le héros de la fête. C'est ce qu'on appelle la « Fête de l'Ane ». L'humble baudet était ainsi honoré parce que, après avoir assisté à la naissance de Jésus, il l'a emporté en Égypte pour le soustraire à la fureur d'Hérode, et l'a encore porté sur son dos lors de son entrée à Jérusalem. Le cérémonial de la fête a été réglé par un haut dignitaire de l'Église, et le manuscrit de ce cérémonial est conservé à la Bibliothèque Nationale. Voici un abrégé du programme:

« Avant le commencement des vêpres, le clergé se rend processionnellement à la porte principale de la cathédrale, où il attend un cortège qui a dû se former sur le seuil d'une autre église. Douze honorables artisans se sont costumés de façon à représenter chacun l'un des douze apôtres ... Au milieu d'eux, marche un âne luxueusement harnaché, sur le dos duquel, simplement mais richement vêtue, est assise une jeune fille tenant dans ses bras un poupon: c'est la Vierge Marie et

---

[1] *Larousse du XX⁰ siècle.*

son fils nouveau-né, qu'entourent les douze apôtres, et qui, escortés de la foule poussant des acclamations, s'en vont vers la cathédrale ... Sur le parvis, la Vierge Marie descend de sa monture. Alors deux chanoines s'approchent de l'animal, lui jettent sur le dos une chape magnifique et l'amènent

Un âne en chape
(*Voir légende p. 214*)

dans le chœur, près de la table où se tient le préchantre. Alors tous les chantres présents au lutrin entonnent une prose » [1] dont l'âne est le héros, et dont le refrain était:

> Hé ! Sire Ane, encore chantez !
> Belle bouche, rechignez.
> Vous aurez du foin assez
> Et de l'avoine à planter.

Le sire âne obéissait fréquemment à l'injonction et il s'ensuivait une cacophonie et un tumulte assourdissants qui déshonoraient l'église.

Coutume curieuse et assez difficile à expliquer: à la suite de l'Office de l'Ane, on versait sur le dos des chantres

---

[1] Cité d'après le *Journal de l'Université des Annales*, 15 janvier, 1911.

plusieurs seaux d'eau; à toute cette folie, on administrait la douche ! [1]

*La Fête des Innocents.*[2] — Les enfants de chœur servirent aussi de prétexte à ces fêtes burlesques. Le jour des Innocents, le clergé leur cédait la place et ils célébraient les offices, donnaient la bénédiction au peuple et allaient en procession dans les rues où on leur offrait à boire, à manger avec toutes sortes de jeux et de bouffonneries. A Sens, il y a quelques années à peine, survivait encore un souvenir des coutumes abolies. Le jour des Saints Innocents, les enfants de chœur élisaient parmi eux un archevêque et jouaient à parodier avec lui les actes inhérents à cette fonction. La chasublière de la cathédrale leur fabriquait des ornements sacerdotaux pour ce jour.

Petit à petit, des fêtes païennes des Bacchanales jusqu'au Carnaval actuel, les démonstrations grossières et populaires s'affaiblirent au fur et à mesure de la formation des consciences et de l'élévation des esprits.

*Le Mardi-Gras dans l'histoire.* — La grande caractéristique du Carnaval a été de tout temps la mascarade et le déguisement. Les cours des rois de France ont été, ce jour-là, pendant des siècles, le théâtre de bals travestis qui favorisaient les intrigues et même les drames. L'histoire a conservé le souvenir d'un bal masqué du XIVe siècle où le roi de France Charles VI et les gentilshommes de sa cour s'étaient déguisés en bêtes sauvages ou domestiques. Les torches de résine qui servaient alors pour l'éclairage mirent le feu aux danseurs qui furent transformés en torches vivantes. Le roi échappa à grand'peine, mais cette catastrophe avait

[1] L'âne ne fut pas le seul animal admis à ces fêtes burlesques; à Paris, au XIVe siècle, un renard en faisait les frais. Il figurait au milieu du clergé, vêtu, pour la circonstance, comme un de ceux qu'il amusait. Le grand divertissement de la journée consistait à le voir se jeter sur les volailles qu'on mettait à sa portée et qu'il étranglait sans souci de l'assistance et de ses applaudissements.

[2] Fête qu'on célèbre en l'honneur des enfants qui, d'après l'Évangile, furent massacrés en Judée par ordre du roi Hérode.

fortement ébranlé sa raison.  Il mourut fou, laissant le
royaume en grand danger.  Ce bal fut appelé dans l'histoire
le « Bal des Ardents ».

*Le Mardi-Gras à Paris.* — A Paris, les administrations,
les écoles donnent encore une demi-journée de congé à leur
personnel à cette occasion, mais les amusements des jours gras
ne sont plus pour ainsi dire que des souvenirs.  La guerre a
passé là et presque détruit l'ancestrale coutume.  Pendant
cinq ans les Parisiens ont évolué, grandi, vécu sans elle et ils
se sont aperçus combien elle était pour eux dénuée d'intérêt
et d'attrait.  Ils ne l'ont pas rétablie.  Avant la guerre, d'im-
posants cortèges parcouraient les grands boulevards de la
capitale.  Le bœuf gras enrubanné, glorifié, le bœuf gras
qu'on devait tuer la veille de Pâques, était promené sur un
char magnifique entouré de musiciens, de gens masqués,
déguisés menant un beau tapage.  Dans les grandes artères se
livraient des batailles acharnées de confettis, le sol en était
jonché d'une couche épaisse de quinze à vingt centimètres.
Il n'était pas rare qu'un million de kilogrammes de ces minuscules projectiles fût ainsi prodigué le jour du Mardi-Gras.
Les batailles ne finissaient guère qu'au petit jour, aux accords
mourants des dernières valses des nombreux bals masqués
qui se donnaient un peu partout.

Tout cela est fini.  Les confettis ont été interdits depuis
plus de douze ans et les cortèges se bornent à quelques mo-
nômes d'étudiants.[1]  Les bals subsistent encore un peu, mais
ce sont les derniers soubresauts d'une coutume qui se perd à
Paris.  Le Mardi-Gras, dans la capitale, tourne à la fête de
famille.  C'est une demi-journée de calme et de repos à la fin
de laquelle on fait des crêpes dont la fabrication s'accompagne souvent du couplet populaire :

> Mardi Gras, ne t'en va pas,
> J'ferons des crêpes, j'ferons des crêpes.
> Mardi Gras, ne t'en va pas,
> J'ferons des crêpes et t'en mangeras.

[1] Voir plus loin, p. 207.

*Le Carnaval à la campagne.* — Les coutumes du Carnaval sont plus tenaces dans les campagnes. Ce sont surtout des réjouissances gastronomiques. Il y a très peu d'années encore, il existait au fond de villages très pauvres, des gens qui, de toute leur vie, n'avaient mangé de viande que le jour de Mardi-Gras. Aussi quelle auréole autour de ce jour unique dans l'année ! Après le souper, les villageois imitent les citadins d'autrefois et se déguisent. Leur mascarade n'est ni savante ni raffinée. Les costumes de soie des Colombines [1] et des Arlequins [1] sont un luxe inconnu à la campagne, mais volontiers les hommes revêtent des vêtements de femme et inversement. Loques au rancart et bonnets démodés des grand'mères revoient le jour. Des masques invraisemblables sont confectionnés pour la joie des grands et la terreur des petits. On va de maison en maison, plaisanter, boire et manger.

Voici, à ce sujet, quelques lignes d'un écrivain français contemporain: « Cependant les jours gras approchaient. C'est le grand amusement de ce temps-là de se déguiser et d'intriguer les passants, qui essaient de mettre un nom sur les faux visages. Devine qui peut ! Un masque vous apostrophe, c'est son droit: défense de se fâcher, permission de tout dire. Et on en dit ! Riche ou pauvre, artisan ou bourgeois, chacun reçoit son paquet: c'est, pour deux ou trois jours, le règne de l'égalité, la revanche de la sincérité sur l'hypocrisie quotidienne. Impossible d'échapper à cette révision des consciences, déshabillées, fustigées, à la grande satisfaction du public. Ceux qui voudraient se dérober en restant chez eux, on va les chercher, on force leur porte. Une bande joyeuse envahit la maison, promène sa farandole de chambre en chambre. »[2]

*Le Carnaval à Nice.* — En France, lorsqu'on parle du carnaval, on évoque surtout les fêtes splendides qui se déroulent à

---

[1] Personnages comiques du vieux théâtre.
[2] E. Pouvillon, *Jep.*

Nice à cette époque de l'année.  Nice est alors dans toute son effervescence.  Les frileux, les oisifs qui ont quitté la capitale en encombrent les hôtels et les villas qui regorgent déjà d'étrangers attirés par la douceur du climat et les merveilleux panoramas de la Côte d'Azur.  Le carnaval de Nice dure plusieurs semaines.  Ce ne sont que mascarades, cavalcades, batailles de fleurs.  Son caractère dominant, c'est l'élégance, l'amusement un peu raffiné, un peu superficiel.  La tradition essentielle n'y est représentée que par la promenade du bonhomme Carnaval, plus souvent désigné sous le nom de Majesté.  C'est un énorme mannequin d'osier, somptueusement revêtu et que l'on brûle solennellement le mercredi des Cendres.[1]

*Le Carnaval au pays basque.* — Plus pittoresque et plus original est le carnaval basque.  Le pays basque groupe trois anciennes petites provinces, tassées au pied des Pyrénées et peuplées de gaillards solides et hardis.  Là ce n'est plus la gourmandise ni l'élégance qu'il s'agit d'honorer pendant les fêtes du Carnaval, c'est l'agilité, et la mascarade du pays basque est presque un ballet fantaisiste et léger.

Ce sont les jeunes gens qui organisent la mascarade et la composent.  Elle va parcourir les villages avoisinants, et partout on s'apprête à la recevoir.  Les enfants l'annoncent. Les paysans se massent à l'entrée du village, armés de fusils et de longs bâtons, et le joyeux cortège doit d'abord livrer bataille pour avoir le droit de se faire admirer et applaudir ensuite.  Mais la barricade est vite prise d'assaut et la mascarade victorieuse entre dans le village.  A sa tête, comme à la tête de tout cortège qui se respecte, marche, en habits de fête, le musicien qui joue ses airs les plus entraînants.  Puis vient le « Cherrero » dont la mission est d'écarter les gêneurs, pour que les danseurs aient tout l'espace nécessaire à leurs évolu-

---

[1] Le lendemain de Mardi-Gras et le premier jour du Carême.  Son nom vient de ce que les prêtres catholiques, à l'office du jour, marquent de cendre bénite le front des fidèles en signe de pénitence.

tions.  Le Cherrero a comme insigne un énorme balai.  Il porte des bas blancs à jarretières rouges, une culotte blanche, une veste voyante, une ceinture de grelots et de clochettes. Il est tout bruit et tout lumière.  Il ne marche pas, il danse. Toute la procession danse.  Derrière le Cherrero dansent une accorte cantinière, un homme-cheval, « Zamalzaïn », et un

Zamalzaïn,  homme-cheval

homme-chat, « Gathia ».  Le rôle de la cantinière est de pré-senter de la provende au cheval, et celui du chat est de jouer des tours à tout le monde.  Zamalzaïn est l'étoile du spectacle. Il est un danseur incomparable.  Sur son cheval postiche qu'il fait caracoler, ruer, danser, il montre une grâce, une souplesse et une agilité étonnantes.  Il est habillé d'un costume tradi-tionnel rutilant et clinquant fait de rouge, de blanc, de perles et de strass brillants, de rubans multicolores qui flottent autour de lui et de son fantastique coursier.  Celui-ci est un

mannequin d'osier recouvert d'une housse de soie rouge à
franges qui laisse à peine voir les pieds du danseur, sans cesse
tourbillonnant et sautant.   La petite tête noire de ce Cen-
taure [1] semble pleine d'intelligence et de malice.   Elle aussi
est ornée de rubans, de plumes et de grelots.   A ses côtés
dansent dix ou douze serviteurs, habillés également de
rouge et de blanc, et les maréchaux-ferrants portant tenailles
et marteaux tout prêts à porter secours à cette monture extraordinaire, dont la danse échevelée aura si vite raison des
sabots.   Puis viennent, réminiscences du passé féodal, le
seigneur et sa dame, graves et majestueux, en costumes
d'autrefois.   A quelque distance suivent, toujours en dansant,
le paysan, la paysanne et les palefreniers.   Après eux, con-
duits par leur seigneur, tourbillonnent des bohémiens et des
bohémiennes; ils entourent un deuxième homme-cheval,
parodie du premier et vêtu d'une housse noire.   Enfin
viennent les différents corps de métier: le médecin et l'apothicaire avec leurs panacées, le barbier avec son rasoir, les
chaudronniers, les rémouleurs, etc.   Ils chantent en dansant
des couplets fantaisistes dont la teneur est laissée à leur verve
et à leur inspiration.   La procession est fermée par des mendiants loqueteux et misérables qui dansent eux aussi et avec
autant d'entrain que les autres.

   Enfin le cortège arrive et se masse sur la place publique:
le vrai spectacle va commencer.   Le Cherrero, maître des
cérémonies, fait aligner la foule, et le Zamalzaïn-rouge, au
centre, et maître de la place, recommence à pirouetter, à
virevolter, poursuivi par les maréchaux-ferrants qui veulent
le forcer à avoir recours à leurs bons offices.   Ils réussissent
enfin à le ferrer et « la danse du verre » a lieu.   Au milieu de
l'espace laissé libre par les soins du Cherrero, un verre plein
de vin est posé.   Le Zamalzaïn danse tout autour des pas
traditionnels, puis, tout à coup, posant son pied gauche sur
le verre, il trace en l'air du pied droit une croix, et bondissant

---

[1] Monstre fabuleux moitié homme moitié cheval.

le plus haut possible, il se laisse retomber à terre dans une dernière pirouette. « Malheur à lui s'il est assez maladroit pour renverser le verre ! Il sera disqualifié, déshonoré à jamais. »

Après lui se succèdent dans l'arène d'autres numéros sensationnels exécutés par les différents personnages de la mascarade. Le ballet se termine par une ronde générale après laquelle les habitants du village emmènent chez eux les danseurs pour les féliciter et les restaurer.

*L'expiation et les funérailles de Carnaval.* — Carnaval est un grand pécheur; pendant trois jours il a entraîné les gens dans toutes sortes d'excès; en beaucoup d'endroits, on fait son procès en haute et due forme, on le condamne et on l'exécute. En Normandie et en Limousin, symbolisé par un mannequin d'osier, couvert de loques et d'oripeaux défraîchis, tels qu'il sied à un fêtard lamentable et repu, Carnaval est promené par les rues des villages le soir du Mardi-Gras. Il s'entend reprocher, avec des huées et des sarcasmes, tous les excès qu'il a commis et fait commettre, et au milieu d'un concert discordant de cris, de rires, de coups de gong rustiques où les vieilles casseroles font office de tambours, il est traîné au lieu du supplice, c'est-à-dire au bûcher. Ce bûcher n'est d'ailleurs qu'un vulgaire tas de paille: il faut si peu de combustible pour anéantir un fantoche !

En Provence, ce fantoche s'appelle « Caramantrou » et c'est à une véritable cour de justice qu'il a affaire. Tout le village l'escorte: les hommes en buvant de temps en temps une gorgée de la gourde de vin qu'ils portent à leur côté et en imitant la démarche titubante des ivrognes; les jeunes gens entassés sur une charrette de foin et feignant de pleurer amèrement sur le sort réservé au pauvre Caramantrou. Lui, est traîné sur la place du village où se tiennent, déguisés de façon extravagante, ses juges et ses avocats. Malgré d'habiles et amusantes plaidoiries, il est condamné à mort, placé contre un mur et lapidé. Ses restes sont jetés à la rivière ou à la mer.

Adieu pauvre, adieu pauvre,
Adieu pauvre carnaval.
Tu t'en vas, et je demeure.
Adieu, pauvre carnaval !

*Le dimanche des Brandons.* — Le dimanche qui suit le Carnaval s'appelle en beaucoup d'endroits le dimanche des Brandons. On promène des torches allumées le long des écorces des arbres et surtout de la vigne, puis on allume des bûchers sur les hauteurs et la jeunesse des pays environnants vient danser autour du feu. C'est, sous un nom différent, la même coutume que celle des « Coulaines d'Épiphanie » et elle procède du même principe: on joint l'utile à l'agréable. Les paysans qui mènent une vie plutôt monotone et sont par conséquent avides de distraction, ont transformé en réjouissance la nécessité d'écheniller les arbres fruitiers et de détruire les taupes, les vers blancs et les autres bestioles nuisibles aux récoltes.

En Auxois,[1] les derniers jeunes mariés de la commune ont en prérogative la mission d'allumer le bûcher. Suivant la direction du vent, ce soir-là, on prévoit le temps de plusieurs mois, car le vent souffle du même côté, dit-on, pendant un quart de l'année. En Franche-Comté, les jeunes mariés ne doivent pas se contenter de mettre le feu aux fagots. Ils doivent aussi offrir à tous ceux qui en demandent une large ration de pois frits. Les amateurs sont le plus souvent des jeunes gens et des jeunes filles qui, pour la circonstance, se déguisent comme au Mardi-Gras. C'est le dernier soubresaut de la fête, car le Carême commence avec toute sa rigueur: plus de fêtes, plus de danses jusqu'au dimanche de Quasimodo.[2] Dans cette même province, les jeunes gens font aux jeunes filles, le soir du « dimanche des pois frits », des adieux amusants qui se terminent par la coutume suivante. Chaque garçon, en prenant congé de sa « préférée » ou « flirt », lui couvre le visage d'un voile léger. A la sortie du Carême,

---

[1] Pays de l'ancienne Bourgogne.
[2] Le premier dimanche après Pâques.

la jeune fille se présente, la figure toujours voilée, à son « préféré » qui, enfin, la délivre.

*La Mi-Carême.* — Quarante jours consécutifs d'abstinence
et d'austérité seraient bien longs ! De bonne heure on les a
coupés par un jour de liesse, la Mi-Carême. Mais la Mi-
Carême est surtout une fête parisienne, autrefois pleine d'é-
clat, et aujourd'hui perdant un peu de son prestige malgré
les efforts sincères des édiles de la capitale, qui s'efforcent de
rendre à cette fête sa renommée d'antan.

Quelques jours avant la Mi-Carême, chaque marché de
Paris, chaque corporation élit une « reine » et ses « demoiselles
d'honneur ». Elles sont habillées aux frais d'un comité
spécial et parmi elles on choisit la « reine des reines ». La
reine des reines, vêtue par les soins de la Ville de Paris et à
ses couleurs, bleu roi et rouge incarnat, reçoit en outre de
nombreux présents. Les grandes maisons de couture et de
lingerie tiennent à honneur de lui fournir un trousseau
élégant. Le jour de la Mi-Carême, lorsque le soleil brille,
clément, et permet la promenade de cette gracieuse majesté,
la reine des reines parcourt sur un char magnifique et fleuri les
grandes artères de la capitale, escortée de ses demoiselles
d'honneur, des reines des marchés juchées sur des chars allégoriques, de cavaliers costumés, de musiciens bruyants et aussi
... de réclames ingénieuses des grandes maisons industrielles
et commerciales. La reine des reines est reçue à l'Élysée par le
Président de la République qui l'embrasse et lui remet un bijou, le plus souvent un bracelet. Le soir, un bal magnifique
clôture la fête et il ne reste ensuite à l'éphémère royauté que le
souvenir d'une journée fatigante, mais délicieuse quand même.

Il n'y a pas encore longtemps, cette fête était plus animée
et plus joyeuse que le Mardi-Gras lui-même. Des milliers de
personnes se massaient sur le passage de la cavalcade qui
était inondée de confettis, de serpentins et de fleurs. La fête
de la Mi-Carême fut naturellement supprimée pendant la
guerre et lorsqu'on voulut la rétablir tout un concours de

circonstances contribuèrent à diminuer son prestige.   D'a-
bord, les confettis furent interdits par mesure hygiénique, et
la bataille des confettis était peut-être la plus grande attraction de la journée;  puis il advint que la température fut très
rigoureuse durant quelques années au jour de la Mi-Carême,
et les reines durent faire leur promenade traditionnelle dans
un coupé fermé.   Alors la cavalcade, grelottant sous la bise,
était à peine acclamée par quelques spectateurs gelés aussi . . .
Le soleil est toujours le principal acteur des fêtes en plein air,
et lorsqu'il boude, hélas ! le succès de ces fêtes est en danger.
La Mi-Carême parisienne est bien pâle, et il est douteux qu'on
lui revoie jamais ses couleurs d'autrefois.

Le char de la Reine des Reines à Paris
(le 15 mars 1928)

## LE PREMIER AVRIL

N A CHERCHÉ à expliquer de différentes manières comment la coutume du 1er avril était née, mais nul ne sait de façon précise pourquoi et comment elle a pu s'établir. On pense généralement qu'elle a pris naissance « vers la fin du xvie siècle, à l'époque où l'année cessa de commencer en avril ».[1] Comme avant cette réforme du calendrier on se donnait des étrennes au 1er avril, il semble qu'on n'ait pas voulu perdre tout à fait l'usage des présents et souhaits habituels à ce jour-là, seulement ils prirent un caractère de mystification et de plaisanterie: ce sont les « poissons d'avril », ainsi nommés parce que le soleil à cette époque de l'année vient de quitter le signe zodiacal des Poissons.

*Les poissons d'avril.* — Ce sont d'abord de menues friandises, bonbons en chocolat ou en sucre, affectant la forme de poissons; puis des cartes postales ou des images où le poisson est toujours la vedette. On en envoie à ses parents, à ses amis, le plus souvent en déguisant l'envoi ou en ne le signant pas, afin de lui laisser tout son léger charme d'intrigue ou de mystification.

Les farces plus ou moins spirituelles en usage dans les campagnes, les écoles, les casernes, les groupements de tout genre s'appellent aussi des poissons d'avril. Elles visent surtout à faire courir les naïfs à la recherche d'un objet impossible. On envoie la jeune bonne, fraîchement débarquée de son village, acheter du sel dessalé ou de l'huile à effacer les taches; on envoie le jeune soldat à la recherche de la clé du champ de manœuvres ou l'apprenti craintif chez le quincaillier pour y réclamer une corde à lier le vent, ou un bâton à un seul bout. S'il ne trouve pas, et pour cause, on l'envoie de nouveau chez l'épicier pour s'approvisionner d'esprit en bouteille.

[1] *Larousse universel.*

## AUTOUR DE PÂQUES

E DIMANCHE des Rameaux ouvre la semaine sainte, c'est-à-dire la semaine qui précède le jour de Pâques. Il a un autre nom poétique et gracieux. On l'appelle Pâques fleuries. La grande coutume caractéristique de ce dimanche est une coutume religieuse destinée à commémorer le souvenir de l'entrée de Jésus-Christ à Jérusalem.

*Le dimanche des Rameaux.* — De même que, il y a près de deux mille ans, le peuple de Jérusalem alla au devant de Jésus, les mains pleines de branches de palmier, les catholiques d'aujourd'hui vont à la messe de ce jour avec des branches de buis bénit. Ils suspendront ensuite ces branches au-dessus de leur lit et elles leur rappelleront, toute l'année durant, leurs devoirs de piété. Elles leur attireront aussi la protection céleste. A la campagne, les rameaux de buis bénit étendent leur action bienfaitrice aux animaux et aux choses. L'écurie, l'étable, la grange reçoivent, tout comme l'habitation, le bouquet de rameaux protecteurs. On en plante même dans les champs et les vergers pour éloigner la grêle, la foudre et la néfaste gelée blanche. C'est le buis bénit, qui, inséparable compagnon du cierge de la Chandeleur, aspergera le moribond, l'accompagnera au champ de repos et veillera au fond de la fosse sur son dernier sommeil. Aussi de quel respect et de quelles superstitions est-il entouré ! On brûle le buis bénit de l'année passée avec les plus grandes précautions, car les choses sacrées hors d'usage doivent être réduites en cendres et non abandonnées à pourrir. Une superstition limousine ajoute même que chacun est comptable après sa mort des minuscules feuilles de buis qu'il a approchées pendant sa vie. S'il en a égaré ou jeté sans souci, il erre sur terre toutes les nuits à la recherche des disparues.[1]

---

[1] En Provence, les rameaux de buis bénit sont portés par les enfants et sont ornés de pommes, d'œufs rouges, d'oranges et de gâteaux. A

*La semaine sainte.* — Les coutumes relatives à cette semaine sont surtout des coutumes religieuses et comme telles s'observent par toute la France catholique.

*Le jeudi saint.* — Le recueillement et le silence sont de règle pendant toute la semaine sainte, tellement de règle qu'à partir du jeudi saint les cloches des églises elles-mêmes n'appellent plus les fidèles à la prière. A la campagne et dans les petites villes de province, les enfants de chœur parcourent les rues avec des crécelles au son criard pour annoncer les offices. En même temps, ils quêtent les œufs nécessaires à la confection de l'omelette traditionnelle du lundi de Pâques, omelette sur laquelle nous reviendrons plus loin. Dans beaucoup de villes on installe dans les églises des autels parés de fleurs et de lumières qu'on appelle « reposoirs » ou « paradis ». Les croyants, les curieux vont d'église en église, de reposoir en reposoir. A la porte de chaque église, dix à douze quêteuses assises derrière une table recouverte d'un grand tapis sollicitent les aumônes des passants.

La charité privée était d'ailleurs fortement mise à contribution le jeudi saint, il y a peu d'années encore. Les enfants, imitant les églises, installaient devant la porte de leur maison de « petits paradis » bien simplets, composés d'une chaise simulant l'autel, d'une serviette et de quelques images de piété; et, en faction auprès de leur installation, ils quêtaient avec toute la simplicité et la ténacité de l'enfance. Un écrivain français raconte même que l'un de ces enfants dépourvu de toute image ou statuette de piété, avait remplacé la Vierge ou le Christ traditionnels par un petit Napoléon en plâtre, vêtu de sa redingote grise et de son petit chapeau légendaire !

*Le vendredi saint.* — C'est le point culminant du carême, le jour de la grande pénitence; c'est d'ailleurs le seul jour de l'année où la religion catholique ne célèbre pas la messe. Elle

---

Toulon, la branche traditionnelle est remplacée par un thyrse en bois doré. Les rameaux du thyrse sont également dorés et portent, alternés avec des feuilles factices en papier doré, des fruits confits et des oranges.

est remplacée par un office spécial pendant lequel on distribuait autrefois aux assistants des hosties non consacrées. Les églises sont tendues de noir en beaucoup d'endroits et le jeûne et l'abstinence sont de rigueur. Chez les croyants, on ferme à clé le piano et l'on range dans leurs étuis les violons et les autres instruments de musique. La plupart des théâtres font relâche. Un malaise de tristesse générale pèse sur tous.

*Le samedi saint.* — Le samedi saint est caracterisé par maintes cérémonies. C'est ce jour-là qu'on va à l'église renouveler sa provision d'eau bénite; c'est ce jour-là qu'en beaucoup d'endroits, à la campagne, on rallume le feu de l'âtre avec un tison pris à un énorme bûcher allumé sur la place de l'église; c'est ce jour-là enfin qu'on envoie des œufs de Pâques à ceux de ses amis qui, vu leur âge, ne bénéficient plus des dons anonymes et gracieux des cloches.

*La légende des cloches.* — Et pendant ces jours funèbres, les cloches des églises, suivant la jolie légende qu'on raconte aux petits enfants, accomplissent leur pèlerinage annuel à Rome. Le jeudi saint, vers 10 heures du matin, elles prennent leur vol vers la Ville Éternelle. Invisibles dans le ciel, plus haut que les mouettes, les nuages et les avions, elles vont avec une vitesse inouïe et arrivent le vendredi saint, à l'heure où le Christ a expiré. Alors, le dernier pape défunt descend du paradis pour les bénir. A sa bénédiction sont jointes de multiples friandises pour les enfants sages: œufs rouges, œufs de chocolat ou de sucre, œufs en carton doré ou en bois sculpté remplis de bonbons délicieux. Elles rapportent tout cela à travers les airs, et dans la matinée du samedi saint, en tintant d'allégresse, elles laissent échapper leurs fragiles trésors dans les jardins et les maisons qui abritent de petits enfants. Ceux-ci, à l'appel des cloches, se précipitent et furettent ... Ils ramassent çà et là les choses qu'ils aiment le plus. Leurs cris de joie emplissent la maison ... Les cloches répondent de leurs voix argentines ou graves. Joie au cœur de tous, voici Pâques !

*Pâques.* — Pâques enfin sonne dans le matin clair ! Le ciel est lumineux, l'air doux; les cloches sonnent à toute volée annonçant deux jours pleins de contentement et de liesse. « Chacun sort son plus beau chapeau, sa plus belle robe, sa plus belle jaquette, un col blanc, et les demoiselles, même celles de la campagne, habituées à travailler tête nue, au grand air, se hâtent d'ouvrir l'ombrelle neuve qu'elles ont achetée à la ville. »[1]

*Les œufs de Pâques.* — Sous le nom général d'œufs de Pâques, on englobe à présent tous les cadeaux que l'on se fait

La fabrication des œufs de Pâques

à cette époque aussi bien pour fêter Pâques que pour fêter le renouveau. Autrefois les œufs de Pâques étaient des œufs réels, des œufs de poule qu'on n'avait pu manger pendant le carême — car les règles du jeûne étaient très rigoureuses — et qu'on avait conservés. Il y en avait une telle réserve qu'il

[1] René Bazin, *La Douce France.*

fallait bien les distribuer sous peine de les voir s'altérer. Au
XIIIᵉ siècle les clercs de l'Église et les étudiants quêtaient ces
œufs de Pâques en chantant des psaumes ... Mais le carême
s'adoucit, les moyens de transport s'améliorèrent et les œufs
des campagnes prirent le chemin des villes. Aussi, pour perpétuer la coutume se mit-on à fabriquer des œufs en sucre rose,
des œufs en chocolat. Les étalages des confiseurs sont aussi
attirants à Pâques qu'à Noël et au Jour de l'An: bonbon-
nières merveilleuses, vanneries fines en forme d'œufs, etc.
Les friandises qu'elles renferment se mêlent aux fleurs et aux
rubans, satisfaisant le besoin d'élégance raffinée qui som-
meille dans tout Français.

Ainsi qu'au Jour de l'An et au 1ᵉʳ avril, la coutume de
s'envoyer des cartes postales avec des souhaits d'«heureuses
Pâques» s'affirme d'année en année. Naturellement, ce sont
des œufs qui sont le thème principal de la peinture ou du dessin illustrant ces cartes postales: œufs poétiques ou comiques,
mais qui tous symbolisent l'espoir heureux des commence-
ments.[1]

## AU MOIS DE MAI

E SEUL nom de mai évoque en France toute
une période de charme et de douceur. C'est
le mois poétique par excellence, le mois où
le printemps est dans toute sa plénitude et sa
grâce, le mois des fleurs le plus odorantes, le mois où le rossignol chante dans la nuit tiède. Aussi de tout temps, le
mois de mai fut-il fêté et célébré en France par toutes les
classes de la société. Parmi les enluminures ornant le livre
d'heures qui appartint à Anne de Bretagne [2] et qui est une

[1] Dans quelques villages on a conservé l'usage de jouer aux œufs, mais
cet usage disparaît très rapidement.

[2] Fille du dernier duc de Bretagne qui apporta en dot la Bretagne à la
France (1477–1514).

précieuse relique aujourd'hui conservée à la Bibliothèque Nationale, figure la représentation d'une fête de mai.[1]

*Mai et la tradition catholique.* — Le mois de mai fut tout spécialement consacré par les catholiques à honorer la Vierge. Au moyen âge et pendant les siècles qui suivirent, des quêtes étaient faites à domicile pour parer et fleurir l'église et l'autel de Marie pendant ce mois béni. Le curé et ses enfants de chœur se rendaient de ferme en ferme en chantant des couplets naïfs, retrouvés à la Bibliothèque Nationale:

> Trimousett'
> C'est le Mai, mois de Mai,
> C'est le joli mois de Mai.
>
> Quand vot' mari s'en va dehors,
> Quand vot' mari s'en va dehors,
> Que Dieu le prenne en son accord,
> Et en l'accord de son cher fils
> Jésus Christ.
>
> C'est le Mai, mois de Mai,
> C'est le joli mois de Mai.
> etc.

*Le mois de mai et les femmes.* — De la Vierge à toute la féminité il n'y avait qu'un pas, et la coutume s'établit rapidement d'honorer particulièrement et de respecter les femmes pendant le mois de mai. En plusieurs provinces le mari qui maltraitait son épouse pendant cette période subissait le châtiment comique de la « trotte-de-l'âne ».

A cet effet, on promenait le mari coupable sur un âne où il était assis à califourchon, la tête tournée vers la queue de l'animal, et pendant qu'il déambulait dans ce piteux état à travers les rues du village, les reproches et les sarcasmes allaient bon train et vengeaient copieusement sa femme. Bon nombre de maris refusaient de « trotter l'âne », et cela se

[1] Gaston Sevrette, *Les Vieilles Chansons des Pays de France.*

conçoit; alors un sosie prenait sa place, vêtu des habits du délinquant et mimant ses gestes et son allure. Le vrai coupable en était quitte pour régaler, à l'issue de cette promenade expiatoire, celui qui l'avait remplacé et ceux qui l'avaient escorté.[1] Cette coutume ne disparut guère qu'au siècle dernier.

*Le muguet porte-bonheur.* — Beaucoup plus intéressante est la coutume de s'offrir mutuellement du muguet le matin du 1ᵉʳ mai. Il n'y a pas encore longtemps, cette coutume était assez générale, à présent il en reste seulement des traces à Paris. Mai est en France le mois où éclosent ces petites fleurs fragiles et parfumées, et elles ont la réputation de porter bonheur. Le matin du 1ᵉʳ mai elles envahissent les devantures des fleuristes, débordent des paniers que les bouquetières portent aux bras. Les passants en achètent pour orner les boutonnières des vestons et les cols des manteaux.

*Les déesses de mai.* — Mais c'est encore dans les provinces françaises que l'on retrouve, à peine transformées, les coutumes anciennes par lesquelles on fête gracieusement le mois de mai. Du nord au midi de la France, on élit des « déesses de mai », des « reines de mai », ou des « reines du muguet ».

Tout près de Paris, à Compiègne, où fut signé l'armistice qui termina la grande guerre, les notables de la ville nomment une reine du muguet au cours de fêtes brillantes qui attirent beaucoup d'étrangers.

En Lorraine, les jeunes filles de chaque localité choisissent entre elles celle qui sera la déesse de mai. L'élue, tout habillée de blanc, parcourt le 1ᵉʳ mai avec le cortège de ses compagnes toutes les rues de sa ville ou de son village. Elle porte un jeune sapin enrubanné de soie blanche et ses amies tiennent autour d'elle de longues guirlandes fleuries. C'est la fête de l'innocence et des fleurs. De ci de là, les jeunes filles récoltent quelques petits cadeaux, quelques petites pièces de monnaie qu'elles destinent à parer l'autel de la Vierge ou à soulager quelque misère.

[1] *Revue des Traditions Populaires*, 1899.

En beaucoup d'endroits, dans les Ardennes notamment, la déesse de mai n'est pas simple et unique; c'est une trinité. Est-ce une réminiscence lointaine des divinités charmantes de la mythologie grecque qu'on appelait les trois grâces ? Peut-être, mais il est plus probable que c'est un moyen pratique de faciliter la tâche de la déesse et d'augmenter le rendement. En tout cas les déesses de mai sont dans ces pays au nombre de trois et s'appellent les « trimazos ». Elles viennent chanter devant chaque maison de vieux couplets célébrant le retour du printemps. Elles sont habillées de robes blanches ornées de fleurs et de rubans. Ceux-ci sont quelquefois curieusement disposés en triangle sur le corsage de la robe. Après les chants, les trimazos quêtent parmi l'assistance, et les offrandes servent à orner l'autel de la Vierge.

En Auvergne,[1] les jeunes gens prêtent renfort aux jeunes filles pour ces quêtes de mai. Et la destination des offrandes, peut-être sous leur inspiration, change totalement. Le produit de la quête est mangé et bu de commun accord entre les quêteurs qui, après avoir fait bombance, se livrent au plaisir de la danse.

*Autres coutumes.* — En Basse-Alsace [2] le premier mai est annoncé la veille à minuit par le son des cloches. A leur appel les sociétés musicales de chaque localité se réunissent sur la place du village et commencent un concert nocturne qui ne s'interrompra qu'avec l'aurore. Le joli mois naît dans la musique.

En Bourbonnais, dans la nuit qui précède le 1er mai, les jeunes gens « courent le mai », autrement dit, ils posent les premiers jalons de leurs candidatures auprès des jeunes filles. Ils se réunissent et se munissent de bouquets, puis, aux approches de minuit, leur cortège, précédé du musicien du village, parcourt les rues et s'arrête devant toute maison où habite une jeune fille. A leur chanson, la demoiselle — qui,

---

[1] Notamment à Courpière.
[2] Plus précisément à Obernai.

souvent, les attend — ouvre sa fenêtre.   En échange du bouquet offert par les galants, elle leur remet des œufs, des fruits, quelque simple et naïve offrande.   En s'éloignant ils reprennent leurs couplets — extrêmement anciens souvent — tels que ceux-ci:

### LE MOIS DE MAI

Voici venir le joli mois !
L'alouette chante au bois.
Voici venir le joli mois
Où les rosiers boutonnent,
Où les galants s'en vont
Portant des fleurs à leurs mignonnes.

Voici venir le joli mois
Que [1] les filles font leur choix;
Voici venir le joli mois !
Levez-vous, jeune fille;
Nous apportons la fleur de mai;
Ouvrez, belle endormie !

**Les arbres de mai.** — Beaucoup plus générale et beaucoup plus ancienne est la coutume des « arbres de mai ».   De tout temps, les hommes ont eu les arbres en vénération.   Les religions antiques en avaient même fait des divinités, des divinités bienfaisantes et protectrices, dispensatrices d'ombre, de fraîcheur, de sécurité.   Lorsque après le rude hiver qui l'a dépouillé, l'arbre renaît et, au mois de mai, se trouve paré de toute la grâce de ses feuilles nouvelles et de ses fleurs promet-teuses, il est tout désigné pour être un symbole d'espoir, de protection et de fécondité, symbole que les âmes primitives ont saisi et utilisé.   Suivant leur destination, on planta dans les temps reculés et on plante encore aujourd'hui, au I<sup>er</sup> mai, de simples rameaux, de petits arbustes ou d'immenses « mais », tous parés de fleurs, de rubans, de présents de toute sorte.

[1] Ancien emploi de « que »; à présent on emploie « où ».

A Paris, au moyen âge, les étudiants en droit plantaient chaque année un mai dans la grande cour du Palais de Justice qui, pour cette raison, s'appela la Cour-du-Mai. Les mais destinés à honorer les jeunes filles étaient plus souvent un rameau d'acacia ou de troène fleuris. Simple rameau ou arbre entier, le choix du mai était tout un problème, car l'essence de l'arbre a sa signification. Le langage des fleurs n'est pas seul connu dans les campagnes; le langage des arbres est tout aussi apprécié. Le plus flatteur de tous les mais pour une jeune paysanne était un laurier. Venaient ensuite le hêtre, la charmille, le sapin, le lilas en fleur. Le tremble, ou un bouquet de soleils se donnait aux orgueilleuses, aux maniérées; le coudrier aux nonchalantes. Planter un mai en l'honneur d'une jeune fille ne suffisait d'ailleurs pas. Il fallait encore veiller sur lui jusqu'au petit jour et le défendre contre tout rival qui tentait de l'arracher et de le remplacer. De véritables batailles se livraient sous les fenêtres des jeunes filles qui avaient plusieurs amoureux.

Depuis la guerre, les planteurs de mais ont presque partout renoncé à la poétique coutume et aux combats épiques qui en résultaient. Les jeunes filles actuelles, paysannes ou citadines, ne s'intéressent plus guère à ces déclarations naïves et amphigouriques; et la tradition des arbres de mai se transforme. En beaucoup d'endroits, les hommes plantent sur la place publique un arbre unique en l'honneur de leurs mères, leurs épouses, leurs sœurs et leurs fiancées. En d'autres localités, ils remplacent ce mai collectif par des guirlandes fleuries qu'ils suspendent d'une maison à l'autre.

*Les Rogations.* — Les Rogations ne sont pas une coutume uniquement française. Elles sont une cérémonie religieuse en usage dans beaucoup de pays d'Europe. Elles consistent en des processions rituelles à travers champs pour appeler la bénédiction de Dieu sur la terre nourricière et le travail qui la féconde. Ces processions ont lieu vers la fin du mois de mai, pendant les trois jours qui précèdent l'Ascension. Après une messe solennelle où assistent tous les habitants du village, le clergé, croix et bannières en tête, sort de la petite église et s'achemine dans la campagne.    Les jeunes paysannes ont leurs robes blanches et leurs voiles symboliques et tous les fidèles chantent à pleine voix les psaumes sacrés.    Le cortège défile par les chemins des champs, inondés de soleil et d'aromes printaniers.    Le prêtre, d'un grand geste bénisseur, élève l'ostensoir au-dessus des blés qui ondulent sous le vent et semblent s'incliner pour recevoir la bénédiction sacrée.[1]

La procession des Rogations, dans le matin tiède et lumineux de mai, a souvent inspiré les poètes et les peintres français.    Elle est évocatrice de la France agricole d'autrefois. A présent, une autre France existe et se développe à côté de celle-ci, la France industrielle, et les coutumes champêtres sont destinées à s'affaiblir et à disparaître.    Déjà dans beaucoup de localités, grandes ou petites, la procession des Rogations est remplacée par des offices religieux dits dans les églises.

## LES FEUX DE LA ST-JEAN

ES FEUX de la St-Jean, le 24 juin de chaque année, sont une coutume aussi ancienne que celle du gui dont nous parlions au début de ce livre.

Les Celtes qui habitaient la Gaule, la France primitive, célébraient le 24 juin la fête du renouveau.    Les prêtres d'alors, les druides, faisaient cette nuit-là le recensement des enfants nés dans l'année et allumaient sur toutes les hauteurs des bûchers en l'honneur de Teutatès, le dieu-soleil.    Le christianisme s'établit en Gaule et supplanta le

---

[1] En Franche-Comté, pendant la procession, le prêtre lance dans les champs ensemencés qui bordent le chemin des pierres sur lesquelles il a tracé de petites croix avec de la cire bénite.    Ce symbole est de même appliqué sur les maisons, les fontaines, etc.

culte de Teutatès, mais la coutume subsista. On trouva même une légende pour expliquer son origine. Saint Jean, à qui la religion catholique a dédié le 24 juin, possédait, paraît-il, une ferme et de nombreux domestiques. Sa bonté et sa patience étaient si grandes que ses serviteurs ne pouvaient arriver à le faire mettre en colère. Ils imaginèrent un jour d'été d'allumer un feu immense devant sa porte. Saint Jean sortit, et se frottant les mains, leur dit: « Vous faites bien, mes enfants, le feu est bon en tout temps. »

**Les feux de joie.** — Une telle bonhomie ne valait-elle pas d'être commémorée ? On n'y manqua pas et pour une bonne raison. L'été vient de commencer. Les jours sont longs et beaux, et les nuits très courtes, les plus courtes de l'année. Le crépuscule de la veille touche presque à l'aube du lendemain. Dans quelques parties de la France ces nuits sont exceptionnelles de charme. Les foins récemment coupés embaument dans les plaines fertiles. Tout incite à la joie et à l'espoir. Il fallait une consécration à ces nuits splendides. Aussi le 24 juin les feux de la St-Jean s'allument-ils en beaucoup de points du territoire français, non seulement dans les campagnes, mais aussi tout près de grandes villes comme Paris, Bordeaux et Brest.

Paris eut d'ailleurs, pendant des siècles, sa cérémonie propre qui se déroulait sur les bords de la Seine. On élevait, au milieu de la place de Grève,[1] un énorme bûcher, composé de fagots et de bûches; on y mêlait des pétards et des fusées. Au-dessus du bûcher on attachait un panier contenant deux ou trois douzaines de chats.[2] Un grand dignitaire ou le roi de France lui-même allumait le bûcher vers neuf heures, pendant qu'une magnifique collation était servie à l'Hôtel de Ville aux principaux notables. Le bûcher flambait au bruit des détonations et des miaulements désespérés des chats sacrifiés, pendant que les instruments de musique et les trompettes

[1] Aujourd'hui, place de l'Hôtel-de-Ville.
[2] Le chat au moyen âge était considéré comme un animal maléfique.

lançaient vers le ciel à peine obscurci leurs notes claires et joyeuses célébrant la nuit d'été.[1]

Les feux de joie sont presque officiels en beaucoup de provinces françaises, où le conseil municipal lui-même s'occupe d'acheter le bois nécessaire au bûcher.  Dans les pays pieux, comme la Bretagne, où chacun a contribué à la provision de combustible, c'est le curé qui allume le feu de joie.  Car on les appelle « feux de joie » ces flammes claires et brillantes qui, des hauteurs où on les a fait jaillir, s'élèvent vers le ciel magnifique et doux.  Et ce sont bien des feux de joie !  Au faîte du bûcher est souvent suspendue une gerbe de lis et de roses, fleurs dont les jardins regorgent à cette époque.  L'horizon rosit et s'embrase aux cent reflets des flammes alertes.  Alertes aussi sont les chansons et les danses qui se déroulent autour des bûchers pétillants.  Tout le village est rassemblé autour du sien: les vieux qui évoquent leurs souvenirs et cherchent d'heureux présages dans les flammes et le vent, les enfants exubérants qui tirent des pétards, et la jeunesse qui met sous la protection du feu de la St-Jean ses projets d'avenir.  A la campagne, nulle occasion pour une déclaration d'amour n'est peut-être plus propice que le feu de joie.  Après les danses échevelées, lorsque le bûcher n'est plus qu'un brasier, les garçons mettent leur point d'honneur à sauter le plus haut possible au-dessus; les jeunes filles à leur tour font de même.  Mais lorsqu'un jeune homme prend la main d'une jeune fille pour sauter avec elle par-dessus les charbons incandescents, il affirme devant tout le village son désir d'épouser cette jeune fille.

*Pratiques pieuses.* — Une folle gaieté n'est pas la seule caractéristique des feux de la St-Jean.  En Auvergne et en Bretagne où la pauvreté du sol, et partant des gens, a prédisposé la race à la mélancolie, on ne chante et on ne danse guère autour du foyer: on se prosterne et on prie.  En Bretagne surtout, les pèlerins de la St-Jean prient pour leurs familles,

[1] D'après P. Lacroix, *Le Dix-Septième Siècle.*

leurs bestiaux et la réussite de leurs petites affaires. Là et ailleurs, les charbons du bûcher consumé sont recueillis précieusement et emportés dans les maisons, où, avec le cierge de la Chandeleur et le buis bénit, ils serviront de préservatifs contre beaucoup de maux et principalement contre la foudre.

*Superstitions.* — Elles consistent surtout à considérer les

L'Arbre aux Vipères de la Saint-Jean
*(Voir légende p. 214)*

tisons de la St-Jean, l'herbe de la St-Jean, la rosée de la St-Jean comme des panacées. Se chauffer les reins à la flamme du bûcher de la St-Jean est pour un vieillard un puissant préservatif contre les rhumatismes; marcher neuf fois, les pieds nus, dans le brasier éteint mais encore tiède, guérit les maux de pieds; balancer un enfant au-dessus de ce même brasier le rend invulnérable à la peur. L'action bienfaisante du feu de la St-Jean s'étend aussi aux animaux et, en plusieurs endroits, les paysans conduisent leurs troupeaux auprès du bûcher et font même sauter leurs bestiaux par-dessus le brasier.

En Béarn, pour augmenter la vertu protectrice du feu de la St-Jean, il est nécessaire de lui faire détruire les maléfices et les forces mauvaises acharnées contre l'homme. A cet effet, les vipères, qui incarnent le mal dans toute sa force, sont choisies comme victimes expiatoires. Quelques jours avant la St-Jean, on leur livre la chasse et on les introduit dans un tronc préalablement évidé, qu'on enduit de goudron. L'arbre aux vipères est brûlé dans le bûcher de la St-Jean qui purifie ainsi toute la campagne environnante.[1]

*Autres coutumes de la St-Jean.* — En Poitou, le feu de la St-Jean est mobile. Le bûcher consiste en une roue de charrette, dont le cercle et les jantes sont entourés de paille en bourrelet serré. On allume cette roue avec le cierge bénit et on la promène, embrasée, par les chemins, à travers les champs. Il paraît que les étincelles qui s'échappent de ce curieux bûcher ont des propriétés fertilisantes.

Dans quelques villes du nord de la France les coutumes de la St-Jean se modifient un peu. Elles consistent en processions de mannequins d'osier appelés « géants », et qui sont mus au moyen de cordes et de poulies par des hommes placés à l'intérieur. On pense que ces mannequins, qui sont brûlés ou noyés à la fin de la fête, sont une réminiscence des victimes qu'immolaient autrefois les Celtes au solstice d'été.

A Dunkerque, la procession des géants s'appelle les « Folies de Dunkerque », et attire chaque année une multitude de spectateurs. Le géant est une sorte de génie populaire; c'est le « papa Reuss ». Sa hauteur est quelquefois de 15 mètres. Il est habillé d'une longue blouse bleue rayée qui lui tombe jusqu'aux pieds cachant la douzaine d'hommes qui se trouvent dans le mannequin et le font danser. Pour synthétiser les vertus domestiques et familiales de cette région où les foyers

[1] D'après P. Kauffman.

s'honorent de posséder beaucoup d'enfants, il a dans ses poches un « bébé » géant qu'il fait sauter, danser, saluer. En queue du cortège marche la fille du géant presque aussi grande que son père.

*La Fête-Dieu.*[1] — Cette fête religieuse est fixée au jeudi qui suit l'octave de la Pentecôte. Il n'y a pas très longtemps, des processions en plein air se déroulaient ce jour-là par toute la France, mais à présent, et surtout dans les villes, elles ne sont effectuées qu'à l'intérieur des églises et ont ainsi perdu leur caractère pittoresque primitif. Cependant en Béarn, en Alsace et dans quelques autres provinces frontières, cette fête se célèbre encore avec toute la splendeur d'antan. Nous ne pouvons résister au plaisir de transcrire ici, d'après M. Spindler,[2] la procession de la Fête-Dieu à Geispolsheim en Alsace.

« Rien n'égale en couleur la Fête-Dieu à Geispolsheim quand se déroule la longue théorie des jeunes filles qui suivent la procession; les jupes écarlates et les nœuds rouges, et les guimpes blanches et les tabliers, et les foulards multicolores, offrent un coup d'œil d'une merveilleuse intensité de tons, surtout quand un radieux soleil répand sur le village la gloire de ses rayons. Les maisons sont ornées de bouquets, de tapis, voire de draps de lit; des arcs-de-triomphe sont dressés; les rues où doit passer le cortège sont bordées de verdoyants bouleaux et le sol est couvert d'herbes ou de joncs savamment disposés en forme d'étoiles; et quand au milieu de tout cela se déploie la marche lente de la procession précédée de la croix, quand les bannières claquent au vent, quand le chant des cantiques alterne avec les accords bruyants d'une fanfare campagnarde; quand la voix basse des hommes disant le chapelet se mêle aux voix plus aiguës des femmes qui récitent les litanies; quand se font entendre les détonations répétées des katzekopf (petits mortiers); quand, tout le monde s'a-

---

[1] Fête qui se célèbre cinquante jours après Pâques.
[2] Ch. Spindler, *Ceux d'Alsace.*

genouillant dans la poussière, le prêtre lève lentement la
monstrance et bénit la foule, il est impossible de n'être pas
saisi par la grandeur de ce spectacle à la fois magnifique et
naïf; magnifique dans son but, et naïf dans les manifestations
auxquelles il donne lieu.  On a peine à imaginer, en effet, les
touchantes pensées qui viennent au cerveau de ces braves

Une procession de Fête-Dieu en Alsace
(*Voir légende p. 214*)

gens quand ils veulent célébrer la gloire de Dieu.  Tout ce
que l'on possède est exposé: les murs disparaissent sous des
draps et des couvertures, et ces tentures elles-mêmes sont
garnies des objets les plus étranges; on y voit accrochés non
seulement des fleurs, des tableaux, des images, mais des couverts d'argent ou d'étain.  Sur de petites tables, aux nappes
blanches, disposées à côté des portes, sont placés des chan-
deliers, des bougies allumées, une statue de la Vierge, Jeanne

d'Arc, ou, sous un globe de verre, une gerbe serrée de fleurs artificielles, quelquefois même une pendule dorée. Les imaginations les plus curieuses se font jour autour des reposoirs: tantôt c'est un jet d'eau habilement agencé parmi les frondaisons, qui part au moment où le prêtre monte à l'autel; tantôt ce sont des anges soutenant une couronne qui, par un mécanisme savant mais dont on aperçoit sans peine les ficelles, descendent sur l'ostensoir à l'instant où il est posé sur le piédestal; plus loin des animaux empaillés peuplent les bosquets improvisés. »

En Béarn, les processions de la Fête-Dieu ont un rite particulier: sur le chemin que suit la procession, des religieuses déroulent des draps de lit qu'elles enroulent une fois le cortège passé pour les dérouler à nouveau en se portant en avant le plus rapidement qu'elles peuvent. Cette coutume instituée aux temps où les femmes filaient le lin et le chanvre, est destinée à disparaître complètement, tuée par les exigences de la vie moderne, la cherté des toiles et leur peu de résistance.

## LES FÊTES NATIONALES

LA FRANCE a à présent trois fêtes nationales: le dimanche qui suit le 8 mai, anniversaire de la délivrance d'Orléans par Jeanne d'Arc, le 14 juillet, anniversaire de la prise de la Bastille, et le 11 novembre, anniversaire de l'armistice qui a terminé la grande guerre.

*Le 14 juillet.* — Le 14 juillet 1789, le peuple de Paris prit d'assaut la forteresse de la Bastille qui était une prison d'État et symbolisait le régime autocratique. Cette journée marqua le début de la Révolution Française, et les Français, enthousiastes et fiers de leur émancipation, résolurent de commémorer le 14 juillet par une fête nationale. La première fête nationale eut lieu un an après, le

14 juillet 1790. On ne la célèbre peut-être pas de nos jours avec toute la joie que les Français d'alors avaient pu rêver . . . De leur temps, le 14 juillet était la fête du parti avancé, la fête des pionniers, des révolutionnaires; à présent, il est plutôt la fête du parti conservateur qui forme, il est vrai, la grande majorité de la nation, mais qui ignore les espoirs et les aspirations des opinions extrêmes. Le 14 juillet actuel a un caractère officiel et calme. Pour beaucoup, il n'est qu'un jour de congé supplémentaire pendant lequel on peut aller flâner au bord de la rivière ou sous les grands arbres des bois.

Il est naturellement recommandé aux habitants de pavoiser leurs maisons avec des drapeaux tricolores et d'illuminer leurs fenêtres, la nuit venue. Les monuments publics donnent l'exemple et les municipalités s'ingénient à trouver chaque année une décoration ou une illumination nouvelles. Mais il faut que tous puissent apprécier la journée de fête et en conservent un heureux souvenir. Aussi le 14 juillet a-t-il, surtout dans les villes, un caractère de bienfaisance. Des distributions de vivres, de vêtements, d'argent, sont dès le matin faites aux pauvres inscrits aux bureaux de bienfaisance, et pour que leur esprit et leur cœur soient également rassasiés, beaucoup de théâtres, à l'exemple des théâtres de l'État, donnent des représentations gratuites. Puis, à Paris et dans les villes de garnison, de grandes revues militaires ont lieu. Celle de Longchamps [1] est un spectacle vraiment impressionnant. Les troupes qui forment la garnison de Paris et auxquelles on adjoint des régiments qui ont mérité d'être ainsi honorés, défilent devant le Président de la République, les ministres, les ambassadeurs, les maréchaux de France, au milieu des acclamations, des salves d'artillerie et des musiques militaires. L'après-midi, sur les places publiques et dans les jardins, des concerts militaires ou civils charment ceux qui n'ont pu trouver de place dans les théâtres et, la nuit venue, on danse à tous les carrefours. A Paris, sur la place de la

---

[1] Près de Paris.

Bastille, on voit encore en lettres lumineuses l'annonce du bal ouvert en 1790 sur l'emplacement de la prison: « ici, l'on danse ». Presque partout, avant le bal, on tire des feux d'artifice. Le feu d'artifice que la Ville de Paris fait tirer sur le Pont-Neuf au milieu de la Seine, où retombent et se mirent des étoiles multicolores et des gerbes d'étincelles, a une réputation de magnificence méritée.

A la campagne, le 14 juillet est forcément moins bruyant qu'en ville, car les moyens sont plus restreints. Mais il a en revanche un caractère plus familier et plus populaire. Les distributions de secours aux indigents sont faites dès le matin, comme en ville; puis, l'après-midi, sur la place des villages, des jeux de plein air s'organisent. Ce sont généralement de vieux jeux français pratiqués aux fêtes locales et dont les vainqueurs sont récompensés par quelque volaille ou quelque bouteille de vin ou de liqueur. Le soir on danse sous le ciel semé d'étoiles à la lueur de quelques lampions, on boit, on rit et l'on crie de temps en temps: « Vive la France » ou « vive la République ! »

## LA TOUSSAINT ET LE JOUR DES MORTS

 OVEMBRE est venu avec ses brumes et la tristesse de ses jours courts. La mélancolie de l'arrière-saison incline les hommes à penser au terme final, à ceux qui les ont précédés dans l'au-delà. L'Église catholique a consacré ces dispositions instinctives au recueillement en instituant la fête de la Toussaint, le 1er novembre, et la commémoration des défunts, appelé plus communément Jour des Morts, le 2 novembre. Ces deux jours étaient autrefois célébrés, chacun avec l'esprit qui convenait: on honorait à la Toussaint la mémoire de tous ceux que leur renom de vertu et de piété avait désignés comme exemple aux générations; plus humblement, on consacrait le 2 novembre à prier pour tous les disparus qu'on avait connus et aimés. Depuis le Concordat,[1] la distinction n'est plus observée: le 2 novembre n'étant pas jour férié, on honore tous les morts le jour de la Toussaint, qu'ils soient parés d'une auréole ou non.

*Le culte des morts en France.* — Le culte des morts est aussi ancien que la race humaine, et les morts sont honorés sur toute la terre. Mais en France la piété qu'on leur témoigne est des plus émouvantes et s'accompagne de coutumes spéciales.

Pendant toute la semaine qui précède la Toussaint les cimetières présentent une animation inaccoutumée: les tombes sont nettoyées, les allées grattées, les fleurs et les couronnes que l'hiver a fanées sont remplacées par de nouvelles fleurs et de nouvelles couronnes. Chaque tombeau est paré avec un soin touchant; les jardiniers et les fleuristes font aux alentours des nécropoles des étalages magnifiques de chrysanthèmes et de plantes robustes prêtes à affronter les rigueurs de l'hiver.

*La Toussaint dans les grandes villes.* — Le glas tinte aux clochers des églises la veille de la Toussaint, puis de bonne heure, le lendemain, les tramways, les autobus, etc., qui vont dans la direction des divers cimetières urbains sont pris d'assaut par une foule encombrée de gerbes fleuries ou de fleurs en pots. Des délégations importantes de diverses sociétés se rendent avec leurs drapeaux et leurs insignes aux monuments commémoratifs. On y prononce quelquefois des discours; d'autres fois, au contraire, on y observe une minute de recueillement et de silence. Toute la journée, les visiteurs défilent à petits pas. De retour à la maison, les

---

[1] Accord légal conclu en 1801 entre le pape et l'empereur Napoléon 1ᵉʳ. La « loi de séparation » en 1905 a aboli le Concordat, mais a gardé l'usage de chômer pendant les quatre fêtes légales: la Noël, l'Ascension (le jeudi, dix jours avant la Pentecôte), l'Assomption (le 15 août) et la Toussaint.

pensées restent graves. Chacun se souvient des disparus et
songe à l'éternel sommeil. Comme en temps de deuil, ou au
jour du vendredi saint, les pianos sont fermés et les distractions bruyantes sont scrupuleusement bannies.

*La Toussaint à la campagne.* — Comme dans les villes, la
solennité est annoncée par le glas funèbre. La seule diffé-

La visite au cimetière en Lorraine
(*Voir légende p. 214*)

rence existe dans ce fait que les sonneurs professionnels sont
remplacés par les habitants du village, se relayant et sonnant
chacun une « volée » pour le disparu qui lui est cher. A la
campagne, c'est surtout le 2 novembre qu'a lieu la visite au
cimetière. Après la Messe des Morts, le curé et ses enfants
de chœur prennent la tête de la procession qui s'en va à
travers les tombes chantant les psaumes pour les trépassés.

Sous le ciel gris de l'automne, parmi les feuilles mortes qui
jonchent les allées, le prêtre asperge les tombes d'eau bénite
et tous prient avec lui pour le repos des défunts.   Certaines
coutumes semblent vouloir non seulement les honorer ce
jour-là, mais encore tenter de les faire participer de nouveau
aux occupations des vivants.   Ainsi, à Créances,[1] il n'y a pas
très longtemps encore, le Jour des Morts, on s'installait sur la
tombe même de ceux qu'on avait aimés pour faire un repas de
famille.   Les disparus étaient censés y participer.   On arrosait
leur tombe de cidre, on leur causait, on leur racontait tous les
événements intéressants de l'année.

En Périgord, on soupe en famille le soir du 2 novembre, on
s'entretient des disparus, de leurs qualités; on boit à leur
santé, et l'on a bien soin en se retirant de laisser le couvert
mis sur la nappe, puis du vin, du pain, afin que les morts
évoqués puissent venir se restaurer sans être effarouchés par
les vivants qui, pendant ce temps, prient pour eux.

Il semble d'ailleurs que dans quelques campagnes on dorme
mal la veille du 2 novembre.   Ainsi en Franche-Comté des
crieurs de nuit s'en vont par les rues des villages, agitant une
clochette et chantant des psaumes.   Après chaque antienne,
ils s'écrient:

> Réveillez-vous, bonnes gens qui dormez !
> Ne dormez pas si fort
> Que vous ne songiez à la mort.
> Priez pour les trépassés
> Que Dieu veuille leur pardonner ![2]

Ceux qui se réveillent au son de la clochette, récitent, en-
fouis sous leurs couvertures, le *De profundis*.[3]

Et il est des campagnes françaises où les cimetières ne sont
pas un petit enclos plein de paix intime et résignée, mais de
vastes champs de repos où planent l'horreur et la désolation.

[1] Département de La Manche.

[2] *Revue des Traditions Populaires*, 1910.

[3] Prière qu'on dit généralement pour les morts.

Eux aussi sont pieusement entretenus, abondamment fleuris et officiellement visités. Ce sont les ossuaires de la grande guerre.[1] Des trains spéciaux y amènent, surtout le 2 novembre, des pèlerins pensifs et douloureux. A quelque nation qu'ils appartiennent, tous les morts y sont honorés et la France en deuil se penche sur eux.

## SAINTE-CATHERINE ET SAINT-NICOLAS

 A JEUNESSE ne reste pas longtemps impressionnée par des pensées funèbres. La même saison qui voit à Paris la foule grave et silencieuse se presser dans les allées des cimetières voit aussi se célébrer avec toutes leurs gracieuses et joyeuses coutumes les deux jolies fêtes de la jeunesse: la Ste-Catherine pour les jeunes filles et la St-Nicolas pour les garçons. Elles ne sont d'ailleurs pas séparées par une barrière infranchissable. Comment s'amuser les uns sans les autres ! Les jeunes filles, le 25 novembre, invitent les jeunes gens de leur connaissance, et les garçons, le 6 décembre, leur rendent leur politesse.

*La Ste-Catherine.* — Toutes les jeunes filles françaises, parisiennes ou provinciales, ont accoutumé de se réjouir ce jour-là, de se parer, de danser et d'envoyer à celles d'entre elles qui ont eu 25 ans dans l'année un bonnet de dentelle. Cette coiffure confirme à la destinataire son malheur, ou son bonheur, de n'être pas encore sous la tutelle d'un mari ! Il est d'usage que l'intéressée reçoive ce cadeau en riant et s'en coiffe tout le jour sans aucune jalousie ni amertume.

Depuis quelques années, la Ste-Catherine est devenue une fête essentiellement parisienne, une fête luxueuse dans le monde de la couture et de la mode. Le pittoresque y a sa note. Dès midi, qu'elles aient ou non 25 ans, les jeunes filles

---

[1] On a réuni dans des cimetières militaires les corps des soldats de la dernière guerre qui n'ont pas été réclamés par leurs familles.

coiffées de bonnets merveilleux qu'elles ont fabriqués elles-
mêmes et qui sont souvent de véritables chefs-d'œuvre de
grâce et de beauté, quittent leur bureau ou leur atelier et
parcourent bras dessus bras dessous les grandes artères de la
capitale.   On les appelle les « Catherinettes » et tout Paris, en
souriant, les acclame.   Paris est à elles ce jour-là et la police
veille à ce que leur gaieté ne soit troublée par aucun mauvais
plaisant.   Vers la fin de l'après-midi, elles rejoignent par
groupes leur magasin, leur atelier où le patron leur offre un
goûter d'honneur.   Le soir, des groupements importants organisent des bals splendides où se sont fait inscrire les Catherinettes et leurs amis.   On danse joyeusement jusqu'au jour.

*La St-Nicolas.* — La St-Nicolas suit de près la jolie fête
de la Ste-Catherine.   Saint Nicolas a d'ailleurs une réputation
antique et incontestable.   Une très ancienne ballade française relate ses mérites et le miracle qui lui a valu d'être à
jamais le protecteur des jeunes garçons.

Voici d'ailleurs les principaux couplets de cette ballade.
Ils sont assez explicites pour que nous n'ajoutions aucun
commentaire à la légende:

> Il était trois petits enfants
> Qui s'en allaient glaner aux champs.
>
> S'en vont un soir chez un boucher:
> « Boucher, voudrais-tu nous loger ? —
> Entrez, entrez, petits enfants,
> Il y a de la place, assurément. »
>
> Ils n'étaient pas sitôt entrés
> Que le boucher les a tués,
> Les a coupés en p'tits morceaux,
> Mis au saloir comme des pourceaux !
>
> Saint Nicolas, au bout de sept ans,
> Vint à passer dedans ce champ.
> Il s'en alla frapper chez le boucher,
> « Boucher, voudrais-tu me loger ? »

« Entrez, entrez, saint Nicolas,
Pour de la place, il n'en manque pas. »
Il n'était pas sitôt entré
Qu'il demanda à souper.

« Voulez-vous un morceau d'jambon ?
— Je n'en veux pas: il n'est pas bon.
— Voulez-vous un morceau de veau ?
Je n'en veux pas: il n'est pas beau. »

« Du p'tit salé, je veux avoir
Qu'il y a sept ans qu'est dans le saloir. »

Saint Nicolas alla s'asseoir
Dessus le bord de ce saloir.

Et le grand Saint ouvrit trois doigts.
Les petits se lèvent tous les trois.

Le premier dit: « J'ai bien dormi. »
Le second dit: « Et moi aussi. »
Et le troisième répondit:
« Je croyais être au Paradis ! »

Après un tel témoignage de bonté et un tel miracle, quoi d'étonnant à ce que saint Nicolas vienne, une fois par an, distribuer des friandises et des joujoux aux petits enfants de France. Il vient un peu partout, mais surtout dans les provinces du Nord et de l'Est. Dans ces contrées il remplace même Père Noël. Ses protégés mettent non leurs souliers [1] mais leurs paniers dans la cheminée. En les plaçant ils chantent le très vieux couplet:

Saint Nicolas, patron des écoliers,
Apportez-moi du sucre dans mon petit panier.
J'irai à l'école apprendre ma leçon,
Je serai sage comme un petit mouton.

Saint Nicolas pénètre dans les maisons pendant la nuit du 5 au 6 décembre. Il a, insignes de sa dignité, sa mitre en tête et sa crosse à la main. Il porte sur le dos une hotte garnie

[1] Voir plus loin p. 65.

de jouets pour les enfants sages et aussi de verges pour les
enfants méchants.  Quelquefois aussi il est accompagné d'un
âne qui porte son fardeau.  Ce qui est très particulier dans
cette coutume, c'est que saint Nicolas dispense ses cadeaux
aussi bien aux petites filles qu'aux petits garçons.  Sainte
Catherine n'ayant sans doute pas le privilège de descendre par
les cheminées ou de traverser les murailles, lui laisse le soin de
combler ses pupilles !

Quant aux grands, trop âgés pour bénéficier des largesses
de saint Nicolas et de son âne, ils se réunissent pour ban-
queter, chanter, et à l'issue du dîner, danser avec les jeunes
filles qui les avaient invités au bal de la Ste-Catherine.

## NOËL

OËL qui était autrefois une grande fête chrétienne
est devenue la fête familiale par excellence, la
fête de l'enfance.  Elle offre un magnifique
mélange de coutumes pieuses, de coutumes
puériles et de coutumes gourmandes aussi bien sous les lambris dorés que sous les humbles toits des campagnes.

*La bûche de Noël.* — Sous ceux-ci, qui ne connaissent pas
les radiateurs et le chauffage central, mais les âtres immenses [1]
qui ont souvent réchauffé plusieurs générations, il s'agit d'a-
bord de maintenir toute la nuit de Noël un feu dans le foyer.
Car ce feu doit cuire lentement les mets qu'on dégustera au
retour de la messe de minuit, et réchauffer les membres de la
famille qui, à cette époque de l'année, ont souvent affronté la
bise et le gel pour se rendre à l'office.

Aussi la bûche de Noël a-t-elle depuis des siècles une importance capitale.[2]  On la choisit quelque temps à l'avance, et,

[1] « En Lorraine les cheminées sont si hautes qu'un homme tient
aisément debout sous leur manteau. » (Moselly)

[2] Il paraît d'ailleurs que l'origine de la bûche de Noël est identique
à celle des feux de Saint-Jean.  Les peuples primitifs célébraient par des

le moment venu, on s'en va la chercher en cérémonie dans le bois voisin. En Auxois, il faut souvent un cheval pour la remorquer jusqu'à l'âtre et elle met deux ou trois jours à se consumer. En Armagnac,[1] c'est une paire de bœufs attelés à des essieux découplés qui forment l'équipage de la majestueuse bûche de Noël.[2] A la maison, on la place dans la cheminée à grand renfort de leviers, et dessous on dispose les sarments et les rondins qui vont l'allumer. En beaucoup d'endroits, on l'asperge d'eau bénite et le chef de famille y met le feu lui-même.

Les menus branchages pétillent, la flamme claire monte dans le foyer. Bientôt la bûche s'embrase elle-même, dispensant sa chaleur et sa lumière à ceux qui vont veiller. Dans beaucoup d'endroits, et surtout dans beaucoup de familles, cette bûche est encore, comme elle a été autrefois, à la fois fétiche et devineresse. Les vieux qui n'abandonnent pas facilement les anciens us, la grattent encore furtivement dans le dessein de se préserver de la gale. Puis en frappant le tronc embrasé avec une pelle à feu, ils la somment de faire régner le bonheur sur la maison. Pendant que les étincelles jaillissent, on s'écrie: « bonne année ! bonnes récoltes ! autant de gerbes et de gerbillons ! »

A Paris et dans les grandes villes, la bûche de Noël et les cheminées où on la brûle deviennent plus rares d'année en année. Pour perpétuer le souvenir de la bûche, les pâtissiers font pour la nuit de Noël un gâteau allongé, recouvert d'une crème au chocolat qui imite l'écorce de la bûche. Il est souvent garni de fruits confits couleur pourpre rappelant les braises rougeoyantes, et de nougat gris simulant la couche de

---

feux le solstice d'été et le solstice d'hiver. Seulement en été ils allumaient des feux dehors, tandis qu'en hiver ils en allumaient de plus petits à l'intérieur de leurs huttes ou de leurs cavernes, à cause du froid qu'il faisait dehors.

[1] Pays de l'ancienne Gascogne.

[2] Joseph de Pesquidoux, *Chez nous.*

cendres.   Ce gâteau s'appelle naturellement « bûche de Noël ».[1]

*La veillée de Noël.* — Suivant les milieux et les mentalités, on passe très différemment la veillée de Noël.   A Paris et dans les grands centres, elle est plutôt bruyante, et les restaurants luxueux font leur plein.   On danse au son du jazz, on boit du champagne, on « réveillonne », suivant l'expression consacrée. La fête n'est plus alors la fête émouvante et poétique instituée par la chrétienté, mais une fête païenne frisant l'orgie. Cependant toutes les belles coutumes d'autrefois, toutes les naïves superstitions qui leur font escorte se sont conservées dans bon nombre de familles bourgeoises et chez les paysans. On se réunit autour du foyer, on chante des Noëls, on se recueille en attendant le moment de partir à la messe de minuit.

A la campagne « on approche les sabots, garnis de paille rompue qui tient chaud, les capes, les tricots de laine brute, les lanternes enfin, car la lune à Nadau [2] est souvent tardive. On y met des bougies.   Et voici que des voix s'approchent dans l'enclos.   Des gens frappent à la porte en appelant: voisins et voisines qui viennent les chercher pour cheminer de compagnie.   La porte s'ouvre, on part.   On cause, on rit d'abord, et puis les propos tombent.   Et l'on va, muets, gagnés par le recueillement de la nuit bénie, attentifs à suivre l'orbe lumineux des lanternes qui oscille au balancement des pas.   Dès le seuil franchi, au dehors, les cloches les ont accueillis de leur chant.   Des quatre points cardinaux, elles ébranlent l'air de leurs carillons, dont le calme de la nuit accroît la force ou la limpidité, comme prises d'émulation, comme si leur bouche d'airain s'échauffait en vibrant.   Toutes se hâtent de chanter joyeusement, et comme si leur fanfare

---

[1] Dans certains endroits, la pâtisserie « bûche de Noël » est remplacée par une sorte de brioche en forme d'X.   La raison en serait que la lettre grecque X est l'initiale du mot Christos.

[2] Patois gascon pour « Noël ».

éveillait des échos jusque sur les chemins, des bruits secs, métalliques, des bruits rythmés de pas montent, à la rencontre des éclats aériens. Et ce sont les sabots, les sabots sans nombre en marche vers la crèche, qui claquent sur le sol, mêlent leur tintement d'humbles choses à la sonnerie éclatante des bronzes bénits... Et les lumières s'unissent à l'hymne des sons... Convergeant de tous les points du pays, dans leur enveloppe de verre, descendant, gravissant les pentes, au bord des fossés, le long des haies, s'attirant on dirait entre elles, se confondant aux carrefours comme des gouttes de feu qui se grossissent les unes les autres, elles débouchent sur la route qui conduit à l'église, elles s'avancent comme une nappe scintillante aux remous sinueux. La route en est emplie, l'alentour illuminé; et un halo flotte au-dessus d'elles comme sur un incendie. »[1]

Ordinairement, les enfants n'accompagnent pas leurs parents à l'église. On les couche de bonne heure et ils attendent dans leur lit, baptisé pour la circonstance de « chapelle blanche », le miracle accoutumé des cadeaux de Noël.

*La messe de minuit.* — Les pauvres églises des campagnes tout comme les magnifiques cathédrales des villes ont arboré leur luminaire de fête. Sur la foule recueillie passe un grand souffle de mystère. Il semble que soient là présents tous les espoirs des siècles passés, tous les élans des générations. Les grands artistes, les chanteurs de l'Opéra prêtent dans les églises de la capitale leur concours à la solennité, et les églises regorgent de croyants ou non croyants dont l'âme est remuée par les chants magnifiques de Noël. A la campagne, tous les fidèles unissent leurs voix pour chanter de vieux Noëls primitifs, quelquefois même en patois, et la ferveur supplée ici à la magnificence.

Noël est en beaucoup d'endroits la fête des bergers. A la messe de minuit, en Béarn, on chante un cantique très

[1] Joseph de Pesquidoux, *Chez nous.*

ancien, un dialogue entre le berger [1] et l'ange,[1] et ce qui doit
être particulièrement savoureux c'est que l'ange chante en
français tandis que le berger lui répond en patois gascon.[2]
Dans la Brie, c'est tout un scénario qui glorifie les bergers.
Ils entrent à l'église guidés par une étoile fixée au haut de la
voûte et porteurs des mêmes dons simples qu'il y a deux mille
ans.   Ils vont à l'Offertoire avec leur plus jeune agneau caché
sous leur cape, pendant que des joueurs de cornemuse jouent
d'antiques Noëls.[3]   Ailleurs, les bergers apportent à la messe
de minuit un agneau orné de rubans et le font bénir.   Ils en
donnent un autre en cadeau au curé pour le remercier.   L'a-
gneau bénit protège le troupeau.[4]

*La Crèche.* — La Crèche est un autre attrait de la messe de
minuit.   On l'a préparée pendant les jours qui ont précédé
Noël, mais c'est à minuit seulement qu'on l'illumine et qu'on
y dépose la poupée de cire qui évoque l'Enfant-Dieu.   Dans
un angle de l'église ou dans une chapelle on simule avec de la
verdure et des poutres le pauvre abri légendaire de Bethléem,
puis on y place les figurines ou les statuettes qui représentent
Marie, Joseph, les bergers, le bœuf et l'âne.   Autrefois, au
moyen âge, c'était un petit enfant qu'on déposait ainsi sur la
paille pendant la messe de minuit.   Le pauvret était vite
bleui par le froid et presque toujours condamné à une grave
maladie.   Aussi la coutume tomba en désuétude et les fidèles
d'à présent défilent devant une crèche toute fictive.   On voit
aussi souvent dans les crèches les trois rois mages et leurs
riches présents, l'étoile miraculeuse qui les guida, l'ange qui
avertit les bergers, et même le cruel roi Hérode qui craint
pour son trône et sa renommée.

*Le réveillon.* — A la coutume pieuse de la messe de minuit

[1] Il s'agit du berger qui vit le premier l'étoile miraculeuse et à qui un
ange annonça la nativité.

[2] Joseph de Pesquidoux, *Chez nous.*

[3] *Revue des Traditions Populaires*, 1911.

[4] *Revue des Traditions Populaires*, 1914.

succède pendant la nuit de Noël une coutume gourmande:
celle de faire un repas joyeux qu'on appelle le réveillon.   Le
réveillon était de rigueur autrefois où de nombreux fidèles
communiaient à la messe de minuit, et faisaient, pour rentrer
chez eux, une longue course dans la nuit froide.

> La messe nocturne est dite.
> Que d'étoiles dans le ciel !
> Comme il gèle !  Rentrons vite.
> La rude nuit de Noël ! [1]

Mais bien que la ferveur d'antan se soit très attiédie c'est
peut-être à cette coutume gastronomique qu'on renonce le
moins, et croyants et impies, paysans ou citadins, tous s'accordent pour réveillonner.   Dans un conte savoureux, plein
de verve et de charme, Alphonse Daudet [2] nous a initiés
aux réveillons pantagruéliques d'autrefois.   Actuellement, à
Paris, on réserve plusieurs semaines d'avance, pour le réveillon, la table où l'on doit souper, et cela aussi bien dans les
restaurants et les hôtels de premier ordre que dans les tavernes,
brasseries et salles de second ordre.   Le réveillon prend
alors l'allure d'une fête extrêmement luxueuse et orgiaque.
Les mets de choix, les volailles truffées sont abondants, le vin
de champagne coule à flots et la musique des jazz ajoute à
l'abondance des lumières, de la bonne chère et des fleurs un
tintamarre étourdissant.   Dans les familles on réveillonne
aussi entre parents et amis: le boudin tient la place d'honneur dans le menu, ainsi que les huîtres et la dinde rôtie.

Et c'est encore à la campagne que l'on trouve les humbles
mais aussi les plus charmants réveillons.   Les femmes, là,
n'ont pas les épaules et les bras nus sous les colliers et les
bijoux, mais leur simplicité s'harmonise si bien avec l'esprit
de cette fête des humbles.   Au retour de la messe la mère
s'empresse auprès du foyer où brûle la bûche, sort du pot en

---

[1] François Coppée.
[2] A. Daudet, *Les Trois Messes basses.*

terre le rôti fumant et appétissant qu'elle dépose avec orgueil
et amour au milieu de la grande table couverte d'une rustique
nappe blanche.    Chacun se restaure à sa guise, on boit le vin
nouveau, on se réjouit simplement et sainement, maîtres et
domestiques, tous égaux cette nuit-là.    Et leur fraternité
s'étend à leurs rudes compagnons de labeur . . . En Berri, les
vaches et les bœufs ont, comme leurs maîtres, jeûné la veille
de Noël; aussi après la messe de minuit on leur distribue une
provende extraordinaire d'excellent fourrage.    Presque partout dans les campagnes les animaux domestiques reçoivent
double ration cette nuit-là, mais on la leur distribue soit avant
soit après la messe, jamais à minuit.    Il paraît qu'à cette heure
fatidique les bêtes se mettent à genoux et parlent;  le plus
souvent elles disent du mal de leurs maîtres, ou elles appellent
par leur nom les personnes qui doivent mourir dans l'année.
Il faut bien se garder d'épier le miracle:  les sceptiques ou les
curieux seraient sévèrement punis et perdraient l'usage de la
parole.

*La légende de Noël.* — A l'enfance qui aime le sublime et
le merveilleux, il fallait des cadeaux qui aient un reflet de
sublime et de merveilleux.    De bonne heure se créa la légende
du petit Jésus, quelquefois appelé le petit Noël, descendant
par la cheminée pour déposer ses présents dans les souliers
des petits enfants sages.    Depuis des siècles les enfants des
catholiques, après avoir fait une prière émue, disposent leurs
petits souliers dans la cheminée de leur chambre.    Ils croient
qu'à minuit le ciel s'entr'ouvre et que le petit Noël, escorté de
ses anges préférés, vient leur apporter des joujoux et des
bonbons.    La légende a d'ailleurs des adeptes dans tous les
milieux sociaux, car beaucoup de parents, la trouvant gracieuse et touchante, ont voulu en faire bénéficier leurs enfants.    Seulement le petit Noël d'autrefois a été remplacé en
beaucoup d'endroits par le père Noël qui est, lui, une sorte de
génie, à la fois débonnaire et bourru et en bon accord avec
toutes les convictions religieuses.    Aussi la publicité et la

notoriété se sont emparées de lui, et son importance croît chaque année davantage.

A Paris, tout comme en Amérique, il est la grande attraction des grands magasins. Fourré, important, énorme, il tient tout spécialement ses assises sur la terrasse d'un magasin en renom et de là il domine Paris et la foule. En files serrées les tout petits et leurs familles montent jusqu'à lui dans la brume et le gel de décembre; les mioches ont préparé pour lui des lettres naïves où ils expriment leurs désirs, et le père Noël les accueille, leur parle, promet naturellement tous les trésors requis. A minuit, désertant le ciel ou sa terrasse, il viendra, remplaçant le petit Jésus, mettre dans les petits souliers les joujoux simples ou luxueux en rapport avec la condition de ses protégés. Dans les cas extrêmement rares, c'est hélas! une verge ou un martinet qu'il déposera.

En Alsace, le père Noël est une dualité, une association d'un bon et d'un mauvais génies. Le bon génie s'appelle Christkindel [1] et représente tantôt l'Enfant-Jésus, tantôt la Vierge Marie. Son compagnon est Hans Trapp. Il a un aspect rébarbatif et repoussant et porte un chargement de verges et de martinets qui fait profondément réfléchir les mioches sur la nécessité d'être sages. Heureusement Christkindel est là pour modérer la terreur qu'inspire son collègue. Il embrasse les enfants sages et leur distribue des friandises et des joujoux.

*L'arbre de Noël.* — Si Christkindel et Hans Trapp sont restés jusqu'à présent cantonnés dans leur Alsace, la coutume de l'arbre de Noël qui était localisée autrefois dans cette même Alsace et dans le Berri seulement, a dépassé les frontières de ces deux provinces et s'étend d'année en année. La disparition des cheminées qui a entraîné la disparition de la bûche de Noël, a favorisé ce développement. Dans la semaine qui précède Noël, le marché aux fleurs à Paris présente une animation inaccoutumée. Des sapins de toute taille sont alignés aux

---

[1] De là probablement l'anglais *Kriss Kringle.*

HANS TRAPP ET CHRISTKINDEL EN ALSACE

(Voir légende p. 214)

étalages.  Il y en a pour toutes les destinations et pour toutes les bourses.

Tout se passe d'ailleurs comme en Amérique et probablement partout.  L'arbre de Noël étincelle de petites lumières, de petites guirlandes, de petites étoiles multicolores.  Son dépouillement se fait au milieu des vivats et des cris de joie.  Comme en Amérique aussi, le sapin de Noël n'est pas seulement familial;  les municipalités, les crèches, les hôpitaux, les sociétés privées groupent autour d'arbres de Noël importants des enfants, des malades ou des indigents.  Le nombre de ces arbres et des distributions qui les accompagnent croît à chaque fête de Noël.

*Les santons.* — Il est une vieille coutume qui, depuis peu, conquiert Paris toujours avide de nouveau et presque toujours puisant ce nouveau dans les plus vieilles manifestations d'art populaire et provincial.  Les « santons » de Provence sont à la mode et les grands magasins en font à Noël une exposition assez curieuse.  Cette exposition n'est qu'un terne reflet de la pittoresque « foire aux santons » qui s'ouvre à Marseille le 10 décembre de chaque année et dure quarante jours.  C'est une foire essentiellement provençale et qui n'a de réplique dans aucun autre pays.  Son origine est dans une vieille coutume noëlesque:  celle d'établir aux approches de la Nativité des crèches rappelant celle de Bethléem.  Les Provençaux surtout avaient cette coutume en honneur et ils fabriquèrent longtemps en famille des statuettes en argile coloriée qui représentaient les personnages traditionnels de la crèche.  Ces statuettes s'appelèrent santons du mot provençal « santoun », petit saint.  Ils édifiaient cette crèche dans un angle de leur grande salle, y apportant chaque année des embellissements.  Au début du siècle dernier, un artisan régional eut l'idée de parfaire ces embellissements par l'adjonction de statuettes représentant les divers types provençaux: il fit des boulangers, des marchandes de poisson, des meuniers, des rémouleurs.  L'engouement pour ces nouveautés fut extrême;

tout le monde en voulut, et des artisans spéciaux, des « santonniers », vendirent leurs productions aux approches de Noël en de rustiques éventaires. La foire aux santons était constituée et les baraques où ils s'étalent actuellement par milliers offrent à l'amateur un choix des plus variés. Et maintenant Paris qui compte dans ses murs un nombre imposant de Méridionaux expose et vend des santons.

*La St-Sylvestre.* — Comme un écho du réveillon de Noël arrive le 31 décembre, la fête de la St-Sylvestre, dernier jour de l'année. Ainsi qu'on a attendu dans la joie ou la prière le minuit de Noël, ainsi l'on attend dans la joie ou la prière le minuit de l'année nouvelle. Dans la joie ? A Paris et dans les villes où l'on recommence à réveillonner, à rire et à danser ! Dans la prière ? A la campagne où beaucoup de chefs de famille veillent, leur livre de prières à la main, pour conjurer la nouvelle année d'être clémente aux leurs. Dans quelques villages de France, les garçons parcourent les rues le soir de la St-Sylvestre avec des torches allumées et chantent:

> Bonne année reviens,
> Ramène du pain
> Du vin
> De tous les biens;
> Des nezilles [1]
> Pour les filles
> Des échaulons [2]
> Pour les garçons.

Il est des communes où les garçons allument un grand feu auprès des cimetières et, jusqu'au jour, les cloches qui ont sonné la messe de minuit sonnent inlassablement pour annoncer l'an neuf.

[1] Noisettes.    [2] Noix.

# DEUXIÈME PARTIE

## LES TROIS GRANDES ÉTAPES

### LES COUTUMES QUI ENTOURENT LE PETIT ENFANT

ES FRANÇAIS, comme tous les hommes de la création, enferment leur existence entre trois grands actes: la naissance, le mariage et la mort. Mais il semble qu'ils aient voulu encore intensifier ces moments en les entourant de nombreuses coutumes qui les sacrent, les glorifient ou les adoucissent.

*La naissance.* — Dans ce pays où la dépopulation fait jeter un angoissant cri d'alarme aux statisticiens et aux gouvernants, la future maman est cependant l'objet de mille attentions. Quelquefois ces attentions s'expriment par des superstitions. Dans quelques villages très éloignés des centres intellectuels, la femme qui attend un bébé sort très peu, afin d'éviter la vue d'êtres difformes ou hideux dont les infirmités se communiqueraient sûrement au nouveau-né. Si, par hasard, quelque infirmité humaine lui a fait une impression fâcheuse, vite elle doit frictionner la partie de son corps correspondante, afin de détruire l'effet de cette impression. Si, par quelque anomalie du goût, anomalies assez habituelles et auxquelles on ne prend pas garde en temps normal, la future mère a le grand désir de boire ou de manger quelque fruit ou quelque aliment rare, on doit faire tout pour la satisfaire; autrement le nouveau-né portera quelque tache évocatrice de ce désir non satisfait. C'est ainsi que les bonnes femmes ignorantes des campagnes, et quelquefois aussi de la population des villes, ont transformé le terme médical « naevi » s'appliquant à ces taches violacées ou rougeâtres que portent

70

quelques-uns, par le mot « envies » plus conforme à leur point de vue.

Les coutumes qui présidaient autrefois à la naissance de l'enfant étaient multiples et quelquefois bizarres. Beaucoup visaient à fortifier le nouveau-né, à le protéger contre tout contact malsain ou quelque dureté, tout cela en appliquant les principes de la médecine un peu rudimentaire de l'époque.

Il n'y a pas très longtemps que la coutume d'envelopper le nouveau-né dans des roses broyées avec du sel, puis dans un linge de toile enduit d'huile d'olive a complètement disparu. Ambroise Paré, le célèbre chirurgien français,[1] préconisait un bain dans lequel on avait fait bouillir des roses rouges, du sel et des feuilles de myrtilles afin de donner aux frêles membres du poupon de la force et de la souplesse. Le bain est encore la première cérémonie de la vie, mais presque toujours on se contente maintenant d'eau bouillie tiède.

Chez les peuples anciens, comme chez les sauvages d'aujourd'hui et même chez des civilisés, la coutume de suspendre au cou de l'enfant des amulettes ou des médailles a été et est encore assez générale. En Bretagne, ce talisman était autrefois assez bizarre: c'était un morceau de pain noir qui devait avertir les mauvais génies que l'enfant avait des ressources et des protecteurs, au cas où des influences malfaisantes voudraient s'exercer contre lui.

En beaucoup d'endroits encore, on administre à l'enfant quelque breuvage tout à fait contraire à son hygiène. L'usage s'en perd d'ailleurs, et les petits écoliers français apprennent toujours avec effarement que le bon roi Henri IV[2] eut à sa naissance les lèvres frottées d'ail et qu'il but quelques cuillerées de vin rouge.

Quant à la mère, l'usage s'est conservé en Berri de la réconforter avec une tranche de pain rôti, trempée dans du vin rouge, si elle a donné naissance à un garçon; mais si c'est une

[1] 1517–1590.
[2] 1553–1610.

fille qui ouvre les yeux à la lumière, sa maman est simplement gratifiée d'une soupe au lait.

Les croyants qui assistent à une naissance font immédiatement le signe de la croix sur l'enfant qui vient de naître. A son berceau souvent sont suspendus des chapelets bénits et des médailles de piété. La coutume qui exige que le nouveau-né ne soit embrassé de personne avant d'avoir été baptisé, est moins observée quoique les conséquences à sa dérogation soient prédites très graves. Ainsi l'on prétend encore dans certaines provinces très reculées que la bouche de l'enfant qu'on embrasse avant son baptême se déforme hideusement, sa lèvre supérieure s'avance à la façon d'un bec de canard.[1]

Partout ailleurs on rit maintenant de cette superstition, et, s'il est toujours recommandé de ne pas embrasser les nouveaunés, c'est par mesure d'hygiène. Mais tous sont impatients de voir le petit être et de l'admirer. A la campagne, où les mamans sont en général robustes, on se précipite à la maison du tout petit, on le passe de bras en bras, on félicite ses parents. En ville, alors que ses yeux s'ouvrent à peine, on le comble de cadeaux. Les donateurs viennent dans la semaine qui suit la naissance l'admirer et lui prédire mille bonheurs sur cette terre où il y en a si peu.

*Déclaration à la mairie.* — Un humoriste a dit qu'en Russie, avant la révolution, un homme se composait d'un corps, d'une âme et d'un passeport ! Ce passeport étant autrefois si fréquemment nécessaire qu'il était la principale pièce officielle de chacun. On pourrait dire avec presque autant de raison qu'un Français se compose d'un corps, d'une âme et d'un acte de naissance, celui-ci étant réclamé à chaque instant comme pièce d'identité nécessaire à n'importe quel acte de la vie, grave comme le mariage, ou banal comme l'entrée à l'école. Il importe donc que cet acte, qui est la copie ou l'extrait de la déclaration faite à la mairie par le père du nouveauné, soit dûment et légalement établi. Ce n'est que depuis

---

[1] *Revue des Traditions Populaires*, 1902.

la Révolution Française que les registres de l'état civil appartiennent aux pouvoirs publics et laïques. Autrefois, les prêtres catholiques dans les paroisses indiquaient sur leurs « registres de paroisses » les baptêmes et les décès; de sorte que ceux qui ne faisaient pas baptiser leurs enfants par l'Église n'avaient pas d'état civil.[1]

La déclaration à la mairie doit être faite dans les trois jours qui suivent la naissance par le père accompagné de deux témoins. Le jour et l'heure de la naissance sont indiqués avec soin et contrôlés par un médecin de la commune. Les prénoms de l'enfant ne sont pas laissés à la fantaisie de chacun. Une liste de prénoms usuels est affichée dans chaque mairie et l'employé chargé du service refuse d'inscrire sur l'acte de naissance les prénoms qui ne figurent pas sur cette liste. Les prénoms admis sont des noms de saints et saintes du calendrier, quelques prénoms romains que la Révolution avait mis en honneur; d'autres sont des noms de fleurs ou de vertus. Marguerite, Violette sont des prénoms admis, mais Jacinthe, Héliotrope ne le sont pas; on tolère Espérance et Marius, mais on ne pourrait s'appeler Cassius ou Égalité qui eurent cependant une grande vogue pendant la Première République.[2]

Une antique tradition chrétienne en France voulait que l'on donnât à l'enfant le prénom du saint de son jour de naissance, et ainsi le jour de fête du Français et de la Française était aussi son jour anniversaire. Cette coutume n'est plus observée qu'au sein de familles très pieuses et la plupart des Français ont un jour de fête qui n'a aucun rapport avec le jour de leur anniversaire.

*Lettres de faire-part.* — En ville surtout, on prévient ses relations de l'heureuse naissance de bébé par des lettres ou des billets de faire-part. On ne les envoie d'ailleurs qu'une semaine au moins après la naissance, afin d'éviter à la maman des visites de félicitations trop hâtives. Les mondains rem-

---

[1] Rambaud, *Histoire de la Civilisation Française.*
[2] 1792–1804.

placent souvent cette coutume des faire-part par une information dans la rubrique spéciale des journaux.    C'est plus rapide et plus conforme aux exigences de la vie actuelle

*Le baptême.* — La déclaration à la mairie doit être faite dans un délai de trois jours; le baptême, d'après les lois catholiques, doit être célébré dans les huit jours qui suivent la naissance.    C'est une règle bien rarement observée, malgré toutes les sanctions graves ou naïves que l'Église y a attachées.    Ainsi, en Bretagne, les cloches restent muettes pour le petit retardataire qui est baptisé plus d'une semaine après sa naissance.    Mais lorsque l'enfant est porté à l'église dans les délais prescrits, les cloches sonnent avec une folle allégresse la venue au monde du nouveau disciple, et « le long des côtes, les marins sur leur fragile bateau, entre le ciel immense et la mer profonde, entendent ces voix de la terre et se découvrent, émus, en songeant à la fragile plante humaine enfouie dans son berceau de bois sculpté. »[1]

Le choix du parrain et de la marraine est souvent décidé avant la naissance de l'enfant.    Les aïeuls sont généralement désignés lorsqu'il s'agit de premiers-nés, et, sauf en Armagnac, c'est au grand-père maternel et à la grand'mère paternelle que revient cet honneur.    En Armagnac les rôles sont intervertis et c'est le grand-père paternel et la grand'mère maternelle qui tiennent l'enfant sur les fonts baptismaux.    Dans cette même contrée, lorsque le premier-né n'a pas vécu, les enfants qui naissent ensuite sont tenus sur les fonts baptismaux par les marguilliers de l'église.[2]

Une femme qui attend un bébé ne doit pas être marraine, mais refuser le parrainage ou le marrainage sans une raison aussi légitime constitue un affront.    Les gens pauvres ont très souvent profité de ce principe pour choisir comme parrain et marraine des gens riches qui les aident à élever leur enfant. Car le parrain et la marraine ont des obligations de tout ordre

[1] Anatole Le Braz.
[2] *Revue des Traditions Populaires*, 1905.

envers leurs filleuls. Outre la protection morale, il est de tradition qu'ils leur envoient des cadeaux proportionnés à leurs besoins chaque année aux étrennes, à Pâques, à leur anniversaire et aux grands jours de leur vie: première communion, succès scolaires, mariage, convalescence de maladies graves. Le cadeau de mariage du parrain à son filleul fut longtemps constitué en certains pays par un veau ou un mouton gras.

Le jour du baptême, le parrain va prendre la marraine chez elle, soit à pied, soit en voiture. Ils se rendent ensuite chez la mère et à l'église. A la campagne, et surtout en Alsace, c'est la sage-femme qui porte le bébé à l'église; à Paris, dans les familles riches, la nourrice tout enrubannée porte son nourrisson; mais dans toute la France, il est de tradition qu'une jeune fille, à moins qu'elle ne soit la sage-femme, ne peut être chargée de ce soin sous peine de grands malheurs. En Lorraine, en tête du cortège marche une femme qui porte sur un plat les éléments du baptême: une pincée de sel et une aiguière remplie d'eau. Le parrain et la marraine suivent, puis le poupon dans les bras de sa porteuse et enfin les parents et les invités.

> Suivons le doux cortège
> En nous donnant la main;
> Un ange nous protège
> Et montre le chemin.

Après la cérémonie, dans quelques villages de Vendée, la marraine lave les mains du prêtre qui a officié; en beaucoup d'autres endroits le parrain et la marraine se lavent les mains au-dessus des fonts baptismaux. Puis les cloches annoncent bruyamment et allègrement la sortie de l'église. Dans quelques provinces le père et le parrain de l'enfant sonnent les cloches eux-mêmes, prolongeant à leur gré le tapage argentin et joyeux. Pendant ce temps l'on tient l'enfant le plus près possible des cloches bavardes; cette coutume doit, paraît-il,

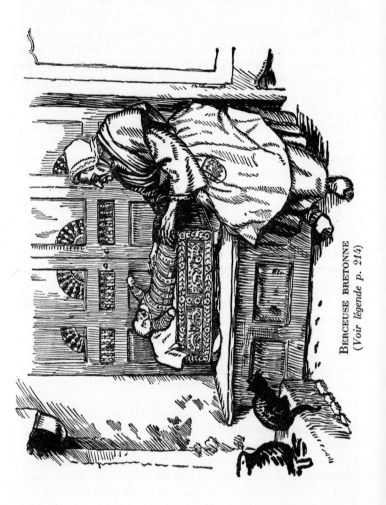

BERCEUSE BRETONNE
(Voir légende p. 214)

l'aider à parler de bonne heure et le préserve de devenir sourd et muet !

Les dragées, peut-être plus que les cloches mêmes, sont le symbole du baptême. Il y a quelque vingt ans, le parrain et la marraine jetaient des dragées à pleines poignées depuis l'église jusqu'à la maison du baptisé. A présent dans les villes et à Paris surtout, cet usage est formellement interdit pour raison d'hygiène élémentaire. Le parrain et la marraine distribuent alors de la main à la main les dragées, puis les sous, quand le stock des dragées est épuisé. Cette coutume pittoresque se perd de plus en plus. Il y eut tant de baptêmes sans dragées pendant la guerre, alors que les confiseurs et les pâtissiers avaient fermé boutique, qu'on prit tout doucement l'habitude des baptêmes inaperçus, surtout à Paris. Le parrain doit un cadeau à la marraine, et le parrain et la marraine ensemble à la mère.

Des réjouissances ont alors lieu à la maison de l'enfant; ce sont surtout des réjouissances gastronomiques. Un repas abondant et joyeux réunit les membres de la famille, le parrain, la marraine et les amis. Le parrain et la marraine sont les héros effectifs de la fête. Ils occupent, au centre de la table, les places du maître et de la maîtresse de la maison.[1] Les dragées servies sur des coupes enrubannées et fleuries sont placées sur la table dès le début du repas. L'enfant est présenté à l'heure des toasts, dans une corbeille toute parée pour la circonstance. Il est presque nu, comme un petit dieu, si c'est l'été; vêtu de sa toilette de baptême, si c'est l'hiver. On le passe de main en main pour l'admirer et l'embrasser; puis la nourrice ou la bonne le remporte immédiatement. Si un toast est porté en son honneur, c'est le grand-père qui répond; à son défaut, le père prend la parole

---

[1] Un usage assez bizarre existait il y a peu de temps encore en Gascogne. A l'extrémité de la table le père de l'enfant était assis pendant tout le temps du repas sur une ruche d'abeilles vide qu'on entourait d'une serviette.

et remercie en quelques phrases cordiales. Dans beaucoup de familles on met en réserve quelques bouteilles du bon vieux vin de France bu ce jour-là pour le jour encore lointain — mais qui viendra si vite malgré tout — du mariage de l'enfant !

A Paris, les repas de baptême se remplacent de plus en plus par une réception et un lunch. Les dragées ont naturellement la place d'honneur au buffet et la jeunesse s'ébat et danse.

Poupons d'autrefois

*Le vêtement du tout petit*. — Puis il grandit, pauvre ou riche, laboureur ou banquier, et au fur et à mesure que les jours passent, d'autres coutumes vont le saisir, l'influencer peut-être et l'acheminer vers ses destinées. De nos jours presque tous les enfants ont dès leur naissance le vêtement idéal qui les soutient et laisse aux petits membres la faculté de grandir. Mais, très longtemps, l'enfant fut emmailloté étroitement dans des langes et des bandelettes serrés qui lui interdisaient tout mouvement. Dans les campagnes, le malheureux petit être était en plus accroché à un clou fixé dans le mur par les bandelettes de son maillot; sa mère, pendant ce temps, avait les bras libres et pouvait vaquer à sa besogne journalière.

Quoi d'étonnant alors si ces petits martyrs incapables de mouvements tardaient à marcher ! Dans les Landes, c'est à une coutume religieuse qu'on avait alors recours et le Mas d'Aire voyait arriver, le 22 mai, jour de Sainte-Quitterie, quantité d'enfants que l'on promenait devant le tombeau de saint Désiré. En beaucoup d'autres endroits, on porte encore les enfants retardataires à l'église et on leur fait ébaucher quelques pas sur les degrés de l'autel.

*Remèdes bizarres.* — Il existe quelques coutumes qui sont supposées protéger l'enfance contre la mutité ou le bégaiement. En certains endroits lorsque les cloches du baptême n'ont pas assuré comme elles l'auraient dû l'usage de la parole au tout petit et que les parents s'aperçoivent de sa lenteur à articuler les premiers mots, ils préviennent en hâte le parrain et la marraine. Ces derniers se contentent quelquefois d'acheter à leur filleul une écuelle en bois ou un bol qui sera exclusivement à son usage; dans les cas plus graves, on porte l'enfant à l'église et on lui fait boire du vin ou de l'eau dans la clochette qui sert pendant la messe. Il paraît que les débris du cierge pascal et cinq grains d'encens enfermés dans un sachet suspendu au cou ont aussi une heureuse influence !

*Les anniversaires.* — Les années se suivent, ramenant chacune les jours heureux de fête ou d'anniversaire. On fête l'enfant dans l'intimité, on mange en famille le gâteau traditionnel flanqué de ses fleurs et de ses bougies symboliques dont le nombre, qui indique l'âge de l'enfant, augmente chaque année. Le temps passe, emportant sur ses ailes l'enfance, puis l'adolescence, les deux meilleurs moments de la vie. Mais le jeune homme ou la jeune fille ne s'en soucient guère. Devant eux sont les perspectives radieuses de l'avenir. Ils ont vingt ans, vingt-cinq ans. Ils aiment peut-être: une deuxième étape de leur vie va commencer.

Comme l'eau de la rivière
S'écoule le temps
A peine est-il en arrière
Qu'il est en avant.[1]

## LE MARIAGE

ES CÉRÉMONIES qui entourent le mariage en France sont, au point de vue, coutumes particulièrement intéressantes dans les campagnes. Dans les grandes villes le pittoresque cède la place à la convenance et à l'apparat. Comme partout ailleurs, les grands mariages, les unions de vedettes artistiques ou mondaines sont des événements annoncés, racontés et commentés par les grands quotidiens, à la satisfaction des sots et des oisifs dont ils alimentent la conversation et nourrissent l'esprit.

### LE MARIAGE A LA VILLE

*Le choix.* — Depuis très peu d'années, on tolère chez les jeunes gens et les jeunes filles une inclination qui les fait décider eux-mêmes du choix d'une épouse ou d'un mari. Il y a à peine vingt ans, le consentement des parents était la condition primordiale des mariages, et ce consentement pouvait être refusé à un jeune homme ou à une jeune fille jusqu'à l'âge de 30 ans. On abaissa d'abord cette limite trop sévère à 25 ans, puis à 21 ans. Pendant la guerre les jeunes gens purent même se marier sans le consentement de leurs parents. Mais ce joug, allégé en droit, pèse toujours en fait sur la jeunesse française. C'est maintenant un joug moral fait de traditions séculaires; il est aussi le fruit de l'éducation française dans les classes bourgeoises. Les femmes françaises qui ont supporté, du moins en apparence, et pendant des siècles,

[1] Francis Jammes.

d'être traitées en mineures, admettent encore qu'une jeune
fille bien née ne choisit pas son mari: elle l'attend . . . Il est
vrai que ce principe se réduit de jour en jour à une simple
formalité.  En France, comme partout ailleurs, les jeunes
filles savent très bien encourager le jeune homme timide à se
prononcer.

*Les fiançailles.* — Lorsqu'un jeune homme a rencontré une
jeune fille qui répond à son idéal, il informe ses parents de son
désir de l'épouser.  Le père du jeune homme, son tuteur, ou un
oncle responsable fait alors aux parents de la jeune fille la
demande officielle.  Cette démarche exigeait autrefois une
tenue et une gravité protocolaires.  Le demandeur mettait
sa redingote, son chapeau de soie et ses gants clairs; il s'ex-
primait en termes un peu pompeux.  On a beaucoup sim-
plifié cette formalité depuis la guerre.  Les jeunes gens
abordent eux-mêmes franchement et gaiement leur futur
beau-père, et lorsque la demande est agréée, sans embarras
et sans timidité, la jeune fille appelée au salon tend la main à
son fiancé.

On fixe alors à une date assez proche les fiançailles officielles.  Les fiançailles sont en France une grande fête
familiale qui réunit les proches parents des deux fiancés.
Quelques heures avant la cérémonie des fiançailles le jeune
homme envoie à la jeune fille le bouquet symbolique tout
composé de fleurs blanches: lis, roses, lilas, tubéreuses, etc.
La corbeille qui le renferme est enrubannée de rubans blancs
et de tulles vaporeux.  Avant d'être portée chez la fiancée,
cette gerbe pompeuse a été exposée à la devanture de la
fleuriste qui l'a confectionnée et elle a fait l'admiration des
passants, des badauds, des jeunes filles qui s'extasient et
envient . . .

Au cours du dîner familial de ce jour heureux, le jeune
homme offre à la jeune fille la bague de fiançailles (qu'elle a
souvent choisie elle-même).  Les pierres précieuses préférées
pour ces bagues sont les perles et les diamants.  Il est d'ail-

leurs de tradition que les jeunes filles françaises n'ornent pas
leur doigt d'un diamant avant celui des fiançailles. Dans
beaucoup de familles bourgeoises la fiancée remercie affec-
tueusement son fiancé, qui est autorisé à l'embrasser devant
toute la famille. Le lendemain de cette cérémonie, il est d'u-
sage de faire part de l'événement heureux aux membres
éloignés de la famille et aux intimes.

*La corbeille de noces et le contrat.* — La situation pécuniaire des deux futurs conjoints est réglée par un contrat
passé devant notaire. Sur ce contrat figurent l'apport des
deux futurs conjoints et les droits de chacun à en disposer.
Le trousseau, et souvent aussi le mobilier, sont fournis par
les parents de la jeune fille, même si leur situation de fortune
ne leur permet pas de lui constituer une dot. Ils mettent
généralement leur point d'honneur à ce que ce trousseau soit
aussi riche que possible, et il sera toujours la propriété personnelle de leur fille.

Très souvent, le matin du jour désigné pour la signature du
contrat, le fiancé envoie à la fiancée la classique corbeille de
mariage. Fastueuse ou très simple, suivant l'état de fortune
du fiancé, elle se compose toujours de parures que la jeune
femme pourra utiliser pendant toute son existence: dentelles
anciennes, boucles ouvragées, frivolités exquises ou livres de
piété à reliures rares.

La signature du contrat se fait quelques jours avant la
célébration du mariage; elle a lieu chez le notaire ou chez les
parents de la fiancée. Les deux fiancés à côté l'un de l'autre,
les parents, les témoins sont assis en cercle autour de la table
devant laquelle se tient le notaire. Celui-ci, debout, lit le
contrat, et si aucune objection n'est soulevée, le fait signer par
les fiancés, leurs parents et leurs témoins. Un vieil usage veut
qu'à l'issue du contrat le notaire embrasse la fiancée ou lui
baise la main. Tous ceux qui ont signé au contrat doivent un
grand cadeau.

*Les invitations.* — Le mariage se célèbre six semaines

environ après les fiançailles.   Une dizaine de jours avant la
cérémonie on envoie à toutes les relations des deux familles
une lettre imprimée pour les inviter à la bénédiction nuptiale.
Chaque lettre d'invitation se compose d'un ou deux doubles
feuillets.   Sur le premier se trouve l'invitation des parents de
la jeune fille; sur l'autre, l'invitation des parents du jeune
homme.   La rédaction de ces faire-part est toujours un peu
pompeuse.   Les professions, les titres et les distinctions hono-
rifiques des jeunes gens et de leurs parents y sont mentionnés
orgueilleusement.   Lorsqu'une réception et un lunch suivent
la cérémonie religieuse, on joint aux lettres de faire-part une
carte d'invitation spéciale à ceux qu'on désire recevoir.

*Le mariage civil.* — En France, l'État ne reconnaît pas le
mariage religieux, et l'Église ne reconnaît pas le mariage
civil.   La plupart des Français célèbrent donc deux mariages:
un mariage civil, à la mairie, et un mariage religieux à l'église,
au temple ou à la synagogue.   Le mariage civil doit obligatoirement précéder le mariage religieux; il est toujours conféré
par le maire ou son adjoint et se célèbre généralement la
veille du mariage religieux.   La plupart du temps, lorsque les
fiancés ne se présentent pas le même jour à la mairie et à
l'église, la mariée garde sa toilette blanche symbolique pour le
mariage religieux.   Elle va à la mairie en élégante toilette de
ville.

Les proches parents des mariés et les témoins sont les seuls
invités à cette cérémonie légale, à laquelle les pouvoirs publics essaient cependant de donner un caractère sacramentel
et pompeux.   C'est ainsi que le maire qui ratifie le mariage
fait très souvent, et surtout lorsque ceux qui se présentent
devant lui ne doivent pas aller à l'église, une allocution paternelle pour leur retracer leurs mutuels devoirs.

*Le mariage religieux.* — Longtemps il fut la seule consécration des unions conjugales.   Aussi est-ce autour de lui que
gravitent encore des coutumes presque rituelles.   Malgré les
tendances anti-traditionalistes, ces coutumes sont tellement

entrées dans les mœurs que les jeunes filles françaises — même celles dont l'esprit semble le plus affranchi — les observent avec joie. C'est d'abord la toilette de la mariée: robe blanche et parure de jasmin ou d'oranger, symbole de pureté. Aucune jeune fille ne renonce à cette toilette sans un gros chagrin. Le bonheur, certainement, ne dépend ni d'une couleur ni d'une espèce de fleur, mais tant de préjugés ancestraux, tant d'élégante poésie sont attachés à cette toilette symbolique que les jeunes mariées préfèrent quelquefois sacrifier le confort du futur logis pour s'offrir ce luxe et cette joie de la toilette blanche.

Dans les ateliers de couture parisiens, la confection d'une toilette de mariée est une grande affaire. On y apporte mille délicatesses et aussi quelques petites superstitions. La plus connue est la coutume qui consiste à coudre un cheveu d'ouvrière encore jeune fille dans l'ourlet de la robe: l'ouvrière à qui il appartenait se mariera certainement dans l'année.

Les amies de la mariée et ses demoiselles d'honneur lui offrent souvent son voile de tulle brodé. La modiste est requise le matin du mariage pour draper artistement ce voile ... Plus tard, il couvrira le berceau où dormira le premier-né du jeune ménage.

Les invités qui doivent faire partie du cortège, les parents, les garçons et demoiselles d'honneur se réunissent chez les parents de la mariée. Les autres invités se rendent directement à l'église.

Chez la mariée, les salons, les escaliers ou l'ascenseur sont ornés de tapis, de plantes vertes et de fleurs. La corbeille de la mariée et la gerbe offerte par le marié sont à la place d'honneur. Très souvent on expose les cadeaux reçus par le futur ménage dans une petite pièce ou sur un meuble réservé à cet effet. L'heure arrivée, on prend place dans les voitures. La mariée et son père partent les derniers afin que la jeune fille n'ait pas à attendre son cortège pour entrer à l'église. Cette entrée solennelle se fait aux accords pénétrants des grandes orgues. Le suisse tout chamarré d'or et de pourpre précède le cortège. En tête marchent la mariée au bras de son père, le marié au bras de sa mère; la mère de la mariée est conduite par le père du marié; puis viennent les garçons et les demoiselles d'honneur, les parents et les invités.

Près du maître-autel, deux prie-Dieu attendent les mariés; la mariée s'agenouille, le marié reste debout. Les rites commencent aussitôt. C'est d'abord une allocution dans laquelle le prêtre, après avoir rappelé les mérites respectifs des deux familles qui s'unissent ce jour-là, retrace aux jeunes époux les devoirs nouveaux qui vont leur incomber. Puis, ainsi que le maire l'a fait pour ratifier l'union civile des deux époux, le prêtre interroge successivement le jeune homme et la jeune fille pour leur demander s'ils veulent vraiment devenir époux. Sans ce oui formel, le mariage ne peut être célébré. Le prêtre unit alors les mains des deux jeunes gens et prononce les prières sacramentelles. Il bénit les anneaux et, à Paris, une médaille ou une pièce d'argent qui porte, gravées, les initiales des époux et la date de leur mariage; puis il célèbre la messe pendant laquelle des chants religieux appropriés se font entendre. Après la messe tout le cortège se rend à la sacristie pour la signature de l'acte de mariage. Tous les invités défilent alors devant les mariés et leurs parents et leur offrent leurs vœux de bonheur et leurs félicitations. Puis à nouveau l'orgue éclate en notes sonores, le cortège se reforme et quitte l'église aux accents d'une marche nuptiale grandiose, le plus souvent celle de Mendelssohn.[1] La mariée ouvre la marche au bras de son mari cette fois, elle salue, à droite et à gauche, les figures de connaissance et s'éloigne dans la première voiture avec son mari.

*Après la cérémonie.* — Le cortège et les invités au lunch se retrouvent à la maison des parents de la mariée. Un buffet somptueux et abondant restaure tout le monde, car l'heure est souvent très avancée. La mère de la mariée veille

[1] Compositeur allemand (1809–1847).

au bien-être de ses invités, à la distraction des jeunes gens et
des jeunes filles pour lesquels un orchestre joue les danses à la
mode.   Cette réception et ce lunch sont une des coutumes
nouvelles de Paris; en province on préfère le confortable dîner
de noces auquel succède un bal élégant.   Puis, à Paris comme
en province, les jeunes époux disparaissent tout à coup pour
partir en voyage de noces.   A leur retour, ils font une visite à
tous ceux qui ont assisté à leur mariage.

## LE MARIAGE A LA CAMPAGNE

Ce sont peut-être les coutumes relatives au mariage qui
ont le plus résisté dans les campagnes françaises à l'inva-
sion du progrès et des idées nouvelles.   C'est que le mariage y reste toujours la grande affaire de la vie.   L'homme,
en effet, peut la rendre par son choix bonne ou mauvaise,
et elle n'est pas subie comme la naissance et la mort, mais
désirée et consentie.   C'est une affaire sur laquelle il est —
dans ces mêmes campagnes — peu facile de revenir, une fois
qu'elle est conclue:

> Me voici en ménage
> Avec mon cher ami:
> Ce n'est point pour un an
> Ni une année et demie.
> C'est pour toute ma vie
> Et la sienne aussi.[1]

Le divorce est très rare chez les paysans français.   Leur
femme, leurs terres, leur maison font un tout homogène dont
ils ne peuvent se séparer sans de grandes difficultés.   Aussi
toutes les coutumes qui entourent le mariage dans les provinces françaises soulignent-elles l'immutabilité de cette
institution et tendent-elles à appeler sur le nouveau couple
toutes les bonnes influences.

*Le choix.* — Il est d'ailleurs extrêmement rare que les

[1] Chanson populaire bretonne.

jeunes paysans éprouvent le coup de foudre et se marient de bonne heure. Ils se connaissent de village en village, connaissent leurs familles réciproques et à peu près leur état de fortune. Assez tôt fillettes et garçons vont danser dans les fêtes voisines, les foires, les assemblées. Ils grandissent sans se perdre de vue et si un sentiment plus tendre unit plus particulièrement deux d'entre eux, ils savent qu'il faudra attendre souvent plusieurs années avant que ce sentiment reçoive sa consécration. Il faut que le jeune gars soit revenu du service militaire, et la jeune fille, de son côté, est peu pressée de quitter la maison paternelle, car elle y vit ses meilleures années de gaieté et de liberté. Les « galants » l'entourent de soins et de prévenances; elle se laisse courtiser, elle va au bal, et sa mère indulgente, sachant par expérience que ce bon temps sera court, sourit à sa coquetterie et l'encourage même quelquefois.

Alors que dans les villes diminue de plus en plus la toilette particulière au dimanche, dans les campagnes au contraire ce jour est l'occasion d'une vraie métamorphose. Dentelles, rubans, velours et chaînes d'or sortent des armoires antiques pour l'heure solennelle de la messe, et les jeunes paysannes françaises rivalisent d'élégance et de grâce. Puis, à la sortie de la messe, que ce soit au Nord ou au Midi de la France, dans les plaines grasses de Picardie ou dans les hameaux haut-perchés des Alpes et des Pyrénées, filles et garçons qui, pendant l'office ont occupé séparément les deux côtés de la nef, se rejoignent et se « causent ». Ils regagnent par groupes leurs fermes ou leurs bois, ébauchent les premiers compliments, posent les premiers jalons. Une fille ne doit jamais « causer » la première; cela lui porte malheur. Malgré l'honnêteté et la sagesse de ce principe, soixante-dix fois sur cent ce sont les filles qui commencent.

En Bretagne, c'est dans les Pardons [1] et les assemblées populaires que se créent les premières relations entre les

[1] Voir plus loin p. 139.

jeunes gens et les filles à marier. Les uns et les autres se rendent séparément au Pardon, par petites bandes; les galanteries ne commencent qu'après l'arrivée au lieu de la fête. Les jeunes gens remarquent les jeunes filles qui leur plaisent, et vont d'habitude à deux ou trois, demander à un même nombre de jeunes filles de faire un tour de Pardon. Chacun choisit alors celle qu'il préfère en se plaçant auprès d'elle. La jeune fille accepte toujours, car c'est faire une grande injure à un jeune homme que de le refuser. S'il ne lui plaît pas, elle doit lui accorder au moins un tour de fête pendant lequel elle lui fait comprendre qu'il perd ses frais, ou bien elle trouve un prétexte poli pour le quitter. Dès que la jeune fille a consenti, le galant prend son parapluie et le lui porte; mais il ne lui donne que rarement le bras.

Après deux ou trois tours au milieu de la fête, le jeune homme propose à sa compagne de lui offrir sa « part de Pardon ». Elle accepte toujours, et il la mène choisir des fruits et des bonbons aux petites boutiques en plein vent qui sont dressées aux alentours du lieu de réunion. Les jeunes filles les plus avenantes et qui ont de nombreux prétendants ont leurs poches remplies à craquer de friandises quand elles reviennent à la maison. Puis, dans les chemins creux qui les ramènent le soir vers la maison paternelle, si le garçon marche à la gauche de la fille et lui porte, soit son panier soit son parapluie, c'est qu'ils ont échangé des promesses définitives.

Pour obéir à l'usage, les jeunes filles doivent être rentrées dès que l'Angélus a sonné. Leurs galants les reconduisent jusque chez elles. La plupart du temps, les parents de la jeune fille retiennent le jeune homme à souper, même si aucune promesse sérieuse n'a été échangée entre eux. S'il y a danse le soir, pour clôturer le Pardon, le jeune homme demande la permission d'y emmener la jeune fille, ce qu'on lui accorde généralement. Il lui paie son entrée au bal, la fait danser et lui offre des rafraîchissements.

Au vu et au su de tous le jeune homme est maintenant autorisé à faire la cour à la jeune fille. Près de la cheminée où brûle un bon feu, il vient fréquemment à la veillée, et l'on « cause ». Les bûches brûlent-elles parallèlement à la plaque du foyer ? C'est que l'accueil est favorable, que tous les espoirs sont permis. Mais les bûches sont-elles placées perpendiculairement à la plaque du foyer ? Hélas ! c'est que les agréables moments du Pardon n'auront pas de lendemain, et que le jeune homme doit renoncer à se faire agréer.

On trouve dans quelques villages de la Loire-Inférieure comme un écho des coutumes espagnoles; les jeunes gens qui désirent faire la cour à une jeune fille commencent par lui en demander la permission en allant, la nuit, chanter sous sa fenêtre: [1]

> Il ne fait pas clair de lune,
>     Belle, levez-vous !
> Tandis que la nuit est brune,
>     Venez danser avec nous.

Si la belle veut accueillir favorablement le chanteur, elle répond:

> Pourquoi, l'enfant, venir ainsi
>     Troubler mon sommeil ?
> Je n'entends pas quand il fait nuit,
>     Venez me voir au réveil.

Et une belle voix n'est pas seule exigée des postulants; ils doivent aussi témoigner d'une grande persévérance et répéter leur promenade nocturne et leur chanson pendant quinze nuits consécutives.

Se laisser courtiser est au village comme à la ville l'agréable occupation des jeunes filles, mais lorsqu'il s'agit de choisir, que de perplexités ! Que de fois on s'en remet à la superstition et au hasard par des pratiques naïves et assez bizarres. Ainsi: on pèle une pomme ou une poire sans l'avoir divisée

[1] P. Sébille, *Coutumes populaires de la Haute-Bretagne.*

préalablement, et, les yeux fermés, le cœur battant, on jette derrière soi la pelure entière. Tant bien que mal, la pelure dessine une figure approchant une lettre de l'alphabet. Cette lettre sera l'initiale du prénom du futur. Une jeune fille embarrassée par le choix entre deux ou trois galants, écrit leur nom chacun sur un petit papier plié et replié qu'elle enferme dans une boulette de mie de pain. Les deux ou trois boulettes sont alors jetées dans un verre d'eau où elles s'enfoncent, puis d'où elles remontent. La première boulette revenue à la surface renferme le nom du plus méritant.

Mais il y a aussi celles qui ne sont satisfaites d'aucun de leurs galants, celles qui adorent l'imprévu et celles, bien rares, auxquelles personne n'a encore fait la cour. Oh ! pour celles-là, il est des saints et des génies secourables. Quelques-unes invoquent la lune, tout comme l'antique Salammbô.[1] Le premier jour du croissant, au moment où il apparaît à l'horizon, à genoux sur la terre, et mêlant quelques réminiscences païennes aux invocations de leur foi naïve, elles récitent trois Pater et trois Ave, puis jettent par-dessus leur épaule trois poignées de terre en disant :

> Croissant,
> Beau croissant,
> Montre-moi dans mon dormant
> Celui que j'aurai en mon vivant.

En Argonne et en Champagne, les jeunes filles mettent le soir du 1er mai un miroir sous leur oreiller en priant une sorte de Croquemitaine, « le Grand l'Entûrlu », de leur faire voir en rêve l'époux qui leur est destiné et de hâter son arrivée. Elles s'endorment en marmottant ce couplet archaïque :

> Grand l'Entûrlu
> Faites-moi voir
> Dans mon miroir
> S'il est beau

[1] Héros d'un roman de Flaubert du même nom.

> S'il est robuste
> Et qu'il ne tarde pas longtemps
> A venir céans ! [1]

Saints et génies ont quelquefois l'oreille assez dure et il faut les malmener pour obtenir leur protection: ainsi le saint Christophe d'un petit village de la Mayenne. Il est représenté par une énorme statue en bois et les jeunes filles de la localité qui désirent un époux lui plantent une épingle dans les mollets. Si, à force d'habitude, sa sensibilité est émoussée et qu'il tarde à sentir la piqûre d'épingle d'une de ses demanderesses, elle récidive énergiquement en lui plantant des épingles de plus en plus grosses. [2]

*La demande.* — La demande en mariage s'accompagne de tout un cérémonial particulier à chaque pays. La Bretagne, plus riche en traditions que toute autre province de France, observe le sien très religieusement. Le jeune Breton qui a choisi définitivement parmi les jeunes filles de sa connaissance, se rend à la maison de celle qu'il désire épouser, à onze heures du soir, accompagné de son père, ou si ce dernier est mort, de son plus proche parent. Ils frappent à la porte de la maison endormie. Tous, sauf la jeune fille, se lèvent, s'habillent, reçoivent les visiteurs, les font asseoir auprès du

---

[1] Les jeunes gens aussi avaient, au temps aboli de la crédulité, un moyen de savoir à l'avance s'ils épouseraient une jeune fille ou une veuve. Ils se rendaient à minuit, la veille de la Saint-André, à une étable renfermant une truie et ses petits. Arrivé là, le jeune homme désireux de connaître ce que l'avenir lui réservait frappait doucement à la porte. Si la truie grognait la première, il était certain d'épouser une veuve; si, au contraire, les petits se faisaient entendre avant leur mère, il était clair que sa future épouse serait une jeune fille (A. Franklin, *La Vie privée d'autrefois*).

[2] Cette coutume de punir les saints et les divinités qui se font tirer l'oreille n'est d'ailleurs pas spéciale à la France ni aux saints invoqués pour des fins matrimoniales; elle existait autrefois dans beaucoup de pays et les sauvages la pratiquent encore sur leurs fétiches inopérants.

foyer et leur offrent à manger du lard et du bœuf salé. Il est de règle de parler d'abord de toute autre chose que de l'objet de cette visite nocturne, puis le père du jeune homme se décide brusquement et fait aux parents de la jeune fille la demande officielle. A ce moment précis, le candidat sort de son panier une bouteille d'eau-de-vie ou de vin blanc et offre à boire à tous les assistants. Si la réponse du père est favorable, on appelle alors la jeune fille, on lui fait part de la requête et on lui demande si elle l'agrée. Une jeune Bretonne bien élevée doit alors faire preuve de beaucoup de réserve et de soumission; elle plisse son tablier dans ses doigts en rougissant, et, lorsque le fiancé lui plaît, déclare qu'elle fera « comme papa et maman voudront ».

Longtemps en Bretagne le tailleur du village servit d'intermédiaire pour préparer les unions et pour faire auprès des parents les démarches nécessaires. Cela se comprend d'ailleurs. Le Breton d'autrefois avait rarement un vêtement de cérémonie neuf avant le costume traditionnel du jour du mariage. Jusque-là il usait les costumes de ses père, grand-père, oncle, etc. ... soigneusement gardés dans les familles au fond des coffres sculptés, d'où ils ne sortaient qu'aux jours de Pardons, de noces et de baptêmes. Le tailleur était donc le premier intéressé à favoriser et à faciliter les mariages. Il plaidait la cause des jeunes gens auprès des jeunes filles et enfin, autorisé par l'une d'elles à présenter quelque futur mari, il accompagnait le postulant et son père pour les aider à faire la demande. Il était chaussé pour la circonstance d'un bas rouge et d'un bas violet. C'était presque toujours un personnage plutôt bouffon, malingre et contrefait, incapable de se livrer aux travaux des champs, mais rusé et de langue agile. Toutes sortes de présages guidaient le trio. Rencontrer un prêtre, un lièvre, un chat, était mauvais signe; on revenait alors en arrière et la démarche était remise à un autre jour. Mais si, pendant le chemin, on entendait le tonnerre gronder au loin, si un saignement de nez venait à surprendre l'un des marcheurs, si l'on apercevait un pigeon, une araignée, la demande avait toute chance d'être favorablement accueillie.

Une fois le jeune homme agréé, les nouveaux « accordés » prenaient place à table avec leurs parents respectifs. Ils devaient couper leur pain avec le même couteau et boire dans le même verre l'hydromel ou le cidre: symbole d'étroit accord qu'aucun d'eux ne pouvait rompre sans être l'objet du mépris public.

*Le refus.* — Mais toutes les demandes en mariage ne sont pas agréées et leur opposer un refus est toujours une corvée désagréable dont il faut atténuer la rigueur. Voici comment l'on s'y prend en Gascogne où la bonne chère est considérée comme une consolatrice. On invite à dîner le postulant et sa famille. On les comble d'attentions, de mets succulents, on rit, on chante, on trinque et tout marche à souhait jusqu'au dessert. Le dessert constitue le moment critique et psychologique. Si l'on apporte des noix sur la table, l'aspirant se lève, penaud ou irrité: sa demande est rejetée. Il s'en va avec les siens sans éclat mais non sans regret. En Bretagne, lorsqu'on a répondu au jeune homme par une demande de réflexion et de délai, on l'invite à dîner dès que la décision est prise. Si on lui sert une assiette de soupe au lait, c'est qu'il est éconduit. De là, le dicton populaire breton: « Il s'est fait servir la soupe au lait ».[1]

[1] Les « éconduits » ont quelquefois d'ailleurs d'invraisemblables consolations. Très fréquemment, le dédaigné est apprécié d'une jeune fille qui le désire pour mari. Près de Briançon, en Dauphiné, les camarades du jeune homme l'entourent alors de feuilles vertes, et lui enjoignent de faire semblant de dormir. Celle qui veut en faire son mari s'approche alors, le réveille, lui offre le bras et un petit drapeau. Toute la compagnie va alors à l'auberge, où le couple ouvre la danse. Le garçon est appelé « le fiancé de mai ». Au cours de la danse il ôte son habit de feuilles. La jeune fille en prend une poignée, y ajoute quelques fleurs et en fait un bouquet qu'elle attache à son corsage. Ils doivent célébrer leur mariage avant la fin de l'année sous peine d'être appelés vieux garçon et vieille fille et exclus en cette qualité de la compagnie et des amusements des jeunes gens.

La fierté des jeunes Françaises est toujours abritée derrière cette grande coutume qui laisse aux garçons le soin de la demande en mariage, mais il existe cependant en Auvergne certains villages où le principe est transgressé. Dans ces localités une jeune fille qui cherche un épouseur monte, le dimanche, en chaire avec le curé, au moment du prône. Le curé énumère ses avantages matériels; puis elle-même dit à l'assemblée: « Ti-la-ti la donzella a parouda », voilà la jeune fille à marier !

Il faut évidemment une certaine crânerie pour exposer ainsi aux yeux de tout un village le désir formel de trouver un mari; aussi, en Morbihan,[1] les jeunes filles qui cherchent un époux préfèrent affronter en groupe les regards et les commentaires des amateurs éventuels. A Bénélan, petit village situé près d'Auray,[1] il existe une antique petite église du XIe siècle. Le jour du jeudi saint, les jeunes Bretonnes en quête de maris font en procession trois fois le tour du vieil édifice, et cela avec une gravité inaccoutumée, car le rite s'accompagne de la défense absolue de rire et de parler pendant cette promenade qui doit prouver aux spectateurs que les candidates au mariage sont capables de sérieux et de silence, vertus primordiales des bonnes épouses.

*Les invitations.* — Pendant les fiançailles, les parents règlent entre eux les questions d'intérêt et fixent la date de la cérémonie. Une grande formalité reste à accomplir: celle des invitations. A la ville, elles sont faites par les lettres protocolaires que vous connaissez, mais à la campagne il en est tout autrement. Les fiancés, accompagnés de leur garçon et de leur demoiselle d'honneur, vont eux-mêmes chez les parents et amis du village et des alentours les prier d'assister à leur mariage. Souvent ils commencent leur tournée par le prêtre qui doit bénir leur union. Dans chaque maison on les félicite, on leur offre des friandises et des rafraîchissements.

En Gascogne le cérémonial est plus compliqué. Les invitations aux noces sont faites par un messager qu'on appelle

[1] En Bretagne.

« le casse-can » ou « l'embitedou ».   La famille du fiancé et
celle de la fiancée ont chacune le leur qu'on mande en grande
pompe.   Il arrive, portant à la main un bâton enrubanné.
Le père de famille le reçoit cérémonieusement entouré de tous
les siens et lui tient ce discours archaïque et grave:

Je te confie la mission délicate d'inviter mes parents et mes amis
aux noces de mon fils (ou de ma fille); tu iras chez tel (ici, le
père énumère avec soin les familles) et tu leur diras poliment de
ma part: « Le maître et la maîtresse de telle maison (ici, il
nomme sa maison) célèbrent le mariage de leur fils (ou de leur
fille) à tel jour et à telle heure.   Ils vous invitent à venir accompagner l'époux (ou l'épouse) de sa demeure jusqu'à l'église et de
l'église jusqu'à sa demeure.   Ils partageront avec vous les vivres
que Dieu leur a donnés et vous serez comme de la famille. »   Sois
poli en tes paroles, et si, par hasard, tu hésites ou te trompes,
recommence ton invitation afin qu'il n'y ait aucun malentendu.
Tu ne dois pas causer ni t'asseoir avant d'avoir transmis mon
message.   Me promets-tu de remplir fidèlement ta mission ? [1]

L'embitedou jure alors solennellement de mériter la confiance du maître, qui épingle un bouquet artificiel et des rubans à la boutonnière de son vêtement; et il part sur-le-champ
pour commencer ses invitations.   Avant d'entrer dans
chaque maison qui lui a été désignée, il chante à la porte une
vieille chanson gasconne, et ceci est, à travers les siècles, un
rappel des troubadours et des ménestrels de jadis, demandant
l'hospitalité aux portes des châteaux par des chansons.   Enfin
la porte s'ouvre.   Il entre avec sa veste et son bâton fleuris.
On va chercher en hâte le maître de la maison et l'embitedou
lui parle à peu près en ces termes:

Bonjour, maître (ou maîtresse) ainsi qu'à toute la compagnie !
Je suis ici de la part du père et de la mère de . . . qui marient leur
fils (ou leur fille) (ici le jour, la date et l'heure).   Ils vous invitent,
vous et votre famille, à leur faire l'honneur et le plaisir de venir
déjeuner avec eux et les accompagner jusqu'à la porte de l'église.

---

[1] C. Daugé, *Le Mariage et la Famille en Gascogne.*

Là, vous entendrez la sainte messe. Vous prierez Dieu pour les mariés afin que leur union soit heureuse. Ensuite, on prendra part aux vivres que Dieu et les braves gens placeront devant les convives. Il y aura peu de chose en comparaison de votre mérite, mais ce qui s'y trouvera vous sera donné de bon cœur.

Alors seulement, on se serre la main, on s'assied, on cause, on offre des rafraîchissements. On offre quelquefois aussi à l'embitedou un ruban ou une fleur artificielle qui, rapportés au père de famille qui marie son fils ou sa fille, signifient que l'invitation est acceptée.

Le refus à une invitation est considéré comme un affront. Souvent, il est aussi une perte, car plus les invitations sont nombreuses à la campagne, et surtout en Alsace et en Bretagne, plus le futur ménage aura d'aisance et de joie à ses débuts, car les invités n'apportent pas seulement leur part aux repas pantagruéliques qui les réunissent, mais encore des provisions de toute sorte et des cadeaux de première nécessité aux nouveaux époux.[1]

*La veille de la noce.* — Les peuples primitifs furent souvent obligés de recourir à des luttes sanglantes pour conquérir des compagnes: l'enlèvement des Sabines par les Romains est un exemple historique et illustre. En France, des combats simulés faisaient autrefois partie intégrante du cérémonial d'un mariage; presque partout le fiancé devait conquérir par force ou par ruse sa future épouse enfermée dans la demeure paternelle. A cet effet, les jeunes gens du village ou de la famille des futurs conjoints se divisaient en deux camps: les uns prêtaient leurs renforts au fiancé, les autres assistaient la jeune fille dans la défense de sa maison transformée en forteresse. Les assaillants essayaient de pénétrer par la porte et les fenêtres barricadées; ils apportaient des échelles, grimpaient aux murailles. Les armes naturellement étaient prohibées et les uns et les autres ne devaient user que de leurs bras et de leur agilité. Après quelques heures d'effort, trom-

---

[1] Charles Le Goffic, *Fêtes et Coutumes Populaires.*

pant la vigilance des défenseurs, le fiancé pénétrait par la lucarne du grenier et la « garnison » se rendait. Mais tout n'était pas fini: la jeune fille était cachée et bien cachée dans sa maison; il fallait la découvrir, fouiller dans les profondes armoires, dans les coffres, sous les lits, à la cave derrière les barriques, au grenier sous les bottes de foin. Enfin, dans le désordre occasionné par cette complète perquisition, le fiancé finissait par découvrir un petit soulier, un ruban et presque aussitôt la jeune fille de son choix qu'il amenait alors par la main devant toute l'assistance qui clamait des vivats !

Des réminiscences de cette ancienne coutume se retrouvent encore en Bretagne, en Berri et en Gascogne où des simulacres de combat ont lieu pour l'installation de la fiancée dans la demeure de son mari.

En Gascogne, les meubles et le trousseau de la fiancée sont hissés sur un char enguirlandé. Parmi eux, curieusement juchées, sont installées des chanteuses qui psalmodient des couplets élogieux à l'adresse de la future épouse. Jolie procession que suivent tous les invités à la noce. On arrive enfin à la demeure des nouveaux époux; le marié aide à descendre les meubles de sa femme et veut les placer dans sa maison. Mais au fur et à mesure qu'il saisit un objet, on le lui ravit rapidement, on le cache, et il doit le chercher jusqu'à ce qu'il l'ait trouvé. Ce divertissement dure pendant des heures entières, mais pendant ce temps les femmes pétrissent et cuisent d'innombrables gâteaux, les demoiselles d'honneur décorent la maison et la salle du festin de fleurs et de feuillages et l'on prépare les foyers où rôtiront le lendemain de succulentes victuailles.

En Bretagne, c'est tout simplement l'installation de l'armoire de la jeune fille qui est de tradition archaïque. Les jeunes gens de la noce sont divisés en deux camps, comme lorsqu'il s'agissait autrefois de pénétrer dans la demeure de la mariée. Les uns vont chercher l'armoire et la transportent à la maison du futur, les autres se préparent à opposer une

résistance acharnée à l'introduction de ce meuble. La lutte
dure souvent plusieurs heures, entrecoupée par des chansons
appropriées qui célèbrent la beauté, la solidité de la fameuse
armoire, les trésors qu'elle doit renfermer et les vertus de ses
heureux possesseurs. Finalement l'armoire est hissée, installée, et une coutume touchante succède: la jeune fiancée
fait ses adieux à ses parents et leur demande à genoux leur
bénédiction. La mère, trop émue pour chanter elle-même la
complainte traditionnelle, est remplacée par la demoiselle
d'honneur. Il n'est pas rare de voir pleurer à chaudes larmes
la mère et la jeune fille pendant qu'elles entendent ces vers
naïfs:

> O ma fille chérie (*bis*),
> Pour nous quitter, tu t'es mise à genoux;
> Tu veux donc laisser ta famille,
> Le foyer paternel pour suivre un époux ?
> Pour la première fois ta chambre sera vide,
> J'irai prêter l'oreille sans entendre tes pas;
> Dans les sentiers déserts, dans les jardins arides
> Pour la première fois je ne t'y verrai pas.
> Oh ! pourtant sois heureuse,
> Suis l'époux que ton cœur a choisi;
> Oh ! pourtant sois heureuse,
> Va, mon enfant, je te bénis !

Cette coutume existe également en Béarn, en Artois, dans
quelques villages d'Alsace avec de très légères variantes dans
la chanson.

*Le jour du mariage.* — Enfin voici le grand jour du mariage.
De très bonne heure arrivent de toutes parts les invités.
« Dans la cour de la ferme s'entasse un pêle-mêle de charre-
tons, de carrioles, autour desquels tournent des paysans, qui
ont passé leurs blouses par-dessus la redingote de cérémonie.
On a sorti des armoires d'antiques chapeaux, hérissés comme
des barbets qui ont couru dans les broussailles, des gibus au
ruban large comme la main. Les femmes descendent des

voitures, tapant à petits coups sur la soie de leur robe, pour en
effacer les plis, et des petites filles, aux cheveux luisants de
pommade, marchent lentement, tenant les mains écartées de
leur corps, par crainte de salir leur robe blanche . . . » [1] Voici
les garçons et demoiselles d'honneur et le musicien du village
dont l'instrument de musique et le chapeau sont ornés de
rubans multicolores. Dans la maison de la mariée on s'est
levé avec le jour, préparant pour ceux qui arrivent un déjeuner substantiel qu'on doit prendre debout. Les jeunes
filles envahissent la chambre de la mariée pour l'aider à se
parer. La toilette de la mariée et sa coiffure exigent les soins
les plus minutieux. Une fois dans sa vie, le jour de son
mariage, la jeune paysanne française peut se croire princesse
ou fée, tant elle est l'objet de soins charmants. Enfin, la
voilà prête. Mais, dans les campagnes, ce n'est ni le coiffeur,
ni la modiste, ni la demoiselle d'honneur qui dispose la couronne de fleurs d'oranger sur les cheveux de la mariée. Cette
parure est, devant tous les invités réunis, posée par la mère
elle-même sur la tête de sa fille.[2] En Vendée et dans les Ardennes, la fiancée distribue alors aux invités des rubans de
différentes couleurs que les jeunes filles attachent à leur
ceinture, et les jeunes gens à leur chapeau ou au côté gauche
de leur veston. Les futurs époux portent des bouquets.

Pendant tous ces préparatifs, le musicien n'a cessé de
jouer de son instrument. Quand il s'arrête c'est que le moment du départ est arrivé.

En tête du cortège marche d'abord le musicien, escorté de
tous les marmots du village; puis viennent les « futurs ».
Derrière eux, par couples désignés d'avance, tous les invités,
les jeunes d'abord, les plus vieux ensuite. Sur les grandes
routes, quand la mairie et l'église sont éloignées, ou dans les

---

[1] Émile Moselly, *Terres lorraines.*

[2] En Béarn, à ce moment précis, des jeunes gens apportent à la
fiancée une ceinture blanche, cadeau du futur époux, et le premier garçon
d'honneur a mission de nouer cette ceinture à la taille de la jeune fille.

chemins gracieux des campagnes de France, on voit alors défiler ces cortèges joyeux, qui sont surtout pittoresques en Bretagne où les costumes locaux rivalisent de richesse et de grâce: coiffes de dentelle légère et tabliers brodés des femmes, culottes de velours courtes et chapeaux à rubans des hommes ! En beaucoup d'endroits, en Poitou, en Alsace, les pauvres du pays ou les voisins tendent à travers la route où passe le cortège un ruban ou une ficelle toute fleurie et les mariés n'obtiennent le droit de passage qu'après avoir payé une « rançon ».

Quelquefois, la mariée bretonne juge bon de témoigner une dernière hésitation. Elle quitte le cortège brusquement et s'enfuit en courant dans un chemin creux. Le garçon d'honneur doit se jeter à sa poursuite et la ramener à son époux. En Auvergne, c'est à cheval que la jeune femme opère cette dérobade. Son futur mari s'élance derrière elle, la rejoint, monte en croupe sur le même cheval et la ramène ainsi à l'église.[1]

Mais tous ces retards n'offrent de l'intérêt que si ce mariage est seul à se présenter ce jour-là à l'église. Lorsque plusieurs couples doivent s'unir le même jour, c'est à qui se dépêchera le plus et arrivera le premier. Il paraît que la première bénédiction est celle qui a le plus d'heureuse influence sur les destinées du jeune ménage.

Que ce soit à Paris ou dans les hameaux les plus reculés, la bénédiction nuptiale procède des mêmes rites. Mais tandis qu'à Paris le prêtre bénit avec l'anneau une médaille ou une plaquette d'argent, à la campagne on doit offrir à la bénédiction, en même temps que les anneaux, un « treizain », c'est-à-dire treize pièces d'or ou d'argent: souvenir archaïque des temps où le mari achetait sa femme. Suivant les localités, le prêtre garde tout le treizain ou il en rend une partie au marié qui, à son tour, l'offre à sa compagne.

Le marié passe la bague au doigt de sa femme, qui fait tous ses efforts pour que ce signe d'alliance ne dépasse pas la pre-

[1] Ch. Vérècque, *Histoire de la Famille.*

mière phalange. Autrement elle a tout lieu de croire qu'elle ne sera pas la maîtresse au logis.

Naturellement la sortie de l'église est l'objet de la curiosité générale. Hommes, femmes, enfants se pressent pour voir et admirer les nouveaux mariés, les envier, ou évoquer des fêtes aussi triomphales dont ils étaient les héros. Un peu partout des chants traditionnels accueillent et complimentent le nouveau couple; en Gascogne, ces chants visent surtout les garçons et les demoiselles d'honneur pour les encourager à être bientôt fêtés en nouveaux époux.[1]

En Beauce, les jeunes gens qui désirent être invités le soir au bal de la noce se réunissent sur le passage du cortège et adressent à la mariée un compliment, puis une chanson dont le refrain est:

> Les garçons de notre village
> Viennent vous rendre leur hommage.
> Vivez longtemps, vivez heureux,
> Et, comblés, seront vos vœux.

Le marié les remercie et les invite lui-même à venir danser, ainsi que les jeunes filles de leur connaissance.

A Fours [2] au sortir de la cérémonie religieuse, le plus proche parent du mari conduit la jeune épousée sur la place du hameau, vers une sorte de borne qu'on nomme « pierre des épousées »; il fait asseoir la mariée, le pied droit appuyé à une entaille spéciale, le gauche restant suspendu. C'est dans cette position que la jeune mariée reçoit les félicitations de son mari et des parents; puis chacun d'eux glisse un anneau à l'un des doigts de la mariée. Si la famille est nombreuse, tous les doigts de la main droite sont surchargés de ces bagues qui forment, réunies, une sorte de gantelet assez lourd et incommode.[3]

---

[1] A la page 228 on trouvera une vielle marche qui se chantait autrefois en Berri à la sortie de l'église.

[2] Dans le département des Basses-Alpes.      [3] Voir frontispice.

On rejoint enfin la demeure des nouveaux époux, mais d'autres traditions les y attendent: En Bourgogne, les aïeuls accueillent les mariés, et sur le seuil, le grand-père qui tient de la main gauche une tasse renfermant des grains de blé en sème de la main droite une poignée sur la tête du jeune couple en lui souhaitant bonheur, santé, abondance. Le seuil n'est franchi par toute la noce qu'après l'exécution de cette forme de bénédiction.

Dans certaines contrées du Périgord, lorsque les nouveaux mariés rentrent à la maison, la mère ou une proche parente de la nouvelle épouse se tient sur la porte avec un linge blanc sur le bras et une assiette de soupe fraîchement trempée; deux cuillers sont placées dans l'assiette. Les deux époux goûtent la soupe avant de franchir le seuil. Dans la Haute-Bretagne, c'est du pain, du beurre, des galettes, des gâteaux, du vin et du cidre qu'on présente à la nouvelle mariée. Elle doit accepter. Puis la mère du marié prend sa bru par la main, la conduit au foyer et lui remet la cuiller à pot, insigne du pouvoir domestique. En Basse-Bretagne, lorsque les jeunes époux pénètrent dans la maison, une des belles-mères, montrant les meubles qui garnissent la maison, dit: « Voici votre armoire, voici votre table . . . », etc. Cette cérémonie est un rappel de très antiques usages qui confirmaient les droits de la jeune femme dans sa nouvelle demeure; c'est une sorte d'investiture.

Mais la nouvelle mariée n'a pas que des droits au foyer de son mari. Elle y a de multiples devoirs, et d'autres coutumes les lui rappellent à l'heure même de son entrée en ménage. C'est d'abord le travail et l'ordre qui doivent être ses qualités maîtresses. A cet effet, en certains pays, la mariée trouve en arrivant chez elle un désordre inexprimable. Pêle-mêle dans la grande salle sont les chaises et des objets les plus divers. Vite, elle doit ranger chaque chose à sa place et rendre à la pièce son aspect accoutumé. Dans d'autres endroits, le balai joue le principal rôle. La mariée le trouve en travers de

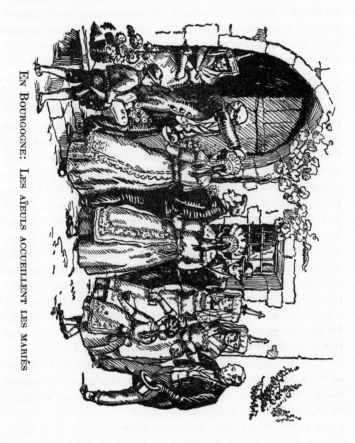

En Bourgogne: Les aïeuls accueillent les mariés

la porte d'entrée. La jeune femme doit le relever et balayer la maison. Ailleurs encore, le balayage a été fait par la belle-mère qui s'apprête à conduire dehors les ordures au moment où la noce rentre à la maison; la jeune femme doit saisir le balai et terminer le travail. Ne pas observer ce cérémonial équivaut à une déclaration de guerre entre la belle-mère et la bru. C'est que dans beaucoup de provinces françaises la vie patriarcale a encore, dans les campagnes, toute sa force. Les fils labourent et moissonnent sous l'autorité du père et les filles et les brus sont courbées sous l'autorité de la mère qui dirige les travaux de l'intérieur. La bonne entente entre tous et l'effort commun font la prospérité de la ferme et de la famille tout entière, et dès le début un acte d'entr'aide et de soumission est demandé à la nouvelle arrivée.

En Gascogne, dans presque tout le département des Landes qui fut longtemps la contrée la plus pauvre de France, avant de franchir le seuil de la maison, escortés de leurs parrains et marraines qui tiennent à la main une assiette, les jeunes époux se mettent à genoux sur deux chaises. Tournés vers le public qui les écoute religieusement, ils prononcent ces paroles traditionnelles: « Je demande pardon à papa, à maman, à grand-père, à grand'mère, à parrain, à marraine et à toute la compagnie. » Alors tous les invités « étrennent » les époux. Le parrain et la marraine versent les premiers dans le plat une pièce d'argent. Les invités les suivent. Chacun, à tour de rôle, fait avec une pièce de monnaie le signe de croix sur le front de l'épouse et de l'époux, puis, embrasse les jeunes mariés et verse son offrande dans le plat. Pendant ce défilé on chante de vieux airs.

*Le repas.* — L'heure du repas arrive enfin. A la belle saison, il est très fréquent que les repas de noces soient organisés en plein air; en hiver on réunit les convives dans la grange tout enguirlandée de feuillages verts qu'on s'est procurés à grand'peine. Les tables sont installées sur des tréteaux, les bancs sont rustiques, mais l'appétit est solide et la chère abondante. Les invités ont d'ailleurs presque toujours aidé au festin. La Bretagne est par excellence le pays où l'on organise les repas de noces fantastiques où des villages entiers sont invités. Il serait impossible aux mariés d'en supporter tous les frais. Aussi dans l'esprit de fraternité qui règne au plus haut point dans ce pays de marins, est-il de règle que chacun contribue à la dépense.

Qu'on juge d'ailleurs de la quantité de victuailles à réunir pour ces repas par ces chiffres: en 1906, pour trois grands repas de noces bretonnes dont l'un groupait 1.800 convives, l'autre 1.200, le troisième 1.800, on avait mangé 10 bœufs, 15 vaches, 12 veaux, 50 porcs, un millier de poulets et lapins ..., et bu 75 barriques de vin.[1]

Pour ces repas gigantesques, on s'installe dans un pré ou sur la lande. Des fourneaux improvisés sont dressés dans un champ voisin et toutes les femmes de l'endroit collaborent à la préparation des mets et des pâtisseries.

Le repas dure ordinairement trois ou quatre heures. En Gascogne, cette fête gastronomique dure même plusieurs jours; les repas se renouvellent avec un menu toujours aussi abondant. Entre les repas, les jeunes gens dansent, les vieux se promènent et fument. Les parents des mariés surveillent le service; souvent même ils y aident et servent leurs invités.

Dans quelques contrées de la Gascogne, tout le service se fait en chantant. Les femmes, qui confectionnent les plats sous la direction d'une cuisinière attitrée, s'avancent et portent, en chantant des rimes appropriées, le bouillon, l'entrée, le rôti . . . , etc. Elles s'attablent entre chaque service à une table spéciale, et pendant qu'elles mangent, les gens de la noce, pour les attendre sans ennui, chantent des mélopées traditionnelles en frappant du pied sur le sol et des deux poings sur la table; les cuisinières reprennent le refrain. « Il

---

[1] E. Gaspard, *Fêtes de famille et fêtes publiques en France.*

est très curieux d'entendre de loin ces deux chœurs: l'un bruyant et animé, l'autre perçant et fluet. » [1]

Une jolie coutume s'observe en Beauce. Les jeunes filles de la noce quittent une à une à un moment donné et le plus discrètement possible la salle du festin, et vont chercher leur présent à la mariée. Elles reviennent portant chacune leur

Les présents aux mariés
(*Voir légende p. 215*)

cadeau recouvert d'une serviette. Elles se placent en face de la mariée et l'une d'elles, en récitant le « Compliment à la Mariée », lui offre une soupière renfermant un pigeon enrubanné. Le pigeon est quelquefois remplacé par un petit lapin blanc. Toutes les jeunes filles à leur tour déposent sur la table leur présent; pendant ce temps l'une d'elles chante la chanson du « Présent à la Mariée » et le musicien exécute sur son instrument le « Salut à la Mariée ».

En Loire-Inférieure, dans la région baptisée le « pays du sel » et où la récolte et l'industrie du sel furent pendant des siècles presque les seules ressources, les cadeaux qu'on fait

[1] C. Daugé, *Le Mariage et la Famille en Gascogne.*

au jeune ménage sont de première utilité. On les dépose aux pieds des mariés et, peut-être pour en dissimuler le caractère prosaïque, il est de coutume de les présenter aux sons des binious et de danser devant le nouveau couple comme pour l'incliner à la joie et à l'espérance.

Aucune fête de la vie n'a inspiré à la muse populaire française autant de chansons que le mariage. Les unes sont assez gaies et expriment la joie et l'espoir de tous; ainsi le début du vieux chant breton:

> Nous sommes venus vous voir
> Du fond de notre village
> Pour vous marquer la joie
> De votre mariage.

D'autres sont empreintes d'une profonde mélancolie. C'est que l'avenir se présente rude pour la femme de la campagne. Pendant que son mari est aux champs, tôt levée, tard couchée, elle vaque aux multiples occupations intérieures. C'est elle qui assure le travail et le bon ordre à l'étable, à la laiterie, à la basse-cour, à la cuisine, au jardin potager. C'est elle qui élève les enfants, prépare les aliments, coupe et coud les vêtements. Souvent même, lorsque la terre manque de bras, à l'époque de la moisson ou des semailles, elle travaille aux champs à côté de son mari. Sa beauté, son charme ne sont que de très courte durée. Les rudes travaux et les soucis marquent de cruels stigmates son corps, déforment sa taille, brûlent sa peau, flétrissent en peu d'années toute fleur de jeunesse. Les jeunes mariées le savent et sont obsédées par cette pensée.

> Sur le haut d'la montagne
> J'entends les petits oiseaux
> Qui se disent les uns aux autres
> Dans leur joli langage,
> Malheur aux pauvres fillettes
> Qui se mettent en ménage.

L'homme sait se créer des distractions: il s'attable au
cabaret avec des amis, il court les marchés et les foires; pendant des siècles la paysanne française est restée la gardienne
et l'esclave du foyer, considérée toujours en inférieure et en
servante.  Les lois françaises la maintenaient en tutelle et la
tendance à l'émancipation a été longue à naître.  Aussi la
« Chanson de la Mariée » l'avertissait en ces termes:

> Vous n'irez plus au bal,
> Madam' la mariée,
> Danser sous le fanal
> Dans les jeux d'assemblée.
> Vous gard'rez la maison
> Tandis que nous irons.
> Adieu pour la vie
> La liberté jolie !
> Adieu le temps chéri
> De votre bachèlerie.

Depuis quelque vingt ans, la condition des femmes de
France aussi bien à la campagne qu'à la ville a beaucoup
changé.  La guerre si longue qui a dépeuplé les campagnes
des hommes valides a laissé aux femmes toute latitude pour
faire preuve d'initiative et de vaillance.  Elles n'y ont pas
manqué et plus d'un paysan à son retour s'est trouvé stupéfait
devant les résultats obtenus par sa femme, ses filles ou sa
mère.  Cependant tous n'ont pas accepté, le cœur gai, cette
revanche et n'admettent pas encore la prétention des femmes
à l'égalité.  La « Chanson de la Mariée » l'a constaté il y a
longtemps:

> Quand on dit son époux
> On dit souvent son maître;
> Ils ne sont pas si doux
> Qu'ils ont promis de l'être !

Et, en effet, un poète populaire a dit en parlant du mari:

> Le soir, quand il se couche, il se couche en jurant,
> Le matin quand il se lève, il se lève en grognant.

Le marié, naturellement, proteste énergiquement en entendant ces accusations, mais la mariée, sceptique, mesurant la grandeur de son sacrifice, verse d'abondantes larmes. Enfin tout s'apaise au dernier couplet de la chanson, remplie de bonne humeur et de philosophie:

> Recevez ce bouquet
> Que nous venons vous tendre,
> Il est fait de genêt
> Pour vous faire comprendre
> Que tous les vains honneurs
> Passent comme les fleurs.

*Les réjouissances et les danses.* — Après le repas, les réjouissances commencent, variant d'un pays à l'autre. Dans les Landes il est de coutume de les faire débuter par un jeu de force et d'adresse qui consiste en ceci: On fait asseoir la mariée auprès d'une table toute chargée de verres et de pichets de cidre. A deux pas d'elle une perche est plantée. On surmonte ce piquet d'un pot en grès et tous les invités, en file indienne, s'avancent, un gros bâton à la main. Il s'agit de casser le pot de grès d'un seul coup de bâton. Le vainqueur du jeu embrasse alors la mariée qui sert ensuite aux concurrents de nombreux rafraîchissements.

Mais du nord au midi de la France, c'est le bal qui est le principal plaisir des fêtes campagnardes comme des fêtes urbaines. On s'en donne à cœur joie dans ces noces de campagne où l'on boit, mange et danse quelquefois pendant plusieurs jours. Il est de règle de ne pas déserter le bal avant les premiers rayons du jour. On danse dans la cour ou dans la grange de la ferme. Ce sont souvent des danses locales: la bourrée d'Auvergne ou la ridée bretonne, la gavotte ou le pas piqué, mais aussi les danses classiques, valses et quadrilles d'il y a cinquante ans et même les danses à la mode que les jeunes gens apprennent en ville les jours de foire et, pour les garçons, pendant leur service militaire dans les villes de garnison. Dans les campagnes les plus reculées de France, on connaît le fox-trot et le tango. Les musiciens de village, sur leur vielle, leur biniou, leur cornemuse ou leur violon, jouent les airs qu'on leur réclame. Outre les émoluments promis par la maison où a lieu le bal, les danseurs leur offrent fréquemment d'agréables petits pourboires et de non moins agréables libations. Car ils se démènent, ils se surmènent; la noce leur doit une grande part de son éclat et de sa renommée.

Le pot de grès
(*Voir légende p. 215*)

En Bretagne, le bal est souvent ouvert par une **mendiante** qui danse avec le marié et par un mendiant qui danse avec la mariée. Tous les pauvres du pays ont d'ailleurs droit à faire partie de la noce et une table leur est réservée. Partout ailleurs ce sont les mariés qui ouvrent le bal.

En Lorraine, il est encore, paraît-il, nécessaire de pleurer avant de commencer ce bal. La tradition exige que la demoiselle d'honneur se présente devant les parents et leur demande, en chantant une sorte de lamento, la permission pour la mariée d'ouvrir le bal. Chacun pleure abondamment pendant cette requête et pendant la réponse favorable qui y est faite. Presque partout, la mariée est invitée successivement par chacun des jeunes gens.

En certains pays, la mariée change plusieurs fois de toilette pendant ce bal. Tous jugent alors de son apport dans le ménage par le nombre de ses robes.

A la fin du bal, lorsque les danseurs fatigués songent à rejoindre leurs lits improvisés un peu partout, la mariée de la campagne, tout comme celle de la ville, distribue les fleurs d'oranger de son bouquet à toutes les jeunes filles présentes: ce geste est un souhait pour qu'à leur tour elles trouvent un mari dans l'année.

« Pas de fête sans lendemain » dit le proverbe, et cela est surtout vrai des noces de campagne. Les jeunes époux n'y ont pas comme ceux des villes la coutume du voyage de noces. Le travail les attend, mais avant de le reprendre, ils s'accordent encore un ou deux jours de fête où les sentiments religieux ont leur place tout aussi bien que la gourmandise et l'amour de la danse.

C'est d'abord, en Berri, la cérémonie du chou. On arrache dans le jardin du marié le chou le plus pommé, et on le plante dans un panier garni de fleurs, de rubans et d'épis. On le hisse sur le toit de la maison et on le salue à coups de fusil et de vivats. Puis, en grand cortège, on va dans le jardin de la mariée chercher un compagnon au premier chou, et le deuxième emblème rejoint le premier sur le faîte. Tous deux sont symboles de la prospérité qu'on souhaite au jeune ménage. Ils restent sur le toit jusqu'à ce que les intempéries achèvent de les faner et de les détruire. A leur résistance, on évalue les chances de bonheur des nouveaux époux.

En Bretagne et dans beaucoup d'autres endroits, les nouveaux mariés et leurs invités se rendent le lendemain du mariage à une messe solennelle dite pour les défunts des deux familles. Les morts ne doivent-ils pas protéger leurs descendants ! Tant d'embûches et de soucis attendent ceux qui viennent de s'unir pleins d'espoir et de bonheur ! Puis après cette heure de piété grave et recueillie, festin et danses recommencent.

Dans certaines localités du bassin de Paris les parents qui ont marié leur dernière fille brûlent le fauteuil de la mariée. Celle-ci confortablement installée dans un fauteuil est portée à travers les rues du pays par les jeunes gens de la noce. Pendant la promenade on prépare sur la place communale un bûcher formé de paille et de menu bois dans lequel on dissémine quelques pétards. La promenade terminée, la mariée est installée sur le bûcher. Alors on y met le feu et la mariée se sauve, abandonnant son siège. Les invités, les curieux forment autour du bûcher qui pétille des rondes bruyantes, les pétards éclatent dominant les voix, le fauteuil prend feu à son tour et le bûcher s'écroule. Alors les jeunes gens renouvellent les prouesses antiques qui sont de coutume à la St-Jean: ils sautent par-dessus les flammes et les braises avec de grands rires et de grands cris. Puis tout s'éteint: la dernière fille est mariée, la vieille maison n'attirera plus les galants . . .

La fête va se clore et la dislocation a lieu après un dernier repas ou un dernier gâteau . . . Mais les invités ne partent qu'à regret, et en beaucoup de pays il faut les encourager à ce départ. En Bretagne, la mère de la mariée le fait par cette chanson:

> Allez-vous en, gens de la noce,
> Allez-vous en chacun chez vous !
> Notre fille est mariée,
> Nous n'avons plus besoin de vous !

Et tout le monde reprend en chœur:

Allons-nous en, gens de la noce !
Allons-nous en chacun chez vous !

Ils s'en vont enfin, gaiement, comme ils étaient venus.
Ils emportent en triomphe quelques rôtis ou quelques gâteaux
embrochés sur une longue perche ! Ceux qui regagnent des
villages éloignés récoltent sur leur chemin des regards d'envie
connaisseurs et qui les flattent. La noce où ils sont allés était
vraiment magnifique et tout devait y être en abondance puisque les invités en emportent encore de succulents souvenirs !

Pendant ce temps la mariée range soigneusement sa couronne de fleurs d'oranger et ses souliers de noce. Jamais
plus elle ne les mettra, car, dit-on, le bonheur reste dans la
maison tant que les souliers de la mariée ne sont pas usés !

*Les noces d'anniversaires.* — La constance des époux est
glorifiée aussi bien à la campagne qu'à la ville par les noces
d'anniversaires. Les plus importantes sont les « noces d'argent », après vingt-cinq années de mariage; les « noces de
rubis », après quarante années; les « noces d'or », après
cinquante années et celles, très rares, « de diamant », après
soixante années de vie conjugale. Alors que les noces d'argent et de rubis sont des fêtes plutôt intimes et familiales où
enfants et petits-enfants se pressent autour de leurs parents
émus, les noces d'or et les noces de diamant ont généralement
une consécration officielle. Les municipalités reçoivent le
vieux couple et ses descendants et des allocutions touchantes
célèbrent ses vertus et le donnent en exemple. Un grand
banquet ratifie toutes ces fêtes. Pour les noces d'argent, il est
d'usage que l'épouse fidèle porte une robe de soie grise et que
des épis argentés soient mêlés aux fleurs qu'on lui offre et à
celles qui garnissent la table; pour les noces d'or, la vieille
maman s'habille de soie violette et les épis, symbole de
moisson heureuse, sont dorés. Les cadeaux offerts par les
invités s'inspirent également du caractère des anniversaires:
ils sont en argent pour les anniversaires de vingt-cinq ans, et
d'or ou dorés, pour ceux de cinquante.

LES NOCES D'OR EN LIMOUSIN
(*Voir légende p. 215*)

## AUTOUR DE LA MORT

Sur l'univers entier la mort étend ses droits.
Tout périt: les héros, les ministres, les rois.

E CULTE des morts est dans tout l'univers une tradition profonde et sacrée; les sauvages le pratiquent avec superstition; les Chinois ont la réputation de le célébrer avec une piété sans égale, et, en Europe, c'est peut-être en France que ce culte offre le plus de touchante grandeur.

*Avant la mort.* — En ville, la mort, dernière étape de la vie, est entourée de mille soins pieux, de mille adoucissements; son horreur, son déchirement y sont masqués par des cérémonies de funérailles pompeuses et consolatrices que nous décrirons plus loin. Mais c'est dans les campagnes françaises que l'on trouve des coutumes spéciales autour de l'agonisant. La plupart des paysans envisagent la mort avec un calme et une résignation admirables. Ils se font du terrible départ une idée des plus naturelles et des moins effrayantes. Beaucoup la considèrent simplement comme la cessation des peines, la fin des durs travaux et l'entrée dans une vie nouvelle où l'on retrouve tous ceux qu'on aima jadis et qui sont partis les premiers.

Le vieux Breton surtout, lorsqu'une grande maladie vient le clouer sur son lit ne fait pas entendre un murmure, ne pousse pas une plainte. Il repousse les remèdes et les soins, persuadé que son heure est venue... La Bretagne est par excellence le pays des superstitions, et le malade se souvient que tout récemment la chandelle de résine qui brûle au coin de l'âtre s'est éteinte par trois fois!... Trois fois aussi la chouette a poussé son cri lugubre dans la nuit et ce cri a été suivi de trois coups distincts frappés à la porte de la chaumière. Il n'y a pas à douter: la mort est là; le médecin ne saurait l'empêcher de saisir sa proie, c'est le prêtre qu'il convient d'appeler. Lorsqu'il a reçu les derniers sacrements, le malade fait appeler ses voisins, particulièrement ceux avec lesquels il n'était pas en très bons rapports; il se réconcilie avec tous, donne ses derniers conseils à sa femme, à ses enfants, puis, se tournant contre la muraille, il attend stoïquement le trépas. Dans la chambre, on allume alors le cierge de la Chandeleur et les assistants commencent les prières des agonisants auxquelles le malade répond lui-même quand il a conservé sa lucidité.

Le médecin n'est-il donc jamais appelé dans ces cas extrêmes ? — Si, quelquefois. Dans l'église du village brûle un autre cierge devant l'autel. On l'a allumé dès que le patient a ressenti les atteintes du mal qui doit, à son avis, l'emporter. Si la flamme de ce cierge brûle brillante et droite, tout espoir n'est pas perdu et le malade consent à recevoir le médecin ou les guérisseurs, à prendre leurs remèdes et à reculer ainsi le moment fatal. On apporte aussi ce cierge à la maison du moribond et l'on trace avec lui au-dessus du malade un large signe de croix.

En Berri, les rideaux du lit de l'agonisant sont écartés et la porte de la maison entr'ouverte pour permettre à l'âme de prendre librement son essor. Rien ne doit gêner cette envolée: on veille à ce qu'aucun écheveau de fil ne vienne égarer ou entortiller ce souffle, à ce qu'aucun vase rempli d'eau ne le mette en danger de se noyer.[1]

*Le glas.* — Au moment de l'agonie ou immédiatement après la mort, les cloches sonnent le glas. C'est la coutume locale qui règle ces sonneries mortuaires. Dans certains endroits le tintement se répète trois fois pour un homme et deux pour une femme; ailleurs la sonnerie diffère par le mode employé ou par les contre-sons. Dans une charmante localité des

---

[1] H. Lapaire, *Légendes berrichonnes.* Dans les Landes, il n'y a pas longtemps, on allait même plus loin. Pendant une longue et douloureuse agonie, on enlevait quelquefois les tuiles de la maison au-dessus du lit du malade, avec l'intention de favoriser cette évasion pénible et d'écourter ainsi les dernières souffrances et les dernières agonies (*Revue des Traditions Populaires*, 1893).

environs de Paris,[1] tous les amis du défunt vont sonner à tour de rôle pour le trépassé. Ceux qui ont beaucoup d'amis font ainsi beaucoup de bruit dans le monde, même lorsqu'ils le quittent.

*Après la mort.* — Dès que le malade a rendu le dernier soupir, on arrête le mouvement des horloges et des pendules, et on s'occupe de la toilette du mort. On lave le corps du défunt, on le revêt, selon l'endroit, d'un linceul ou de ses habits de fête, on l'étend sur son lit et on le recouvre d'un drap blanc sur lequel on place le crucifix, des fleurs et des couronnes. En beaucoup d'endroits, on voile dans la maison mortuaire les glaces et les miroirs, et en Argonne, on vide les seaux qui contiennent de l'eau.[2]

Au chevet du lit, on dispose sur une petite table recouverte d'une nappe blanche une assiette pleine d'eau bénite dans laquelle trempe un rameau de buis, puis un cierge ou des bougies dans des candelabres. On ferme les volets et les persiennes et, dans une demi-obscurité, on commence la veillée.[3] Que ce soit à la ville ou à la campagne, le mort n'est jamais laissé seul. Ses parents, ses amis alternent leur pré-

[1] Taverny, en Seine-et-Oise.

[2] L'origine de cette coutume est très ancienne et très curieuse. Les peuples barbares croyaient autrefois que l'ombre d'une personne ou son image dans l'eau ou dans une glace, n'était autre que son âme ou tout au moins une partie vitale de son être qui pouvait être mutilée ou dérobée. Dans l'Inde et la Grèce antiques il était strictement recommandé de ne pas se mirer dans l'eau: on craignait que le génie de la source ou de la rivière n'emportât l'esprit de l'imprudent. On essaie donc de préserver l'âme qui s'envole contre toutes les embûches redoutables des mauvais génies en masquant toutes les surfaces où elle pourrait se refléter. (Il paraît que beaucoup de mamans paysannes et de nourrices recommandent encore de ne pas tenir un bébé devant un miroir: elles prétendent que l'enfant deviendra fou.)

[3] Dans le Beaujolais existait encore il y a très peu de temps une bizarre coutume: celle de « cacheter » les morts, principalement les femmes. En procédant à la dernière toilette, on faisait tomber sur le ventre du défunt quelques gouttes de cire d'un cierge bénit !

sence et leurs prières auprès de lui; tout nouveau venu, en entrant dans la chambre mortuaire, asperge le défunt de quelques gouttes d'eau bénite et fait le signe de croix si le mort appartenait à la religion catholique. C'est un grand honneur et un grand devoir que de veiller un parent mort pendant la première nuit qui suit le trépas. Ordinairement, on veille à deux ou trois personnes. On cause à voix basse, on peut même fumer pour vaincre le sommeil; on s'entretient des mérites du défunt, on organise l'avenir pour le remplacer dans sa tâche, on se console mutuellement si l'on peut, et que de vieilles rancunes ou de petites dissensions familiales trouvent leur remède dans cette grande leçon qu'est le spectacle de la mort !

Le lendemain a lieu la mise en bière. Un à un, les membres de la famille viennent déposer un dernier baiser sur la chère dépouille; presque partout, on coupe au mort quelques mèches de cheveux, pieux souvenir qu'on conserve avec les papiers précieux de la famille. Souvent on enferme avec le mort quelques reliques qu'il aima particulièrement: médailles, chapelet, portraits, bijoux de peu de valeur, lettres ou écrits; on met avec un enfant son joujou ou sa poupée préférés, avec une jeune maman quelque objet de layette de son tout petit. En Bretagne et en Berri, on met entre les mains du mort un livre d'heures et un chapelet.

En quelques endroits il est toujours d'usage de mettre une pièce de monnaie dans le cercueil: survivance des temps passés où l'on pensait que les âmes pour traverser le Styx [1] devaient payer leur passage à Charon.[2] Puis après un dernier adieu, la bière doublée de plomb ou de zinc est soudée, son couvercle est vissé; on la recouvre d'un drap noir brodé d'une grande croix, et les fleurs et les couronnes sont disposées autour et par-dessus.

*Les funérailles à la ville.* — L'enterrement n'a lieu, le plus

---

[1] Rivière des Enfers.

[2] Charon ou Caron, nocher des Enfers.

souvent, que le lendemain de la mise en bière. Les parents éloignés du défunt, ses amis, ses relations ont été prévenus du jour et de l'heure de la cérémonie par des lettres de faire-part bordées de noir. Quelques instants avant le départ pour l'église, le cercueil est descendu dans le vestibule de la maison transformé en chapelle ardente. Les fleurs, les couronnes s'entassent autour du cercueil; s'il s'agit d'un enterrement catholique un vase plein d'eau bénite et un goupillon permettent aux croyants d'asperger encore le défunt. S'il était une personnalité officielle, ses insignes, ses décorations sont épinglés au drap mortuaire. Dans le salon du défunt les invités silencieux défilent devant les parents éplorés et murmurent quelques paroles de condoléances.

Enfin l'heure de la levée du corps arrive. En province, le prêtre vient chercher le corps à la maison mortuaire, précédé de la croix et de quelques enfants de chœur. A Paris, le clergé attend le cortège à l'église. Le corbillard, drapé de noir et orné suivant la classe d'obsèques indiquée, est traîné par un nombre variable de chevaux caparaçonnés de noir; lorsqu'il s'agit d'un enterrement très somptueux, le corbillard, les chevaux et le chapeau du cocher sont ornés de panaches. L'ordre du cortège est réglé par un employé des pompes funèbres. Après les membres de la famille suivent d'abord les hommes lorsque le défunt était un homme, les femmes si c'est une femme qu'on accompagne à sa dernière demeure. Après quelques moments de marche, les hommes qui ont gardé la tête nue pendant la levée du corps et l'organisation du cortège, peuvent remettre leur chapeau. Un cérémonial spécial s'observe aux enterrements militaires. Le drap mortuaire est aux couleurs du drapeau français et le cheval de l'officier qu'on enterre suit, au pas et tenu en bride, le corps de son maître. La marche du convoi est très lente, car les proches parents du mort et tous ceux qui le désirent suivent à pied le corbillard en signe de déférence ou de sympathie. Viennent ensuite des voitures pour les membres de la famille et les invités fatigués qui peuvent d'ailleurs accompagner plus ou moins longtemps à pied et terminer le trajet en voiture. Sur le parcours, les passants prennent, au passage du corbillard, une attitude recueillie; les hommes se découvrent, les femmes font le signe de la croix.

Lorsque le convoi arrive à l'église, les cloches sonnent lugubrement. Le portail par lequel il pénètre est tendu de draperies noires pour un homme ou une femme, de draperies blanches pour un jeune homme ou une jeune fille. Le cercueil est porté près de l'autel, entouré de cierges, de fleurs et de couronnes. Les invités à la triste cérémonie se placent les hommes à droite de la nef, les femmes à gauche. Après l'office, les assistants défilent près du cercueil, l'aspergeant encore une fois d'eau bénite, puis serrent la main aux membres de la famille en deuil à qui ils présentent en même temps de rapides condoléances.

Presque partout on tient à honneur de faire brûler le plus de cierges possible autour du catafalque; non pas toujours par vanité et orgueil de la dépense, mais parce que ces flammes de la terre protègent, dit-on, contre les flammes possibles de l'autre monde. Ce sont des purifications du défunt.

Tous ne vont pas au cimetière souvent fort éloigné, et ceux-là s'excusent en quelques mots. Puis le convoi se remet en marche toujours dans le même ordre, pendant que le glas tinte une dernière fois.

Lorsque le cercueil est enfin descendu dans la fosse ou le caveau, les assistants défilent encore devant l'excavation béante pour un suprême adieu, une dernière aspersion d'eau bénite, et un à un, serrent la main aux membres de la famille éprouvée qui, elle, quitte la dernière le cimetière.

*Les funérailles à la campagne.* — Les coutumes funéraires à la campagne sont moins pompeuses que les coutumes urbaines: la vanité fait place à une modeste piété qui ne se préoccupe que du sort de l'âme évadée. Elles sont aussi moins silencieuses, surtout en Corse. Là-bas, lorsqu'une femme meurt et qu'on a procédé à sa dernière toilette avec les té-moignages de la douleur la plus vive et la plus bruyante, on dépose la morte sur une table devant la porte de sa maison. Toutes les femmes du village, drapées et voilées de noir, ac-courent auprès d'elle, chantant des strophes pleines de la-mentations en son honneur et pour célébrer les vertus qui furent siennes. De temps en temps, une assistante se dé-tache du groupe et vient chuchoter quelque confidence à l'oreille de la défunte; puis les lamentations reprennent, souvent interrompues par des clameurs et des cris déchirants. Après la levée du corps, pendant le transport à l'église, au cimetière, et pendant la descente dans la fosse, ces lamenta-tions, ces crises de désespoir ne font que s'accentuer. La morte a ensuite bien mérité le repos et le silence éternels!

Le mort est ordinairement porté à bras, dans les campagnes françaises; ce sont ses meilleurs amis qui ont ce devoir su-prême; en quelques endroits, les hommes mariés portent exclusivement un homme marié; les femmes mariées portent une femme mariée; un jeune homme est porté par ses cama-rades; une jeune fille par ses meilleures amies. En outre, les coins du drap mortuaire et les glands sont portés par des hommes, des femmes, des jeunes gens ou des jeunes filles honorés par la grande amitié du défunt.

En Berri, en Bretagne et dans quelques autres provinces lorsque la demeure du mort est éloignée de l'église, on place la bière sur une voiture traînée par des bœufs, et plus l'at-telage est nombreux, plus l'honneur rendu au défunt est con-sidérable. Le convoi s'achemine lentement, car il est d'usage de ne point presser les bœufs en cette occurrence. S'ils viennent à s'arrêter d'eux-mêmes, c'est que le trépassé ré-clame le secours des prières de ceux qui l'accompagnent, et tous, s'agenouillant dans la poussière du chemin, attendent, en multipliant les oraisons, que les bœufs condescendent à continuer leur route. Si, par hasard, le cortège vient à passer près d'une haie où sèche du linge, on le lave à nouveau.

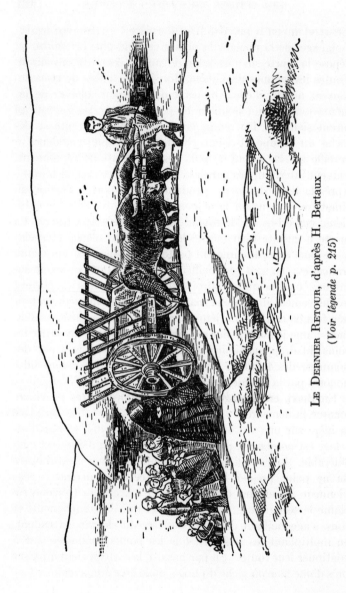

Le Dernier Retour, d'après H. Bertaux
(*Voir légende p. 215*)

Porter la croix qui précède le cercueil ou, en Bretagne, le cierge qui le suit, est également un grand devoir envers le trépassé et un grand honneur. En Bretagne encore, sur le passage du cortège, on s'agenouille et l'on prie pour le mort. Pendant tout le trajet des « sonneurs » agitent leurs sonnettes qui alternent avec les chants liturgiques, et à l'église tinte le « carillon des morts ».

Une curieuse coutume existait tout récemment encore dans les Côtes-du-Nord. Lorsque le cercueil arrivait à l'église, il était d'usage de heurter avec la bière d'abord le côté droit du portail, puis le côté gauche; cette coutume bizarre était le dernier salut du mort à son temple.[1]

*Au cimetière.* — Les cimetières français entouraient autrefois les églises. On les a depuis plus d'un siècle éloignés des agglomérations par mesure de salubrité. Après le service à l'église, le convoi s'y rend précédé de la croix, du prêtre et des enfants de chœur qui chantent des psaumes appropriés. Il n'est pas rare, surtout en Bretagne, de croiser plusieurs calvaires avant le cimetière. Les membres du cortège font alors une courte halte auprès de la croix, disent une dernière prière pour le trépassé et font hâtivement de deux bouts de bois entrecroisés une petite croix rudimentaire qu'ils déposent au pied de la grande. Au nombre de ces témoignages naïfs, les passants plus tard jugeront de l'importance et de la bonne renommée de celui qui fut récemment conduit en terre.[2]

A la campagne comme à la ville, la bière est aspergée d'eau bénite par les assistants; en beaucoup d'endroits les amis du défunt jettent chacun leur pelletée de terre sur le cercueil; en d'autres les intimes du défunt ont coutume de jeter aussi quelques fleurs provenant de leur propre jardin: dernier don et dernier hommage au mort. Hommage silencieux en certains pays, mais en d'autres hommage accompagné d'une

---

[1] *Revue des Traditions Populaires*, 1893.
[2] *Revue des Traditions Populaires*, 1907.

dernière parole, d'un dernier souhait: « Adieu ! Au revoir ! Sois en paix ! » suivant l'âge et l'impression de chacun.

*Après les funérailles.* — La loi de l'hospitalité n'est pas transgressée par la douleur. A la campagne, où l'on est venu d'assez loin quelquefois assister à des funérailles, il est d'usage d'offrir un repas à tous les invités à la triste cérémonie avant leur départ. Ces repas ont lieu le plus souvent à la maison du défunt. Dans quelques contrées, les invités de retour du cimetière sont accueillis à la porte de la maison par une parente du mort qui tient une amphore pleine d'eau. Elle en verse quelques gouttes sur les mains de chacun et les essuie ensuite avec un linge blanc. Dans quelques villages des Hautes-Alpes, les tables, pour ces repas de funérailles, sont dressées autour du cimetière; mais là ou ailleurs il est de tradition que ce repas soit présidé par le prêtre qui a officié. Le menu de ce repas est simple et sévère: un seul plat de viande et de légumes et un fromage; ni rôti, ni dessert, ni café. On n'y boit pas de vin fin et l'on n'y porte pas de toasts. Cependant, dans les Hautes-Alpes, lorsque chacun s'est restauré, le plus proche parent du mort lève son verre en disant: « A la santé du pauvre mort ! »[1]

En Bretagne, les pauvres sont encore moins oubliés à un repas de funérailles qu'à un repas de noces. Ils se réunissent après l'enterrement sur la place du village et les membres de la famille du défunt leur distribuent du pain, des vivres et des aumônes. L'argent de poche du défunt doit toujours être distribué exclusivement aux malheureux.

Il est d'usage de distribuer aux parents et aux amis, en guise de souvenirs, de menus objets ayant appartenu de près ou de loin au défunt; puis on rend à la maison son aspect accoutumé; on remet en mouvement les balanciers des horloges, on découvre les glaces, et la vie recommence.

Les animaux domestiques sont souvent associés, dans les campagnes, au malheur qui a frappé la maison. On annonce

[1] *Revue des Traditions Populaires*, 1910.

la mort du maître ou de la maîtresse aux chevaux et aux bestiaux dans les fermes de quelques contrées; en Beauce, ce sont, paraît-il, les abeilles qui sont le plus sensibles à ces marques d'intérêt.[1] Si l'on ne prenait pas la précaution de recouvrir leurs ruches de rubans de deuil lorsque la mort a frappé la maison, elles déserteraient leurs habitations et mourraient prématurément.

*Monuments funéraires.* — Outre les monuments particuliers élevés dans les cimetières et les monuments commémoratifs civils ou religieux, il y a, disséminés par toute la France, de curieux monuments en forme de pyramides, tous vieux de plusieurs centaines d'années, et qu'on appelle « lanternes des morts ». Il ne servent plus à rien, mais autrefois on les allumait, le 2 novembre principalement, et ils éclairaient de leurs lueurs rougeâtres les plaines et les vallées. Ces lampadaires rustiques guidaient, paraît-il, les défunts dans les lieux qu'ils avaient aimés, et où ils venaient quelquefois conseiller ou encourager les vivants. De nos jours, la France a remplacé ses lanternes des morts par celle, unique, qui s'élève triomphale à Paris tout en haut de l'Avenue des Champs-Élysées. Sous l'Arc de Triomphe de l'Étoile brûle, quotidiennement ravivée, la Flamme du Souvenir sur le Tombeau qui synthétise toutes les souffrances et tous les deuils de la dernière guerre.

> Bleus ou noirs, tous aimés, tous beaux,
> Des yeux sans nombre ont vu l'aurore.
> Ils dorment au fond des tombeaux;
> Et le soleil se lève encore ![2]

[1] F. Chapiseau, *Folk-lore de la Beauce et du Perche.*
[2] Sully-Prud'homme.

# TROISIÈME PARTIE

## COUTUMES LOCALES ET RÉGIONALES

### FÊTES ET COUTUMES LOCALES

N DEHORS des fêtes annuelles qui se célèbrent invariablement aux mêmes dates sur tout le territoire français, les diverses régions de la France ont des fêtes spéciales, les unes traditionnelles et séculaires; les autres nées du mouvement des idées, du développement de certaines industries, ou simplement de l'amour du nouveau. Les fêtes régionales qui ont survécu aux bouleversements historiques, à l'indifférence qui est la conséquence des idées nouvelles offrent en maints endroits des coutumes extrêmement curieuses. On en observe surtout en Bretagne, en Provence, en Alsace, au pays basque, partout où l'éloignement de la capitale ou la difficulté des communications ont maintenu la même race et les mêmes habitudes sur le même sol. Elles sont les derniers vestiges des mœurs et des sentiments qui ont formé la France, la France d'autrefois qui devient chaque jour une France nouvelle dont tous les éléments se fondent et se mêlent dans le grand creuset agité par le progrès universel.

*Les fêtes communales.* — Chaque pays, chaque petite paroisse de France fut de très bonne heure mise sous la protection d'un saint quelconque du calendrier, et, tout comme un individu,[1] chaque commune eut sa fête particulière au jour consacré à son grand protecteur. La plupart de ces fêtes ont pour ainsi dire un programme de réjouissances identique. C'est d'abord, sur la grande place, l'installation de forains qui montent leurs manèges de chevaux de bois ou

[1] Voir p. 73.

LE MÂT DE COCAGNE
(*Voir légende p. 215*)

d'aéroplanes, leurs boutiques de confiserie, leurs ménageries et leurs théâtres ambulants; puis, le jour de la fête arrivé, les distractions quasi-officielles des jeux anciens comme le cou de l'oie,[1] le mât de Cocagne, la course aux œufs ou la course en sac. Depuis une trentaine d'années cette coutume des jeux où l'on exerçait déjà son adresse ou sa force cède de plus en plus le pas à des attractions plus modernes. Pas de fête locale à présent, même dans les hameaux arriérés, sans une petite manifestation sportive. Partout, aux programmes des fêtes sont annoncés des matches de foot-ball ou de tennis, des parades d'escrime, et surtout des courses de bicyclettes ou des régates. Cependant la coutume de terminer la fête par le bal demeure, intangible. Voici une courte description d'un bal de village en Béarn:

« C'est la fête aujourd'hui, aux Eaux-Chaudes. On danse en plein air devant les thermes. Des garçons et des filles habillés à la mode de la vallée d'Ossau [2]: les garçons, le béret bleu sur l'oreille, guêtres de laine blanche, culottes de velours noir, la veste de drap rouge jetée sur l'épaule; les filles, en toilette de gala, parées de soies anciennes et de bijoux de famille, se trémoussent au son du galoubet et du tambourin. Et c'est un fort joli spectacle. Le contraste est touchant des figures très jeunes et des modes très vieilles. Les chaînes, les coulants d'or paraissent plus massifs d'être pendus à des cous grêles d'adolescentes, les tailles plus sveltes d'être engaînées dans des corselets de grand'mères.... La musique n'est pas moins émouvante, si frêle, si naïve ! Peu ou point de motif: une broderie de trilles suraigus lancés par le galoubet, une note sourde, toujours la même, frappée sur les trois cordes du tambourin qui marque la cadence. Le gave, tout proche, ajoute sa voix de basse profonde à cet étrange orchestre. »[3]

---

[1] Voir plus loin pages 132 et 133.

[2] Dans le département des Basses-Pyrénées.

[3] Émile Pouvillon, *Terre d'Oc*.

C'est la fête du hameau.
Galoubet, chalumeau,
Résonnez au vert coteau !
Chante, doux pipeau !
Levons-nous avec l'oiseau !
Qui jacasse sur l'ormeau.
Célébrons ce jour si beau
Par un chant nouveau.

*L'assemblée de Touraine.* — A côté de ces fêtes locales, tributaires des mêmes distractions coutumières, il est des fêtes plus caractéristiques. Elles ont des noms propres à leurs régions. En Touraine et dans le sud de la Normandie, c'est « l'assemblée ». Assemblée de qui ? Mais de tout et de tous ! Filles, garçons, jeunes et vieux, maîtres et serviteurs, et même bétail magnifique et soigné, et produits estimés de ces contrées éminemment agricoles et prospères. L'assemblée est une fête, mais elle est aussi un marché.

L'assemblée a lieu communément au mois de juin, aux environs de la St-Jean qui est encore dans beaucoup de campagnes la date consacrée pour l'embauchage des ouvriers et des serviteurs agricoles. Au jour fixé pour l'assemblée, dès l'aube, les paysans s'acheminent vers le marché guidant leurs bœufs ou poussant devant eux de petits troupeaux de porcs gras et roses. Gens et bêtes ont fait grande toilette. Les hommes ont revêtu des blouses neuves, empesées et luisantes. dans lesquelles s'engouffre le petit vent du matin, et les paysannes en costume et en coiffe du pays ont les bras chargés d'énormes paniers pleins de beurre, d'œufs et de fromages. Sur la place du marché chacun se case. Les bêtes sont alignées côte à côte, corne à corne, mugissant et soufflant, faisant aux criailleries des volailles et au concert inharmonieux des voix humaines qui s'interpellent, un accompagnement de basse grondante. Pêle-mêle, les véhicules rustiques les plus archaïques et les camionnettes automobiles XXe siècle, chargés de légumes et de fruits s'entassent sur la place du marché et dans les cours des auberges. L'odeur de l'essence se mêle aux odeurs des fruits de la terre. « Quelle cohue ! Quels gestes! jurons et cris pétillent et fusent en l'air mêlés aux glapissements des marchands de complaintes, aux beuglements des troupeaux, au charivari des orchestres en plein vent... D'un bout à l'autre de la foire on s'appelle, on se répond, et autour des animaux très calmes, acheteurs et vendeurs gesticulent et marchandent en se tapant dans les mains. »[1]

Le marché étend son tintamarre de quartier en quartier. Il déborde jusqu'au porche de l'église où les fermiers qui ont besoin d'ouvriers ou de valets discutent âprement avec leurs futurs serviteurs les conditions d'engagement et les salaires. En Berri, se divisant d'eux-mêmes en catégories pouvant faciliter le choix du patron, les serviteurs arborent des « marques ». Les jeunes gens robustes se parent d'un épi, emblème de la vigueur et de la force; les jeunes débutants, trop faibles pour les gros travaux, ont sur leur chapeau une feuille de chêne ou de châtaignier: ils seront gardeurs de troupeaux, apprentis. Les servantes portent un bouquet, mais tandis que les jeunes rivalisent de recherche pour ce bouquet engageant et le font aussi gros et aussi éclatant que possible, les plus vieilles, déjà fatiguées dans le service, tortillent entre leurs doigts une unique rose, vestige du magnifique bouquet de leur espérance et de leur jeunesse.[2]

La mentalité des serviteurs a beaucoup changé depuis un demi-siècle, mais la coutume de se réjouir d'avoir trouvé un maître n'a pas cédé, elle, devant le progrès. Filles et garçons, avant de reprendre le chemin de la ferme, vont manger ensemble les « rillettes » du pays et boire le vin léger et pétillant de la Touraine. Puis, attirés vers une grange d'où sortent les accents nasillards de la vielle, ils vont danser, alternant les danses actuelles que les « phonos » et la T.S.F.[3] ont propagées

[1] Émile Pouvillon, *Cesette.*    [2] A. Bernardi, *Le Berri.*
[3] Télégraphie sans fil ou radio.

partout, avec la danse locale, le « pas piqué » que les vieux, se remémorant leur jeunesse, réclament au ménétrier. Puis on va se restaurer avec des « cassemuses ». La cassemuse est une petite brioche de pâte légère qui renferme du lait caillé ou de la crème. Au moyen âge, pour la Fête des Fous,[1] on se jetait ces gâteaux à la face; de là leur nom: cassemuse ou cassemuseau. De nos jours les charmantes Tourangelles au coquet bonnet paillé se contentent de croquer à belles dents les traditionnelles pâtisseries.

Et, le soir venu, par les chemins, recommencent à rebours les caravanes du matin. A côté des bêtes, qui sont contentes de regagner leurs écuries ou leurs étables, les paysans marchent par groupes, chantant à pleines voix les vieilles rondes d'autrefois.[2]

Ce même genre de fêtes locales où s'allient curieusement les réjouissances et les affaires se retrouve en Artois et dans le Nord sous le nom de « ducasses » et « kermesses », dans le Sud-Est sous le nom de « vogues », dans le Limousin sous le nom de « frairies » et dans le Midi sous le nom de « fêtes votives ».

A côté de ses coutumes il y en a d'autres purement récréatives. Les suivantes sont encore toutes pleines de l'originalité et de la vieille gaieté françaises.

*La fête patronale de Gerzat.* — A Gerzat, en Auvergne, la fête locale a depuis un temps immémorial un éclat tout particulier. On s'y prépare quinze jours ou trois semaines à l'avance, les initiatives privées et la municipalité coopérant pour donner le plus d'animation possible à la fête. On l'annonce ensuite à toute la population. A cet effet, les jeunes gens du village font une sorte de cavalcade bruyante à travers les rues; puis ils donnent un bal. Cela met déjà en appétit toute la jeunesse du pays. Le samedi suivant, les jeunes gens qui ont organisé la fête se coiffent d'une tradi-

---

[1] Voir p. 20.

[2] On trouvera deux rondes populaires aux pages 224 et 225.

tionnelle calotte de velours noir, décorée de galons dorés et
de flots de rubans.   Ils ont en main un vieux sabre de cava-
lerie, dont la garde est ornée de rubans et de fleurs naturelles,
et dont le fourreau, poli et astiqué pour la circonstance, brille
au soleil de juin.   C'est l'heure des « sérénades ».   Devant
chaque maison les jeunes gens et les musiciens du village
s'arrêtent, invitant les maîtresses de maison, leurs filles et
leurs servantes à danser une « bourrée ».   Et de porte en
porte le tambour, les clarinettes, les pistons et les cymbales
font pressentir les joies du lendemain.

Il vient enfin ce lendemain, et, dès l'aurore, les jeunes gens
et leur cortège bruyant recommencent la promenade de la
veille.   Mais cette fois, il s'agit non plus de sérénades, mais
d' « aubades ».   Les jeunes Auvergnats ont revêtu la veste
blanche traversée de l'épaule à la taille par un large ruban de
couleur éclatante.   Ce ruban s'enroule en écharpe autour du
cou, en ceinture autour de la taille et donne au costume une
richesse et un éclat tout particuliers.   Les garçons s'arrêtent
comme la veille devant chaque porte, mais cette fois, c'est
le maître de maison qui sort et donne aux jeunes gens une
offrande destinée à parer aux frais de la fête.   Et la quête
matinale se poursuit ainsi au bruit des fanfares, tandis qu'à
l'intérieur des maisons les ménagères s'agitent pour les préparatifs de repas somptueux.

Les réjouissances débutent par une messe solennelle et une
procession où les reliques du saint, escortées des sociétés
musicales et de tous les habitants, font à travers le pays une
triomphale promenade.   Puis, après le repas, on se rend sur la
grande place où a lieu un jeu curieux.   A une poutre sont suspendus des volatiles divers: oies, canards, poulets, du reste
déjà saignés, et qui seront disputés par les joueurs.   Ceux-ci
sont montés sur de vigoureux chevaux de labour et à tour de
rôle chacun d'eux lance au galop son coursier sous la potence.
Il s'agit de saisir au passage le cou d'un de ces volatiles.   Mais
leur hauteur a été calculée pour que le joueur soit obligé de

se dresser et de retomber d'une secousse sur ses étriers. Le cou de la bête doit se détacher sous le choc. Les cavaliers se succèdent jusqu'à réussite, et celui qui a gagné la première tête d'oie est grandement honoré. La musique attaque une bourrée et l'heureux vainqueur, descendant de cheval, la danse avec une jeune fille de l'assistance, aux applaudissements des spectateurs. Il arrive parfois qu'un cavalier reste suspendu aux vertèbres de l'oiseau récalcitrant. Les cris de joie, les rires éclatent alors de toutes parts et le jeu continue jusqu'à l'épuisement des volatiles sacrifiés. Le soir venu, les gagnants et leurs invités se régalent de leurs conquêtes, en parlant bien fort de leur adresse et de leur force.

Après le « tir au cou de l'oie », les garçons vont changer de costume. Ils quittent leur sabre d'allure guerrière et leur veste blanche cérémonieuse, et revêtent une veste courte de couleur voyante où le rouge et le bleu dominent, et où les galons dorés courent le long des coutures. C'est l'heure des danses sur la pelouse, sous les grands arbres. Et la fête dure ainsi deux jours, alternant les festins et les bals, les jeux d'adresse et les concerts bruyants... Mourra-t-elle un jour cette fête de Gerzat, comme sont mortes, envahies par les coutumes nouvelles, les fêtes des localités voisines ? Peut-être... mais jusqu'à présent elle reste comme un intéressant vestige de ce qui fut apprécié autrefois en Auvergne: des gâs vigoureux et hardis, aimant la bonne chère, la force et le bruit !

*Le cortège du Messti.*[1] — Très particulière aussi est la fête locale de plusieurs communes d'Alsace, où elle s'appelle « le Messti ». La jeunesse en fournit, comme partout du reste, les organisateurs et les principaux acteurs. Jeunes gens et jeunes filles se rendent en cortège à la demeure du maire pour lui offrir deux gâteaux traditionnels: une tarte aux fruits et un massepain. En tête de la colonne marche un jeune mouton qu'on a bien lavé, bien peigné, bien paré de guirlandes de roses. Une fillette et un garçonnet le tiennent

[1] Messti dérive de « Messtag », dédicace de l'église.

LE CORTÈGE DU MESSTI EN ALSACE

en laisse par des rubans de couleur. Puis viennent les fameux gâteaux portés par deux fillettes; suivent les jeunes gens et les jeunes filles, chaque couple se tenant par le petit doigt, et marchant hiérarchiquement, car ils ont élu parmi eux des garçons et des demoiselles d'honneur, tout comme s'il s'agissait d'un cortège de noces. Pendant que les petites filles offrent leurs savoureux gâteaux aux autorités municipales, le premier garçon d'honneur et la première demoiselle d'honneur dansent seuls la valse d'honneur. Puis le cortège se reforme et se dirige vers la salle de bal, mais personne n'a le droit de danser avant que les garçons et les filles d'honneur n'aient inauguré le bal par la grande valse.[1]

Et le mouton ? Pour lui c'est le dicton à l'envers,[2] car après avoir été à l'honneur, il est complètement à la peine: on le tue et les parents et amis des organisateurs de la fête s'en régalent.

*La Tarasque.* — C'est un sosie qui fait les frais de la fête d'une vieille ville du midi de la France, Tarascon. Le nom de la ville s'apparente étroitement au nom d'un monstre légendaire, « la Tarasque ». D'après la tradition, c'était un animal amphibie qui se tenait sur les bords du Rhône, chavirant les barques, noyant les bateliers, et parcourant les campagnes environnantes où il dévorait les troupeaux et les hommes qui se trouvaient malencontreusement sur son chemin. A ce monstre s'opposèrent seize héros. Huit périrent et furent dévorés, les huit autres furent les fondateurs de Beaucaire et de Tarascon.[3] La légende subit une légère modification et attribua à sainte Marthe une victoire sur cette bête effroyable qu'elle aurait domptée et enchaînée.

---

[1] Erckmann-Chatrian, dans un de leurs ouvrages, l'*Ami Fritz*, dépeignent d'une façon très colorée et très pittoresque un bal alsacien avec sa valse d'honneur.

[2] Voir note 1, page 4.

[3] Ces deux villes ne sont séparées que par un pont sur le Rhône. Sur les armes de la ville de Tarascon figure le monstre dévorant un homme.

Aussi la fête de la Tarasque se célèbre à Beaucaire et à Tarascon le dimanche de la Pentecôte et le jour de la Ste-Marthe.

Il est très probable que la Tarasque est l'effigie d'un crocodile formidable, capturé sur le Nil au temps des Romains et amené en Gaule pour les jeux du cirque. Le navire qui le portait ayant sombré en vue de la côte de Provence, l'animal gagna la rive en nageant, aborda en Camargue, puis remonta le fleuve du Rhône. Ses méfaits furent ceux d'un crocodile, d'un crocodile horrible et toujours inassouvi. Sainte Marthe avait vécu en Égypte dans un temple où se faisait l'élevage des crocodiles sacrés. Venue en Provence pendant une persécution, elle reconnut le monstre et résolut de le dompter, ainsi qu'elle avait vu faire aux prêtres égyptiens qui profitaient du sommeil des crocodiles pour leur introduire vivement un morceau de bois dans la gueule. Ce morceau de bois placé debout entre les deux mâchoires les empêchait de se refermer. A ce morceau de bois était fixée une corde grâce à laquelle on pouvait ensuite tirer l'animal et le ligoter. Sainte Marthe s'approcha toute tremblante de l'énorme crocodile qui dormait au soleil ; elle lui introduisit fort adroitement le bâton pointu dans la gueule, serra le nœud coulant de sa corde, et le monstre dompté suivit en mugissant de douleur la frêle femme qu'une foule enthousiaste, massée sur les deux rives du Rhône, acclamait.[1]

La coutume caractéristique de cette fête est la figuration de l'animal monstrueux et de la terreur qu'il répandait. Le symbole du monstre légendaire est fait d'une carcasse en bois recouverte de toile peinte. Il a à peu près un mètre et demi de hauteur et trois mètres de longueur, sans compter la queue qui est très longue et très grosse. Sa tête ressemble à celle d'un gros chat sans oreilles ; son corps est couvert d'écailles longues et jaunes entre lesquelles sortent de grosses pointes de fer. L'animal a quatre pattes énormes, griffues et courtes

[1] D'après « l'Excelsior du Dimanche », 1929.

sur lesquelles il rampe plutôt qu'il ne court. Sa gueule, béante, laisse voir plusieurs rangées de dents acérées; par les
narines, des fusées éclatent tout le temps que dure la course à
travers les rues. Dans le ventre de l'animal sont tapis les
« tarasconnaires ». Ce sont des hommes qui figurent les huit
chevaliers dévorés. Ils ont pour mission de manœuvrer la
bête, de la faire courir, sauter, ruer. Ils s'amusent aussi à

La procession de la Tarasque
(*Voir légende p. 215*)

renverser avec la queue de la Tarasque les spectateurs qui
ne se garent pas assez vite. La fête n'est pas que bruyante,
elle est aussi dangereuse car le monstre déambule par les
rues et les ruelles étroites de la ville de façon effrénée,
culbutant, renversant les imprudents et crachant feux et
flammes.

Après ce divertissement ont lieu les farandoles, légères
danses du Midi et de la Provence sur lesquelles nous revien-

drons. Une foule de curieux accourus des pays environnants y prennent part.

*Fêtes populaires à Paris.* — Le peuple de Paris est, lui aussi, très amateur de plaisirs populaires qui ne coûtent rien ou qui coûtent très peu: les fêtes publiques, les revues, les cérémonies même. Pour en jouir, il ne ménage ni sa force, ni son temps. Il brave la pluie, le vent, la poussière; il reste debout pendant des heures entières pour s'assurer une bonne place à un feu d'artifice, à une illumination, à un concert public. Aussi Paris et sa banlieue, grands centres de progrès rapide et continu, ont des fêtes populaires d'antique tradition, et les Parisiens y prennent autant de plaisir que les simples paysans à leurs fêtes campagnardes.

Chaque quartier de Paris voit à son tour s'installer sur ses avenues manèges, balançoires, tirs . . . , etc. Mais rien ne dépasse en étendue et en vogue la fête qui se tient chaque année, à Pâques, sur la place de la Nation et l'avenue qui la suit . . . Une foule compacte circule entre les somptueux manèges, les attractions diverses, les ménageries . . . Des familles entières, des ribambelles de marmots prennent d'assaut les manèges; la jeunesse, en riant follement des bousculades et des apostrophes, va d'un jeu de massacre à une pythonisse et de la pythonisse aux boxeurs qui la défient. Les terrasses des cafés avoisinants sont noires de monde; la gaîté rayonne sur cette fête comme le soleil sur Paris au printemps, où la douceur de vivre est infinie. Le soir, tout s'illumine brillamment et l'immense place devient féerique. Un bruit fantastique où se perdent les rugissements des fauves dans leurs cages s'étend au loin.

Au mois de juin, la fête s'installe aux portes de Paris sur l'avenue de Neuilly, fraîchement ombragée. Ce sont les mêmes baraques, les mêmes attractions, mais le public change. Dans ce quartier riche, les forains ont pour clientèle les élégants et les mondains, qui, avant de déserter la capitale pour leurs maisons de campagne ou leurs villas des côtes, cherchent dans les plaisirs populaires une distraction nouvelle et inaccoutumée.

Puis, l'hiver, la fête de Montmartre bat son plein. C'est la fête fréquentée par les artistes et les étudiants. Les recettes ne sont pas toujours les recettes de tout repos de la fête de la Nation ni les recettes généreuses de la fête de Neuilly; mais que de gaîté, que de fanfaronnades et de lazzis, répondant aux parades des dompteurs, aux clowneries des cirques !

*Les retraites aux flambeaux.* — Entre temps les Parisiens courent le dimanche aux fêtes de banlieue où ils retrouvent non seulement les mêmes installations, mais encore quelques anciens jeux français. Ceux qui ont un pied-à-terre dans les environs de Paris savourent la veille de la fête les antiques « retraites aux flambeaux ». A la nuit, le corps des sapeurs-pompiers, en costume et en casque et précédé de la fanfare du pays, parcourt les rues aux accents entraînants d'une marche militaire. Ils portent des torches de résine enflammée et sur leur passage éclatent les pétards, éclairent les feux de Bengale multicolores. De loin, la retraite est nimbée d'un nuage rose dans lequel ondulent les lumières vacillantes des torches, et l'écho de la forêt répète et amplifie le bruit des cuivres et des détonations. La moitié du pays suit la retraite, armée de flambeaux au bout d'un bâton, et défile sous les yeux de l'autre moitié du pays qui applaudit, apostrophe et jubile !

## COUTUMES PROPITIATOIRES

ARMI les fêtes religieuses des paysans français, les plus pittoresques sont sans doute les pardons, en Bretagne. Elles sont différentes de toutes les autres en ce qu'elles sont vraiment religieuses et qu'elles accompagnent toujours un pèlerinage. Le nombre des pardons est considérable. Chaque village a les siens, « et non point les villages seulement, mais les chapelles, les oratoires et quelquefois jusqu'aux simples calvaires eux-mêmes. »[1]

Ils ont lieu pendant la belle saison, quand les marins sont de retour, après les longs mois pénibles où, dans les brouillards opaques, ils pêchent la morue à Terre-Neuve. Beaucoup, hélas ! manquent à l'appel ... Et les pardons n'ont pas l'allure excitée et joyeuse des autres fêtes populaires françaises. Le souvenir des morts, des « disparus en mer », accompagne les vivants dans leurs manifestations de gaîté. Un écrivain français a d'ailleurs dit que le Breton n'est jamais complètement gai. La mélancolie plane sur tous les actes de sa vie, au-dessus de toutes ses fêtes. Aussi ces fêtes ont-elles le caractère de piété que toutes les fêtes locales eurent au début. La grande caractéristique du pardon breton, c'est le pèlerinage et la prière.

*Le pardon d'Auray.* — C'est le plus célèbre de tous les pardons bretons. Il a lieu le 26 juillet, jour consacré à sainte Anne. Les Bretons montrent une grande dévotion à sainte Anne, mère de la Vierge Marie. Mainte chapelle, mainte église de Bretagne est dédiée à son culte. Mais c'est à Auray que cette dévotion atteint à son apogée.

Dès la veille, arrivent en foule les Bretons en costumes de cérémonie et les baigneurs et touristes qui, à cette saison de l'année, ont envahi la contrée. Les Bretons, d'ailleurs, ne font rien pour faciliter à leurs hôtes l'accès de leur basilique et de leur pardon. Rien n'est prévu pour les besoins de cette affluence et on s'entasse pêle-mêle comme on peut, dans les auberges ou chez les habitants. Beaucoup dormiront dans leur voiture et souperont d'une maigre tartine s'ils n'ont pas eu la précaution d'emporter des provisions plus substantielles.

Le pardon débute le soir du 25 juillet par une grande retraite aux flambeaux. La basilique splendide, tout illuminée pour la circonstance, regorge de richesses. La statue de sainte Anne, gigantesque et couverte d'or, y est exposée à la vénéra-

[1] Charles Le Goffic, *L'Ame bretonne.*

tion des pèlerins accourus. Autour de l'église c'est le petit marché habituel aux pèlerinages: éventaires où l'on vend des médailles, des cierges et des cartes postales. Toute la nuit, on entend des murmures de prières, on se heurte à des pèlerins sans logis ... Le matin est enfin annoncé par le cri des coqs et les carillons de cloches et tous les fidèles se pressent autour du sanctuaire. Tous ne peuvent y entrer. Agenouillés sur la pelouse, pressés autour des bannières et des oriflammes de leurs paroisses respectives, ils assistent de loin à l'office, célébré dans la somptueuse basilique, toutes portes ouvertes, et d'où leur arrive lointaine, assourdie, la voix de l'officiant appelant sur eux les bénédictions de sainte Anne.

Plusieurs évêques, Bretons eux aussi, assistent à cette messe solennelle et c'est en breton qu'ils s'adressent à la foule recueillie et palpitante....

Après la messe a lieu la grande procession. Ces processions des pardons bretons ont été immortalisées par des peintres célèbres. On y voit tous les costumes pittoresques de la Bretagne, on y sent toutes les aspirations de ce peuple un peu naïf encore, tout son attachement à ses coutumes archaïques, tout son entêtement à les maintenir contre le progrès, contre les influences extérieures qui s'infiltrent doucement dans les traditions les plus sacrées, les préjugés les plus chers. Autour de l'église, la grande procession déroule ses fastes et ... ses misères. Près des ors pompeux qu'arbore le clergé porteur des châsses rutilantes et des bannières de soie, se traîne tout un cortège misérable d'éclopés, d'infirmes, de malades, implorant sainte Anne pour leur guérison. Autour d'eux, pour les soutenir et les encourager, sont tous ceux que la sainte a déjà guéris ou sauvés de quelque péril. Chaque paroisse venue au pèlerinage a les siens porteurs des preuves et des témoignages de leur salut: un marin plie sous les débris du navire sur lequel il a fait naufrage; un ancien boîteux porte avec allégresse les béquilles dont il n'a plus besoin; un incendié, la corde ou l'échelle qui l'a sauvé du feu, etc. Les ex-voto sont exposés devant l'église au milieu des fleurs, pendant que les cantiques en langue celtique se succèdent sans interruption, célébrant la bonté de sainte Anne. Ceux qui, dans leur foi ardente et naïve, croient avoir été guéris par la sainte chantent des hosannas que la foule répète avec enthousiasme, tandis que ceux que la sainte n'a

Un Pardon dans le Finistère
(d'après H. Guinier)

pas exaucés font tout bas le vœu de revenir l'an prochain afin de mieux mériter leur guérison par la patience.

La procession terminée, la foule se disperse parmi les marchands ambulants, et dans les restaurants et auberges de la ville. Des tables sont installées en plein air, on rit, on boit, on mange, on chante. L'après-midi est consacré aux réjouissances. C'est le moment où les jeunes Bretons choisissent une « promise », où les parents échafaudent pour leurs enfants des projets d'avenir. Puis, quand le soir tombe, les prières et les processions recommencent tandis que vers le ciel montent les étoiles fugitives et mesquines d'un feu d'artifice multicolore.

*Le pardon de la Palude.* — Il est, en Bretagne, un autre pardon célèbre: c'est celui de la Palude près de Douarnenez. Toute cette contrée qu'assiège la mer sauvage est pleine du souvenir terrible de la ville d'Ys, abîmée dans les flots au v$^e$ siècle. Les habitants disent que les soirs de pardons l'âme du roi Gralon revient pour protéger les jeunes filles contre les tentations et qu'elle les accompagne au long des chemins creux jusqu'à la demeure paternelle.

On célèbre le pardon de la Palude à la fin du mois d'août. L'église, moins somptueuse, mais tout aussi vénérée que la basilique de sainte Anne d'Auray, est enguirlandée de lierre sur le vert sombre duquel se détachent des bouquets de roses et des ancres symboliques. Tout ici évoque la mer et ses drames. De minuscules goélettes dont les mâts et les cordages ont exigé une dextérité et une patience infinies sont suspendues à la voûte. La statue de la sainte domine toutes ces fleurs, tous ces ex-voto, tous ces fidèles prosternés qui remercient ou implorent. Mais c'est la procession surtout qui est féerique. Pour y figurer, les Bretons revêtent leurs costumes régionaux. Très souvent, ces costumes ne sortent qu'une fois l'an des coffres familiers. Les aïeules, dans chaque maison, assistent à la toilette des processionnaires. Fidèles gardiennes des antiques traditions, elles seules savent disposer la coiffe ou le tablier suivant les rites séculaires. A elles aussi appartient le devoir d'enseigner aux « jeunes » la démarche et l'allure nécessairement graves.

Enfin, toutes recommandations faites, la procession s'organise et défile. A côté des ornements brodés, d'une couleur et d'une richesse extraordinaires, surgissent tout à coup les voiles sombres et les capes grises des « veuves de la mer ».

Leur douleur et leur misère cheminent derrière l'apparat de la jeunesse: poignant spectacle qui étreint le cœur des spectateurs. Derrière elles marchent tous ceux qui ont été sauvés par sainte Anne du péril en mer. Ceux-là ne sont pas parés comme une châsse. Sainte Anne les reconnaîtra à coup sûr, car ils ont revêtu pour la circonstance les vêtements qu'ils portaient au moment du naufrage. Jadis même, pour forcer encore la ressemblance, ces rescapés prenaient tout vêtus, avant la procession, un grand bain, et ils suivaient ainsi trempés et tête nue l'image de leur bienfaitrice.

Le chant des litanies emplit l'air, et autour de la sainte montent mille supplications ou d'ardentes actions de grâces. Mais sur la gaieté des plus heureux flotte quand même la mélancolie habituelle aux Bretons: c'est qu'ils n'oublient pas les « disparus », ceux que sainte Anne n'a pu défendre contre les griffes implacables de la mer.

*Les Saintes Maries de la Mer.* — A l'autre extrémité de la France, en Provence, a lieu un autre pèlerinage séculaire: celui des saintes Maries. Mistral, le poète provençal, l'a immortalisé dans son poème de Mireille dont Gounod, le compositeur célèbre, a fait un opéra. Les trois saintes vénérées sont: Marie-Jacobé, Marie-Salomé et Sarah, leur servante noire. Persécutées en Palestine, pendant la domination romaine, elles avaient été abandonnées sur une barque en Méditerranée. Les trois condamnées abordèrent miraculeusement en Camargue; elles y vécurent et firent beaucoup de miracles. Leurs reliques et leurs statues de bois sont honorées en l'église de Stes-Maries de la Mer. Une fois par an, une foule considérable de pèlerins s'y transporte. L'église est naturellement trop petite pour contenir tous les fervents qui veulent passer la nuit à prier; bon nombre s'installent sur des couvertures pour passer la nuit le plus près possible du temple vénéré. Sur la plage de sable jaune, toute proche, un campement pittoresque est installé: celui des bohémiens dont la patronne est Sarah, la sainte. Sous son égide ils élisent leur roi et leur reine annuels dans la nuit qui précède la fête.

De toutes parts, comme dans tous les pèlerinages, on amène les boîteux, les estropiés, les malades auprès des reliques vénérées. Dans l'église même un puits d'eau saumâtre a, paraît-il, des vertus curatives et toutes les souffrances s'y abreuvent. A la grand'messe solennelle de la matinée, les châsses qui habituellement résident dans la partie supérieure de l'église, sont descendues dans la nef au moyen de câbles fleuris, et une longue clameur s'élève: « saintes Maries, guérissez-nous ! grandes saintes Maries, exaucez-nous ! » Puis la procession s'organise, les saintes, sur leur barque, passant au milieu des fidèles prosternés et suppliants. L'archevêque d'Aix-Marseille bénit cette foule et se rend avec la procession jusqu'à la mer qui épargna autrefois les saintes Maries ... Ensuite, ce sont les hymnes d'actions de grâces et toutes les manifestations de la joie populaire inhérentes aux fêtes locales, religieuses ou pas.

*Les chapelles bretonnes.* — Toute la Bretagne, parsemée de vestiges d'une religion préhistorique, est parsemée aussi de minuscules chapelles, d'abris singuliers et misérables où cependant un saint secourable attend l'occasion d'aider les vivants à sortir de quelque souci.

Les saints de Bretagne sont légion. Ils ont souvent une physionomie et des attributions étranges. Lorsque le christianisme renversa les dieux secondaires de la mythologie, ils en ont été les remplaçants débonnaires et serviables. Leurs noms, très souvent, sont ignorés du calendrier, du pape et même de l'évêque du diocèse. Ils ont quelquefois un caractère un peu farouche et obstiné, tout à fait proche du caractère de ceux qui les implorent. Quelques-uns ont des vertus domestiques reconnues, tels, par exemple, saint Sequayre qu'il faut évoquer pour faire sécher rapidement le linge de la lessive, ou saint Plouradou qui empêche les enfants de pleurer. Mais il en est d'autres dont la légende et la glorification

ressemblent à un conte de fées; tels sont saint Yves, saint Guénolé et saint Ronan, qu'au pays breton on appelle Monsieur
saint Yves, Monsieur saint Guénolé, Monsieur saint Ronan.

Le pardon de ce dernier a ceci de particulier qu'on ne le
célèbre que tous les six ans, mais qu'il dure sept jours. C'est
la grande Troménie, dont le nom signifie « tour de la montagne », pèlerinage à tous les lieux illustrés par quelque acte

Pèlerins bretons faisant le tour d'un dolmen

de la vie du saint. Les fidèles observent, pendant qu'ils
marchent en procession, un silence rigoureux: le saint a une
telle réputation de violence que l'on craint encore d'éveiller
sa colère par des bavardages intempestifs. Sous le soleil de
juillet, harrassée et muette, la foule parcourt douze kilomètres. Une superstition bretonne affirme que ce pèlerinage
doit être accompli au moins une fois pendant l'existence:
sinon, il sera fait par le défunt dans l'autre vie sans qu'il
puisse avancer chaque jour d'une longueur plus grande que
celle de son cercueil ! La tradition celtique millénaire se
mêle d'ailleurs étroitement aux rites modernes; les pèlerins
de saint Ronan font dans la lande le tour d'un énorme bloc de
granit, dolmen ancien où les druides sacrifièrent peut-être, et
d'où le saint prêcha sans doute aussi.

Il est, du reste, des accommodements avec la plupart des

saints locaux; tous ne sont pas aussi intransigeants que saint Ronan. On peut leur envoyer des estafettes et des fondés de pouvoirs pour implorer leur aide, guérir d'une maladie ou régler une affaire. Dans chaque village breton, il est de bonnes vieilles, intrépides marcheuses et jeûneuses de profession qui se chargent du pèlerinage, moyennant rétribution s'entend. Elles remplissent leur mission avec autant de naïveté que de foi. Elles partent un matin, au lever du jour, et s'acheminent, quelquefois pieds nus, vers quelque humble chapelle perdue. S'il s'agit d'une guérison, elles emportent quelque vêtement porté par le malade; s'il s'agit d'un procès dont on espère l'aboutissement favorable, elles observent durant le trajet un silence rigoureux. Consciencieusement elles accomplissent les rites habituels. Elles se prosternent, elles prient, elles allument un cierge. Souvent au retour, durant la route, surgit dans leur esprit une pensée judicieuse qu'elles prennent aussitôt pour un conseil du saint et qu'elles rapportent fidèlement, quelquefois efficacement, à ceux qui les ont envoyées.

*Les fontaines miraculeuses.* — Les chapelles ne sont généralement pas seules à distribuer les bienfaits. A côté d'elles il y a des sources et des fontaines miraculeuses non seulement en Bretagne, mais dans toute la France. Elles sont tantôt sous l'égide de sainte Anne, tantôt sous l'égide de la Vierge, tantôt sous celle de quelque saint. Chaque fontaine ou chaque source a sa spécialité. Ainsi à St-Agnet, dans le Béarn, il y a quatre sources, toutes quatre dédiées à sainte Anne: la plus grande guérit les maux de tête; la seconde, les coliques; la troisième, les douleurs de jambes, et la quatrième, les maux de reins. Auprès des sources s'élève la chapelle où les pèlerins vont dire leurs prières et faire leur offrande. La statue de la sainte est l'objet d'une vénération particulière; cette statue est toujours couverte d'une fine buée et les croyants y frottent maints objets: mouchoirs, médailles, chapelets qu'on emporte ensuite avec vénération.[1]

[1] *Revue des Traditions Populaires*, 1910.

L'eau bienfaitrice et salutaire a de tout temps attiré la
vénération des hommes, et les sources ont été chantées par les
poètes, adorées dans les temps antiques comme des divinités.
Quoi d'étonnant à ce qu'on leur ait attribué et à ce qu'on leur
attribue encore des propriétés merveilleuses non seulement
dans le domaine physique, mais aussi dans le domaine men-
tal ?   A Aire-sur-l'Adour, près des Pyrénées et de l'Océan,
sainte Quitterie patronnait jadis une source célèbre où l'on
menait les aliénés.   On les enchaînait près de l'onde, on les
douchait et on priait.   Quelques-uns guérissaient, et la foule
clamait des hosannas.   A présent, l'eau de cette source
soulage les maux de tête et combat les insolations.   Beaucoup
de gens de la région s'y rendent encore mais la renommée de
ce pèlerinage se meurt.   Car les lieux de pèlerinage subissent
la loi inexorable qui régit toutes choses: ils naissent, grandissent et meurent.   La protection divine change de décor.
Que de fontaines miraculeuses ont vu décroître le nombre de
leurs fidèles et sont tombées dans l'oubli !   Tout près de
Paris, à mi-chemin d'une colline couronnée d'une superbe
forêt, est une source limpide recueillie dans une crypte.   Au
dix-septième siècle elle était le lieu de pèlerinage à la mode,
et les dames de la cour de Louis XIV s'y rendaient en car-
rosses et en chaises à porteurs.   Nombre de guérisons miraculeuses y avaient lieu comme en témoignent les ex-voto
gardés à l'église de ce délicieux petit village.[1]   De nos jours,
la source égrène toujours ses notes de cristal sous la voûte qui
fut témoin de tant d'ardente piété, mais la rue est déserte,
l'herbe croît entre les pavés et les affiches électorales remplacent les images pieuses sur les murs vénérés autrefois.

*Le pèlerinage de Lourdes.* — La grande vogue, en France,
est au pèlerinage de Lourdes qui attire chaque année une
multitude innombrable.[2]   Lourdes était au siècle dernier une
petite ville blottie au pied des Pyrénées, dans un décor
unique de beauté.   Puis un jour d'hiver, le 11 février 1858,

[1] Saint-Prix, en Seine-et-Oise.    [2] Plus de 500.000 pèlerins par an.

une enfant de treize ans, pieuse et naïve, appelée Bernadette, étant entrée dans une des grottes qui borde le gave, déclara avoir vu « une femme vêtue de blanc, portant une ceinture bleue où pendait un rosaire, et environnée d'une clarté surnaturelle », qui lui dit être l'Immaculée Conception. Le même fait se répéta quinze fois, et il semble que tous ceux qui s'approchaient de l'enfant au moment de son extase se trouvaient soulagés de quelque maladie. Les miracles commençaient. Alors la grotte fut aménagée, la basilique magnifique, que la Vierge avait réclamée à Bernadette pendant les apparitions, fut construite et ornée avec un luxe inouï. Les hôtels regorgèrent; des hôpitaux et des couvents se multiplièrent et, de la France entière, puis du monde entier, les malades et les pèlerins affluèrent... A l'époque du grand pèlerinage national qui dure trois jours, les trains de malades se succèdent, effarant par leur nombre et par la détresse qu'ils charrient.

> Heureux qui voyage
> En ces lieux bénis !
> On y prend passage
> Pour le paradis.[1]

A l'arrivée des trains, des brancardiers volontaires transportent sur des civières les malades, quelquefois aussi les agonisants, jusqu'à la grotte d'où descend le miracle.

« Plus on approche de la grotte, plus le tumulte devient épais; on dirait d'une gigantesque fourmilière. Sur la promenade, au long du gave, cette foule se pousse lentement en chantant des cantiques sacrés. Des femmes simplement mises et dont le pays se reconnaît aux coiffes des Bretonnes, aux petits foulards des Bordelaises, aux bonnets tuyautés des Auvergnates, se mêlent à des paysans courbés et harassés, à de pauvres prêtres dont les soutanes râpées et décolorées font un étrange contraste avec des oripeaux dorés et superbes

---

[1] Verset du Cantique de Lourdes.

des pontifes du lieu.   A travers la foule roulent des voiturettes
qui abritent les infirmes sous leurs capotes.   Des poitrines,
que l'émotion fait haleter, jaillissent des chants et des prières.
Une immense rumeur se mêle au grondement du gave qui
roule, au pied de la grotte, ses eaux furieuses.   Des brancardiers fendent la foule, réclamant un peu de place.   Les
yeux des moribonds luisent hagards, dans leurs trous creux.

Une Bretonne du Finistère

L'effervescence est irrésistible, l'effet en est prodigieux.   Dans
cette foule passe un de ces grands courants de sympathie dont
nous soupçonnons à peine la nature.   Il fait vibrer tous les
organismes, il accorde tous les esprits au point que le moindre
fait, la moindre manifestation d'une volonté énergique,
susciteront au même moment, chez tous les assistants, les
mêmes sensations et les mêmes illusions ».[1]

Les chants, les prières, les invocations jaillissent de toutes
les poitrines, se mêlant dans une rumeur immense et un enthousiasme indescriptible.   Dans la grotte brûlent nuit et
jour des milliers de cierges et devant la statue miraculeuse de
la Vierge, chaque pèlerin se prosterne et baise la paroi de la
roche.

[1] Pierre Vachet, *Lourdes et ses Miracles.*

Tout à côté se trouvent les piscines emplies à demi d'eau qui descend de la montagne et s'écoule par des robinets. Les infirmes et les malades sont amenés de la grotte et plongés tour à tour dans cette eau glacée et insuffisamment renouvelée. Quatre prêtres, face à la foule, s'écrient sans arrêt: « Seigneur, guérissez nos malades ... Seigneur, nous croyons, mais augmentez notre foi ! » et la foule qui entoure les piscines répète ces implorations en une rumeur « qui roule comme un grondement d'émeute ».

La grotte illuminée de milliers de cierges ne désemplit ni le jour ni la nuit, malgré l'air glacé qui descend des montagnes et l'humidité qui flotte sur le gave. Les pèlerins qui attendent leur guérison passent leur nuit en prières, avant les supplications de la journée. La basilique est bâtie sur des rochers et son profil se découpe en lumière sur un fond de montagnes sombres. Deux larges allées descendent de la basilique vers l'esplanade dessinant un gigantesque fer à cheval ... C'est dans ces rampes que défile la procession.

Cette procession a lieu dans l'après-midi. Dès trois heures, les malades se rangent, s'alignent suivant la gravité de leur état. Tout près de l'église du Rosaire sont les plus atteints; et sur les marches de l'église un prêtre dirige les prières et les invocations. De temps à autre il se prosterne, les bras en croix, et s'écrie: « Seigneur, guérissez nos malades ! » cri repris par la multitude en une immense clameur: « Seigneur, faites que je voie ! Seigneur, faites que j'entende ! Seigneur, faites que je marche ! » ...

L'effervescence croît de minute en minute; elle atteint à son apogée quand débouche la procession

> Avec cinq cents drapeaux
> Où sont peintes des Vierges,
> Avec vingt mille cierges
> Et cent mille joyaux.[1]

[1] Francis Jammes, *Lourdes*.

Spectacle féerique! Après les jeunes filles voilées de mousseline blanche, des milliers et des milliers d'hommes défilent, portant des cierges allumés, des bannières rehaussées d'ors rutilants, et derrière eux, des prêtres et encore des prêtres chantant des cantiques, des évêques aux vêtements pourpres et violets et enfin, sous le dais, l'ostensoir d'or que l'officiant présente à chaque malade. Soudain, dans la foule, un cri d'allégresse retentit: « Je suis guéri ! » et les *Te Deum* et les actions de grâces s'élèvent dans l'air embrasé.

*Le pèlerinage nouveau.* — Un écrivain français prédisait, au siècle dernier, que « Lourdes passera comme ont passé . . . tant d'autres pèlerinages autrefois célèbres » et qu'une « nouvelle étoile brillera et attirera les foules ». La dernière partie de cette prophétie seule s'est réalisée. Une nouvelle étoile s'est levée. Elle brille au-dessus d'un couvent jadis morne et vétuste. Pas d'apparition cette fois, pas de source . . . La sainte invoquée est une simple petite religieuse carmélite, morte toute jeune. Ses mérites sont si grands, les miracles accomplis par son intercession si nombreux que le pape l'a canonisée dans des délais d'une brièveté extraordinaire.

Vers sainte Thérèse, à Lisieux, non loin de Paris, courent chaque jour des centaines d'automobiles amenant au sanctuaire vénéré des malades, des tourmentés. Les paroles de la sainte sont gravées en lettres d'or sur la mosaïque des dalles et des murs: « Je veux passer mon ciel à faire du bien sur la terre », et chaque pèlerin implore le ciel et sainte Thérèse pour obtenir ce qu'il croit être sa part de ce bien. Lisieux, ville antique aux vieilles maisons de bois, a vu, à son tour, comme Lourdes, sa cité s'agrandir, s'enrichir, se peupler de palaces. Richesses, misères, offrandes coulent comme deux fleuves gigantesques l'une au sud, l'autre à l'ouest de la France vers les deux noms magiques: Lourdes, Lisieux.

*Le pardon des chevaux.* — Tous les saints ne s'intéressent pas aux hommes uniquement. Plusieurs d'entre eux sont

SCALA SANCTA À ROCAMADOUR
(*Voir légende p. 216*)

invoqués au nom des animaux. Tel saint Éloi, protecteur des chevaux, dont le pardon se tient à Guidel, petit village du Morbihan, le 31 décembre. Dès le matin, les chevaux des environs sont amenés dans un ordre parfait à l'entrée du village. Ils sont parés, enrubannés, et on les fait défiler deux par deux devant la fontaine consacrée à saint Fiacre. On puise dans des seaux de l'eau de cette fontaine et on la fait boire à ces pèlerins à crinière. Puis le prêtre bénit les chevaux qui s'en retournent dans leurs écuries dans le même ordre qu'ils étaient venus.[1]

*La bénédiction des bestiaux.* — En Auvergne, le jour de la St-Barthélemy, les paysans amènent leurs bestiaux sur la place publique. Le prêtre de l'endroit, monté sur une petite éminence, bénit chaque bête qu'on lui présente. A la fête de St-Roch, cette bénédiction a lieu à quatre kilomètres d'un tout petit village près d'une croix en pierre à laquelle on a suspendu de nombreux morceaux de pain. C'est ce pain que le prêtre bénit et qu'on donne aux bestiaux. Leurs conducteurs assistent le même jour à la messe; ils y font bénir des cierges qu'ils emportent ensuite dans leurs écuries et leurs étables.

Dans le Berri est une chapelle isolée appelée la Chapelle-du-Fer. Les fermiers de la contrée y conduisent leurs bestiaux la veille de la St-Jean. Les brebis ont fait grande toilette pour la cérémonie, c'est-à-dire qu'elles sont tondues et lavées. Leurs troupeaux serrés défilent autour de la chapelle suivis par les chevaux, les ânes, les bœufs... Le lendemain pendant la messe, leurs possesseurs lancent en guise d'offrandes d'innombrables poignées de laine prélevées sur la toison de leurs ouailles. Plus le geste est précis, plus l'autel est atteint par les floconneux projectiles et plus la prospérité du troupeau dont ils proviennent est assurée. L'officiant, à la fin du service, est presque enseveli sous ces offrandes pittoresques.

[1] *Revue des Traditions Populaires*, 1909.

*Le pèlerinage de saint Etton.* — Mais c'est le pèlerinage de saint Etton qui, il y a très peu d'années encore, avait dans le nord de la France une très grande renommée. Ses rites étaient très curieux. Dès l'aube du jour, les pèlerins arrivaient de plusieurs lieues à la ronde. Ils portaient à la main des baguettes de coudrier, dont l'écorce avait été découpée en spirale. Chaque pèlerin faisait, à l'intérieur, trois fois le tour de l'église où étaient exposées les reliques du saint et sa statue. A chaque tour, il s'arrêtait devant les reliques, il traçait en l'air au-dessus d'elles un signe de croix avec sa baguette, puis il promenait cette même baguette d'un bout à l'autre de la statue. Ces rites une fois accomplis, les baguettes sanctifiées étaient plongées dans une petite fontaine qui ruisselle à quelques pas de l'église. Les baguettes étaient ensuite emportées par leurs possesseurs jusqu'à leurs domiciles respectifs; les pèlerins en frottaient le dos de leurs bestiaux pour les préserver de tous maux.[1]

*Le pardon des autos.* — Et puisque les bœufs et les chevaux font de jour en jour place aux autos, une sorte de pardon particulier, le « pardon des autos », devient une coutume de plus en plus en vogue.

C'est à la St-Christophe, le 25 juillet, qu'a lieu cette récente coutume. Saint Christophe a toujours été considéré comme le patron des errants, des voyageurs; mais il appartenait à notre époque trépidante de raviver son culte et d'instituer une coutume annuelle qui chaque année, depuis la guerre surtout, s'affirme et s'amplifie. En beaucoup de petites communes ayant saint Christophe pour patron, on bénit des autos et des voitures de toute sorte, mais c'est à St-Christophe-du-Jajolet, dans l'Orne,[2] qu'a lieu un pèlerinage et une bénédiction qui, par leur renom et leur ampleur, méritent vraiment le nom de « pardon des autos ». De tous côtés, le

---

[1] Archives historiques et littéraires du Nord de la France, 1ère série, t. I, p. 115 (Cité d'après la *Revue des Traditions Populaires*).

[2] En Normandie.

jour de la fête du saint, arrivent en files, innombrables, tor-
pédos, limousines, camionnettes, autos de toutes couleurs,
de toutes marques, de toutes destinations.　Vu l'affluence,
la messe est célébrée sur le parvis de la petite église.　Les
cloches sonnent à toute volée; d'éclatantes oriflammes, des
milliers de petits drapeaux frissonnent au vent de la plaine.

« La cérémonie achevée, commence la procession solennelle.　En tête, les délégations des paroisses avoisinantes,
lourdes bannières portées vaillamment par les gars robustes,
chantres de villages aux basses profondes, enfants de chœurs
rieurs et mutins.　Puis la procession des reliques du saint
portées par des jeunes filles vêtues de blanc.　Le défilé des
automobiles commence devant les reliques et autour de la
statue de saint Christophe.　Le clergé réuni entoure l'officiant qui sans trêve, en gestes graves, bénit chaque voiture
qui passe »[1] et remet à son chauffeur la médaille qui le pré-
servera de l'accident ou de l'homicide, et la confiance des
hommes-bolides est aussi grande et aussi touchante que celle
de ces marins qui, depuis des siècles, font bénir le bateau sur
lequel se jouent leurs destinées.　Saint Christophe préside
aussi aux destinées des avions, mais jusqu'à présent son
influence et sa bénédiction ont été dispensées dans des cérémonies tout intimes et sans bruit.

St CHRISTOPHE PRESERVEZ NOUS — NOTRE PATRON DE TOUT ACCIDENT

Saint Christophe, patron des voyageurs

[1] *La France illustrée.*

## L'ART DRAMATIQUE ET LES COUTUMES

 ART dramatique français eut, comme le théâtre grec, son origine dans des coutumes religieuses. A chaque grande fête, les prières et les hymnes du jour étaient accompagnés d'une représentation symbolique qu'on appelait un « mystère ». A Noël, c'était le mystère de la Nativité; à Pâques, celui de la Passion, etc. Puis les mystères empruntèrent à la Vie des Saints d'autres sujets afin d'éviter les redites. Les saints régionaux furent glorifiés par des mystères régionaux élaborés par des poètes et des artistes régionaux. Malgré la gravité des sujets, les poètes populaires donnaient libre cours à leur verve introduisant dans leurs pièces des personnages et des épisodes humoristiques: larrons punis, bourreaux lynchés, ivrognes, fous, etc., etc. Le public passait ainsi d'une émotion naïve et poignante à la plus folle hilarité. Les mystères furent la grande attraction du moyen âge. Ils captivaient l'imagination du peuple. Pour y assister — car ses représentations duraient quelquefois plusieurs jours — des villes, des régions entières interrompaient leurs travaux. Les acteurs étaient des gens de bonne volonté choisis parmi les artisans ou les paysans; plus tard ils se formèrent en confréries et eurent des salles ou des emplacements spéciaux pour y installer leurs décors rustiques et donner leurs représentations.

*Les mystères bretons.* — Le peuple breton surtout aimait passionnément ces tragédies naïves. Religieux au plus profond de l'âme, sa piété y trouvait un aliment merveilleux; son ignorance y puisait de précieuses notions instructives. Attaché plus que tout autre à son sol, à ses vieilles légendes, entêté à les conserver, il s'exaltait à la consécration des héros ou saints de sa race et des événements dont sa terre fut le théâtre. Et c'est pourquoi, malgré les persécutions de l'Église qui, après avoir institué les représentations de mystères, les défendit au XVIII<sup>e</sup> siècle, malgré les progrès de l'art dramatique, malgré tous les progrès modernes, les mystères bretons ont subsisté, et aujourd'hui comme jadis, sur la terre de la vieille Armorique, ces spectacles attirent des foules avides et émerveillées. Les vieux manuscrits, renfermant les textes des mystères, furent pendant la persécution enfermés au fond des bahuts sculptés par des Bretons pieux, et lorsque, après la Révolution, l'heure de la liberté eut sonné pour la pensée de l'homme et pour la plume de l'écrivain, les mystères bretons revirent le jour et la popularité. Comme autrefois, leurs acteurs sont des gens de bonne volonté. Ce sont des cultivateurs, des ouvriers ou des employés de bureau qui se répartissent les rôles de leur mieux, suivant leur physique et leurs aptitudes. Ce qui est général à tous, c'est l'esprit de piété qui les anime et la volonté de bien faire.

La scène est généralement fort rudimentaire: quelques planches posées sur des madriers et des barriques, au milieu de la place publique ou contre le mur de l'église. Tout près, des rangées de bancs composés de planches mal clouées sur des pieux enfoncés en terre. Le tout en plein air, construit à la hâte par des ouvriers du pays. Les spectateurs qui n'ont pu trouver place sur ces gradins se massent à l'entour. Les arbres des champs voisins, les croix du chemin et les toits des maisons non éloignées sont couverts d'enfants.

Parmi les plus populaires de ces mystères est certainement celui de saint Guénolé. A lui se rattachent d'ailleurs encore toutes les hypothèses et toutes les controverses sur l'existence, au fond des eaux, de la ville d'Ys engloutie avec ses trésors et ses palais.

Il y a quelques années, la représentation du mystère de saint Guénolé amena dans une petite ville de Bretagne nombre de personnalités parisiennes: poètes, artistes, littérateurs, journalistes et académiciens. La somptuosité et les vices de la ville d'Ys au bord des flots, la bonté de son roi, la perversité de sa fille qui ouvre à la mer les portes de la digue, la fuite du roi qui cherche à sauver son enfant tandis que la mer furieuse réclame sa proie, et que les vagues crachent leur écume sur le cheval au galop, le désespoir du père qu'exhorte saint Guénolé, tout cela exprimé avec une simplicité pleine de grandeur émut profondément l'assistance. Trois mille spectateurs étaient là, haletants d'émotion et de foi.

Les mystères ont aussi leurs orchestres, formés par les binious, et c'est bien là l'instrument qui convient au vieux mystère breton, plein d'évocations légendaires.

*Les pastorales basques.* — Moins tragiques que les mystères bretons sont les pastorales basques. Ce sont des représentations en plein air, également, mais elles se déroulent dans l'enchantement du soleil et des fleurs, et la mer grondante ne mêle pas sa voix aux voix de l'orchestre qui, ici, est composé de tambourins et de violons. Les textes des pastorales développent des moralités plus riantes que les terribles catastrophes et les douloureux martyres des mystères bretons. Ils sont empreints d'une souvenance des temps où toute cette partie de la France avait à lutter contre les musulmans et les Maures établis en Espagne et constituant une perpétuelle menace, aussi bien pour la foi catholique que pour la possession d'un territoire enviable.

Le théâtre basque, comme le théâtre breton, s'érige aux jours de fête sur la place du village. Sur trois rangées de barriques renversées, on cloue un plancher et ce sera la scène. Elle est adossée contre le mur d'une maison et à la hauteur du premier étage, de sorte que les acteurs pourront entrer, sortir par les fenêtres de la maison. Ils y accèdent, à cette maison, par des coulisses faites avec des draps de lit suspendus à des piquets.

Les acteurs des pastorales sont, comme les acteurs des mystères, des gens du village. Tout l'hiver, à la veillée, ils étudient leurs rôles, et le grand jour de la pastorale arrivé, ils les savent parfaitement. Cependant pour parer à une défaillance toujours possible, le régisseur du théâtre improvisé se tient sur la scène, le manuscrit de la pièce en mains, et il souffle, il reprend, il dirige les acteurs sans nul souci de l'assistance ou de l'amour-propre de ses subordonnés. Les spectateurs sont exubérants au pays basque, et leurs applaudissements, leurs cris risqueraient fort de couvrir la voix des acteurs et de gêner leur jeu. Aussi quatre gardes armés de

Les acteurs arrivent à cheval

fusil sont en faction sur la scène. Ils font les bruits de coulisse, déchargent leurs armes quand un héros de la pastorale tombe et meurt, et, lorsque l'exubérance native des spectateurs risque de troubler la représentation, ils les rappellent à la modération par des « chut » prolongés.

Les acteurs, dans une pastorale, sont divisés en deux groupes: les « bons » et les « mauvais ». Les bons sont, naturellement, les héros, les anges, les évêques, les reines et les princesses de la pièce. Les mauvais sont les démons et Satan, le roi des Turcs et les infidèles. Les bons portent tous des gants blancs afin d'être plus facilement reconnus. Avant la représentation, tout les acteurs défilent dans le pays en grand costume de scène. Les bons montent fièrement et en bon ordre sur des chevaux disciplinés, mais les mauvais avancent, derrière, dans un vacarme infernal, se livrant à des bonds, à des acrobaties quelquefois périlleuses. Arrivés devant le théâtre, les bons montent posément sur la scène par un petit escalier de bois, mais les mauvais éprouvent mille difficultés à y grimper. Il semble qu'ils soient sans cesse repoussés par un invisible ennemi; ils dégringolent, culbutent, recommencent leur escalade, invoquent Mahomet à la grande joie de l'assistance. Enfin, la parade se termine, chacun est à sa place sur la scène et le prologue commence.

Pendant toute la pièce, les bons jouent en artistes convaincus, les mauvais se livrent à des sauts, à des fanfaronnades, à des mystifications. Leur rôle est extrêmement fatigant. L'auditoire rit bruyamment à leurs contorsions, à leurs défaites, mais pousse de longs cris de douleur lorsqu'une catastrophe atteint l'un des bons. Enfin la représentation se termine par une curieuse coutume: le droit au « saut basque » est mis aux enchères.

Le saut basque est le saut populaire pour lequel les jeunes gens du pays s'exercent sans cesse et assouplissent leurs jarrets nerveux de montagnards. En certains villages, les candidats au saut basque ou à la danse du verre dont nous avons parlé plus haut forment même un petit conservatoire local qui a ses étoiles. Le jour de la pastorale les étoiles se disputent les enchères, qui montent avec rapidité, et la représentation se termine par une série d'entrechats et de sauts des plus étonnants. Qu'on en juge d'après le passage suivant tiré d'un écrivain français: « Au son d'un fruste pipeau, les hommes semblent recevoir du sol je ne sais quelle vertu qui les fait rebondir avec une telle vélocité que, sous la trépidation, ce sol roule comme un tambour.  On ne peut saisir le temps où les pieds touchent terre pour reprendre élan, on ne voit jamais sous eux qu'un vide en vibration.  Chaque danseur, les bras pendants au long du corps comme deux longues pennes, est lancé comme une flèche par un arc invisible, et relancé avec une telle répétition que le jet semble unique et ininterrompu. »[1]

## LES COUTUMES SPORTIVES

ES SPORTS furent autrefois dédaignés en France. Au moyen âge et dans les temps modernes, seuls les sports des armes, l'équitation et la paume y furent pratiqués.  Mais récemment la France s'est mise à l'école de l'Angleterre et des États-Unis et ses progrès sont étonnants.  Certes, les sports n'occupent pas encore en France la place éminente qu'ils tiennent dans les pays qui lui ont servi de modèle, mais les Français leur font un rang sans cesse plus élevé dans leurs occupations et leurs préoccupations.  Le nombre des amateurs augmente sans cesse, de nouvelles sociétés se créent et l'entraînement se perfectionne. La France n'est pas un pays d'*un* sport.  La faveur du public est très éclectique, et tous les sports existants y ont leurs fervents.  La plupart des sports s'y pratiquent exactement comme partout ailleurs, les autres ont quelques traits purement français.  Il existe aussi un certain nombre de jeux anciens qui n'ont pas cessé d'être pratiqués.  Ils font les délices de la petite bourgeoisie, des petits marchands retirés, des modestes pensionnaires de l'État, qui ont besoin, comme distraction, d'un amusement facile, et, comme hygiène, d'une gymnastique modérée.  Tels sont: le ballon, la paume, les quilles, etc.  Ils ne sont pas assez intéressants pour être décrits ici.  Par contre les jeux et sports qui suivent sont

[1] Francis Jammes, *De l'Age divin à l'Age ingrat.*

originaux et nos lecteurs y trouveront sans doute quelque
agrément.

*Le jeu de boules*. — Du nord au midi de la France, de l'est
à l'ouest, les paisibles petites villes provinciales, les villages
mêmes ont leurs passionnés du jeu de boules, qui est presque
un sport national.  La jeunesse a délaissé ce jeu pour le foot-
ball, mais les papas en font leurs délices: ils jouent avec
persévérance et foi.

Le terrain du jeu est très souvent une promenade ombragée,
une place de village;  mais c'est aussi quelquefois la rue en-
soleillée et rocailleuse des bourgades méridionales.  Les joueurs sont divisés en deux camps.  Les boules sont en bois dur,
ferrées d'énormes clous et lourdes comme du plomb.  Chaque
camp en reçoit un nombre égal au début de la partie.  On
commence par lancer le « cochonnet », sorte de grosse bille en
bois dur, et ce cochonnet est le but.  Il s'agit alors de lancer
les boules le plus près du but, de déloger les boules de l'adversaire pour se faire de la place auprès du but et chacun joue
une fois, à son tour.  Comme les joueurs de croquet, les joueurs de boules utilisent les accidents de terrain ou bien ils en
sont les victimes.  Puis l'arbitre compte les points c'est-à-dire
les boules bien placées, et il est fort amusant de le voir mesurer les distances des boules au cochonnet soit avec ses
pieds qu'il déplace et juxtapose, soit avec de minces brindilles
ramassées sur le sol.

*La pelote basque*. — Le jeu de la pelote basque, n'a pas
changé depuis des siècles.  Dans son décor magnifique, il est
resté un sport national, dans toute l'acception du mot.  Devant le mur qu'on appelle « fronton » et qui, dans chaque
village du Béarn, s'élève dur et lisse près de l'église, les parties
s'organisent chaque dimanche avant le bal.  Des paris
s'engagent à l'issue de la messe et, groupés sur les gradins
rustiques, près de la piste cimentée, tous les habitants suivent
anxieusement les péripéties du jeu.  Les « pelotari » sont
divisés en deux camps reconnaissables à la couleur des cein-

UNE PARTIE DE PELOTE BASQUE

tures et des bérets: rouge ou bleu.  La pelote ou balle est faite de cordes très serrées recouvertes de peau de mouton. Elle est très élastique mais extrêmement dure.  On la renvoie avec la « chistera ».  C'est une espèce de raquette en osier, terminée non par un manche, mais par un gant de cuir dans lequel le pelotari introduit sa main.  L'arbitre est ici le chanteur-compteur.  En langue basque, il informe le public des péripéties de la partie et annonce les points, chaque faute donnant un point au camp adverse.  Tout l'honneur d'un village, tous les tendres sentiments des jeunes filles sont en jeu dans ces parties magnifiques où l'agilité traditionnelle des Basques, l'élégance et la vigueur de leurs gestes émerveillent les touristes.  Sur les gradins, hommes, femmes, debout, les nerfs tendus, trépignent aux succès de leur favori et, finalement, l'acclament longuement et bruyamment.

Pierre Loti dans *Ramuntcho* et Joseph de Pesquidoux dans *Chez nous* ont décrit chacun une émouvante séance de pelote basque.  Voici une page tirée de *Chez nous:*

« Ils se placent deux à l'avant, un à l'arrière, sans un mot, ou bien sur un avertissement bref, qui évite une surprise. On entend: Flac !  Flac ! un son mat et vibrant à la fois.  Et c'est la balle qui, lancée de toute la force des bras, frappe le mur et rebondit, est arrêtée dans sa course ou reprise, et repart, et claque, de seconde en seconde plus rapide.  On la voit, on la perd, on la retrouve.  Elle troue et sillonne l'air, de face, de côté, d'un jet court, d'un jet prolongé.  Elle heurte le mur, disparaît dans le chistera, en ressort, sans cesser de se précipiter, comme si elle voulait essouffler ces hommes qui l'attendent, la poursuivent, la traquent, la capturent et la projettent, et se jouent et se rient d'elle.  Parfois elle paraît leur échapper.  Frappant plus fort le mur, elle monte vers le ciel.  Haut, haut et puis s'incline.  Elle trace une courbe, toute blanche dans l'air bleu.  Un moment elle est seule, elle est libre.  Tous les yeux la suivent.  Enfin, elle retombe, en sa hâtant, en accélérant sa chute.  Elle touche terre près du

rebot, et rebondit.  Non point perpendiculairement, mais en
oblique ou en crochet.  Peine perdue.  Chiquito ou Eloy est
là.  Plus vite qu'elle, il a gagné la place où elle choit.  Et
calme, d'un revers puissant, il la cueille et la renvoie à toute
volée contre le mur . . .

Et la course folle continue: la course où elle se heurte
partout: à la pierre, au sol, au chistera.  Flac !  Flac ! encore
et toujours.  Elle siffle, elle ronfle, elle a des râles lorsque le
choc est plus rude.  Elle est prise d'un frémissement intense
qui se communique à l'ambiance entière, du sol aux platanes
opulents.  Les hommes penchés en avant, les femmes la tête
entre leurs mains, la surveillent et l'épient, tressaillent avec
elle. »

*La course aux échasses.* — Ce sport a été déterminé par la
nature du sol.  Il est né dans les Landes qui, il n'y a pas très
longtemps encore, étaient couvertes de marais, de broussailles
épineuses et de sables mouvants.  Pour se rendre d'un village
à l'autre, pour faire paître leurs troupeaux misérables, les
habitants étaient montés sur des échasses.  Ils s'en servaient
avec une incroyable adresse, traversant avec rapidité les maré-
cages ou les dunes.  Ils s'aidaient d'une longue perche qui
leur servait tantôt de balancier, tantôt de point d'appui.  Car
les bergers landais s'y appuyaient par derrière lorsqu'ils
voulaient rester immobiles et surveiller leurs ouailles.  On
voyait de loin leur silhouette bizarre, encapuchonnée et
perchée sur le trépied que formaient les échasses et la perche,
se découper sur le ciel bas et gris, comme un épouvantail.  De
près, on s'apercevait que la vision fantastique était tout simplement un pauvre homme, tricotant des bas de laine pour
occuper les mornes heures de sa solitude.

La contrée, aujourd'hui, a bien changé.  Elle a été asséchée,
enrichie; chaque année l'a vue développer ses terrains de
culture; dans les humbles maisons des villages, l'aisance est
venue et la gaieté avec elle.  Les échasses comme moyen de
locomotion ont disparu, mais elles sont restées un souvenir

des temps difficiles et un sport: au programme de toutes les fêtes de villages se trouve une « course d'échasses ». Les enjambées sont alors de 2ᵐ 50, et les échassiers réputés peuvent suivre pendant plusieurs heures un cheval au trot. Ils peuvent aussi pirouetter, danser sur leurs échasses et exécuter des acrobaties qui enthousiasment les vieux qui se souviennent et les jeunes impatients de recueillir à leur tour des lauriers d'agilité.

*Les courses de vaches.* — Mais l'agilité des Landais reçoit sa plus grande consécration dans les courses de vaches. La

Course de taureaux en Provence

plupart des gens ignorent que les courses de taureaux ne sont pas cantonnées uniquement en Espagne, mais qu'elles ont lieu aussi dans deux anciennes provinces françaises: en Provence et dans les Landes. Seulement il y a cette grande différence entre les courses espagnoles et les courses françaises qu'en Espagne le taureau est toujours tué, tandis qu'en France les « mises à mort » sont interdites. L'homme seul y risque noblement, loyalement sa vie. Il y a aussi une différence entre le jeu provençal et le jeu landais. En Provence la bête est toujours un taureau, dans les Landes c'est une vache. D'autre part, en Provence il s'agit d'enlever d'entre les cornes de la bête un flot de rubans rouges qu'on y a attaché; dans les Landes le jeu consiste à laisser fondre l'animal sur soi pour l'éviter au moment propice par un rapide écart à droite ou à gauche. Les deux jeux sont périlleux, souvent sanglants, parfois mortels. Autrefois les Landais élevaient eux-mêmes leurs vaches de combat, et elles étaient moins farouches. A présent elles viennent surtout d'Espagne et sont aussi sauvages que leurs frères les taureaux. Elles ont des caractères spéciaux, et sont de robe fauve ou noire, d'allure rapide, d'humeur sauvage, très braves. Toutes ont leur histoire. On les connaît par leur nom et à côté du nom de « l'écarteur » leur nom s'étale sur l'affiche annonçant le spectacle. L'engouement pour les courses de vaches a gagné les villes proches: à Dax, à Mont-de-Marsan, à Bordeaux, à Toulouse, dans les vieux amphithéâtres romains se déroulent des jeux que n'auraient pas désavoués les antiques gladiateurs.

Voici une description émouvante d'une course de vaches dans une petite ville landaise:[1]

« Hup ! Caracola ! Hup ! Ha !

La petite ville du Houga palpite toute. C'est en juillet, le jour de sa fête patronale. Très fière de ses courses renommées à la ronde, dès trois heures de cet après-midi torride, elle a envahi son amphithéâtre. Ses maisons, en file sur un plateau dominant le pays, des deux côtés de la route de Condom à Mont-de-Marsan, le seuil clos, sont vides. Et des villages voisins: de Mormès, étalé dans ses vignes, de Magnan et de Monlezun, en vedettes sur leurs crêtes, des cantons de Cazaubon et de Nogaro, un peuple est venu. Et maintenant cette foule, hommes au béret rabattu sur les yeux, femmes au foulard noué sur le chignon, qui s'est amoncelée avec un bruit sonore de marée, reste muette, inquiète et ravie, dans l'attente d'un écart périlleux. Car si, l'écart fait, les applaudissements, les cris et les fanfares éclatent à l'adresse de l'homme

[1] Joseph de Pesquidoux, *Chez nous*.

ou de la bête, un silence profond règne pendant la rencontre.

Hup ! Caracola ! Hup ! Ha !

Et Marin 1er, écarteur célèbre, face à la bête, haussé sur lui-même, pieds joints, le rein creusé, les mains en l'air, immobile, sa veste soutachée d'or serrant ses flancs et son béret brodé enfoncé, répète son appel. Il a maintes fois attaqué des vaches dangereuses. Mais celle-ci est terrible. Elle a déjà tué. Lui seul certains jours ose l'affronter. Elle est dans un de ces jours. Duel poignant. Les hommes, penchés en avant, laissent éteindre leurs cigarettes à leurs lèvres, les femmes pétrissent leur mouchoir. On ne parle plus. On respire à peine. Car Marin, comme la vache ne part pas, redoutant une ruse, recule, recule encore. Il recule pour l'attirer.

Caracola veut son moment. Cet homme, tout chamarré, elle le connaît bien. Elle l'a souvent frôlé, touché, atteint presque, mais pris, percé, pas jusqu'ici. Si c'était cette fois ? Elle regarde ce peuple muet. Et puis, lui, qui l'appelle. Quarante mètres les séparent. Quelques secondes de galop. Elle sait sa vélocité. Des fils de bave pendent à son mufle. Elle gratte le sol du pied, secoue sa tête armée, mugit, mais ne part point. Une tempête d'injures s'abat sur elle. On la siffle et la hue. Plus haut que cette rafale elle mugit de nouveau. On se tait. Le silence angoissé reprend.

Alors Marin, pâle un peu, jouant le tout pour le tout, à petits pas rapides marche sur elle.

C'en est trop. Des quatre pieds à la fois elle part, fond sur lui. Ah ! quel train. Soudain l'homme s'arrête, oscille à gauche, à droite, puis brusquement porte son corps sur sa jambe gauche écartée, feint de choir, et, quand la bête attirée de ce côté, tête basse, va l'éventrer, pivote, opère un demi-tour sur son pied droit, la trompe et la fait passer ! ... Et ce pied droit a tourné sur place ! ... Un cri, deux cris, une stupeur d'admiration et, tout de suite, arraché à ces milliers de mains, un tonnerre de bravos qui va, dans la campagne, faire tressaillir les rares absents, et gronder comme un murmure de cloches dans la haute tour de l'église.

Trois fois, quatre fois, même bonheur. Au cinquième écart le coup passe si près que la veste soutachée d'or éclate sous la corne et que, trop inclinée sur elle-même, Caracola roule à terre quelques pas plus loin. C'est un délire, aussitôt réprimé. L'émotion a été trop vive. Elle serre la gorge, noue les mains. Et lorsque jetant loin de lui les lambeaux de sa veste, l'écarteur rappelle la vache relevée, tout ce peuple, bras tendus, gorgé enfin de son plaisir, clame ensemble: ‹ Prou ! Prou ! › (Assez ! Assez !) ‹ Enquoère un ? › (Encore un ?) ‹ Arè qu'un ? › (Rien qu'un ?) supplie Marin.

‹ Nou ! Nou ! › (Non ! Non !) reprend la foule. ‹ Barra la baqua ! barra ! › (Enfermez la vache, enfermez !)

Et là-bas, à l'autre bout, une porte s'ouvre, où, fuyant cet homme insaisissable, Caracola s'engouffre. Appuyé à la barrière, Marin s'essuie le front. »

*La ferrade en Camargue.* — L'île de la Camargue est une île formée par les alluvions du Rhône. Là paissent en liberté des chevaux blancs à demi sauvages et de jeunes taureaux noirs destinés aux courses de taureaux en Provence. Ce bétail presque sauvage appartient à différents propriétaires et, pour les reconnaître, il faut les immatriculer, les « ferrer ». Ceci a lieu une fois par an. Les jeunes gens des villages voisins accourent à la « ferrade ». Leur rôle est d'exciter les jeunes taureaux, puis, au moment précis où ils baissent la tête pour fondre sur l'adversaire, de les saisir par leurs petites cornes et de les faire tomber. L'opérateur choisit ce moment pour immatriculer au fer rouge la jeune bête. Ce jeu, lui aussi, attire beaucoup de spectateurs et n'est pas toujours sans danger.

## LES DANSES PROVINCIALES

ES PLUS connues des danses provinciales sont la bourrée d'Auvergne, la ridée bretonne et la farandole provençale.  Mais elles ne sont pas les seules, et plusieurs autres méritent d'être connues.

*La bourrée d'Auvergne.* — On la danse non seulement en Auvergne, mais encore en Berri et dans tout le centre de la France.  Au XVIIe siècle déjà, Mme de Sévigné [1] admirait le rythme gracieux et les élégances de cette danse et voulait l'introduire à la cour de Louis XIV.  Il existe d'ailleurs, d'après la façon de la danser, plusieurs genres de bourrées, mais le thème musical lui conserve partout les mêmes cadences et les mêmes limites.  De grands compositeurs ont écrit des bourrées célèbres.

Dans les pays de montagne, en plein cœur de l'Auvergne, la bourrée montagnarde règne en maîtresse.  C'est la bourrée qu'on danse en sabots, au carrefour des chemins en lacets grimpant aux sommets ronds.  Son allure est vive et rude; les danseurs frappent dans leurs mains, tapent des pieds, se démènent, tournoient et sautent, poussant de temps en temps le cri de la chouette: *hi! hi! hi!*

Dans la plaine et dans les villes de la Limagne,[2] la bourrée affecte des allures graves.  Les danseurs ne tapent plus du talon, mais ils glissent gracieusement sur la pointe des pieds, se saluent, se sourient.  Ils ont relegué les sabots bruyants et évoluent avec des souliers de cuir, voire même vernis, parant la danse régionale de toute l'élégance possible.

Et la bourrée des grands jours, la bourrée des noces, la bourrée des cérémonies est encore différente des précédentes.  Comme la valse d'honneur en Alsace, elle inaugure le bal des fêtes et surtout le bal des noces.  On l'appelle alors la « pre-

[1] Une des femmes les plus distinguées du XVIIe siècle, célèbre par ses Lettres.

[2] Ancien pays d'Auvergne.

mière bourrée» et elle ne comprend qu'un ou deux couples:
le marié et sa belle-mère, la mariée et son beau-père. Elle est
symbolique, car ses mouvements rappellent le choix du jeune
homme, ses avances, les hésitations de la jeune fille, puis enfin
sa conquête. Aussi, tout en dansant, le marié poursuit sa
femme, cherche à l'atteindre; elle avance, recule, échappe à
plusieurs reprises. Mais la musique suspend son thème, et
joue quelques trémolos très doux; c'est le signal: le marié
saisit sa femme et l'embrasse sur chaque joue.

La bourrée doit encore son caractère pittoresque à son
orchestre et à ses instruments vieillots: la vielle, ancêtre du
violon, et la cabrette, espèce de cornemuse au son nasillard.
Les musiciens s'installent sur des tréteaux rustiques dans les
granges ou sur des tonneaux en plein air. A leur gré ils
accélèrent ou retardent l'allure de la bourrée, mais impriment
toujours au rythme de la danse une netteté et une vigueur
particulières.

*Le pas-piqué de Touraine.* — Nous avons vu pages 130 et
131 que les assemblées de Touraine se terminent par des
bals où domine la danse locale le « pas-piqué ». C'est encore la
vielle qui en règle et en harmonise le rythme. Les danseurs
sont rangés sur deux lignes: les garçons d'un côté, les filles de
l'autre. Aux premiers accords, ils s'avancent les uns vers les
autres en se dandinant, en minaudant, et sur toute la ligne
un coup de pointe de sabot résonne, puis un coup de talon et
chaque jeune fille est alors saisie par son vis-à-vis pour danser
quelques mesures de polka, après lesquelles chaque couple est
désuni. La cadence reprend avec les coups de pointe de sabot,
et les coups de talon, puis la brève polka, jusqu'à ce que le
ménétrier, fatigué, plaque l'accord final. Alors chaque danseur soulève sa danseuse le plus haut qu'il peut et la recon-
duit à sa place.

*Les danses bretonnes.* — Leur caractère est très spécial,
aussi bien par leur cadence que par les costumes pittoresques
des Bretons. On les danse aux pardons et aux noces et on les

appelle la « ridée » et le « jaboo ».  Ce sont surtout des rondes
où le mouvement des pieds et des bras rappelle le roulis du
petit bateau de pêche sur les grandes vagues.  Dans les landes,
sur l'herbe rase, près des menhirs et des dolmens préhis-
toriques, elles semblent évoquer des scènes antiques et
légendaires, rondes de lutins sur les grèves du vieux pays
mystérieux d'Armor.[1]  L'instrument de musique qui les ac-

La ridée bretonne

compagne est le biniou, sorte de cornemuse dont les sons
nasillards se répercutent au-dessus de la lande fleurie de
genêts.

*Le fandango du pays basque.* — Le fandango se danse au
pays basque.  C'est une danse vigoureusement rythmée qui
s'exécute à deux au son de la guitare et des castagnettes.
Parfois elle est aussi accompagnée de couplets chantés.
« Les pas du fandango sont comme des balancements ondu-
leux, les inflexions du corps on ne peut plus variées et gracieuses, les allures vives, entrainantes. »  Son mouvement

[1] Nom celtique de la Bretagne.

rapide, le bruit des castagnettes, l'agitation des danseurs lui
donnent un caractère tout à fait original.  Les danseurs expriment par leur attitude toutes les passions qui agitent
l'âme: crainte, désir, amour.  C'est le fandango qui, à
l'achèvement des parties de pelote, réunit les vainqueurs et
leurs admiratrices, les vaincus et leurs consolatrices.  Dans
les belles nuits tièdes du Midi de la France, sur des terrains

Le fandango basque
(*Voir légende p. 216*)

baignés de lune, dans des décors merveilleux et uniques, il
déroule ses mouvements et ses grâces agiles et animés tout
ensemble.  Il est la joie de la jeunesse de là-bas, l'émerveillement des touristes et des étrangers.

*La farandole provençale.* — Légère aussi, rieuse et en-
diablée est la farandole provençale que les grands compositeurs français Bizet et Gounod ont consacrée, le premier dans

son mélodrame *L'Arlésienne*, le second dans son opéra *Mireille*. Elle a été apportée en Provence par les Grecs, et se danse au son du tambourin et du galoubet qui sont aussi des instruments d'origine grecque. Elle est le divertissement obligé de toutes les fêtes et de toutes les réjouissances publiques. Dans la farandole, les jeunes gens et les jeunes filles, alternés, se tenant par la main en une seule ligne, courent, sautent, chantent à travers les rues du pays, font le tour de la place et s'égarent dans les chemins avoisinants. Tantôt la chaîne piétine sur place, tantôt elle s'étend comme un ressort, tantôt elle se noue, tantôt elle s'allonge en spirales, tantôt elle glisse sous l'arc des bras qui se lèvent pour lui donner passage. C'est une danse jolie, vive, gaillarde, franchement et sainement populaire.

> La farandole,
> Joyeuse et folle,
> Entraîne au bruit des chansons
> Les filles et les garçons.[1]

*La « danse des épées ».* — Près de Briançon dans les Hautes-Alpes, une danse très curieuse, s'inspirant probablement des antiques danses grecques, est encore à l'honneur aux jours de grande liesse. C'est la « danse des épées ». Ce sont les jeunes gens du pays qui s'y livrent, tout de blanc vêtus et ceinturés de rouge. Ils tiennent à la main des épées sans pointe et avec elles, combinant leurs gestes et leurs pas, forment des figures géométriques qu'admire toute la population. C'est un spectacle unique. L'allure des danseurs est grave, leur attention étant constamment en éveil pour exécuter des figures savantes et compliquées. Bizarre alliance: la géométrie et la danse! La précision de l'une et la grâce de l'autre sont pourtant en accord complet dans cette danse étonnante, vestige des temps abolis.[2]

---

[1] De l'opéra *Mireille*.
[2] D'après P. Kauffman, *Costumes et Coutumes régionalistes de France*.

*Le branle des marins.* — Les marins du Nord-Ouest de la France ont une danse très caractéristique qu'on appelle le « branle ». Pas de réunion maritime sans que cette danse figure au programme; elle est traditionnelle. On la danse sur des airs très anciens. C'est une sorte de ronde dont on élargit et rétrécit le cercle suivant la cadence. Tous les danseurs se tiennent par la main et tantôt sont très rapprochés les uns des autres de sorte que leurs mains soulevées se trouvent à la hauteur de leurs mentons, et tantôt s'éloignent brusquement par un saut en arrière en allongeant en même temps et horizontalement les bras.

Cette danse simpliste qui, au cours de la même soirée, se mêle aux fox-trot et aux charlestons, étonne vraiment le spectateur non prévenu.

Une châtelaine bretonne

# QUATRIÈME PARTIE

## COUTUMES PROFESSIONNELLES

### A LA FERME ET AUX CHAMPS

LA FRANCE est un pays essentiellement agricole, et les travaux des champs, les forces bienfaisantes de la nature, y ont été magnifiés de tout temps par des coutumes enracinées dans le cœur français.

*Le retour du soleil.* — Il est un pauvre village des Hautes-Alpes, les Andrieux, où le soleil déserte l'horizon pendant cent jours de l'année. Pénible hivernement, pendant lequel les habitants ressemblent un peu aux marmottes de la Savoie voisine... Comme il est attendu et désiré, l'astre bienfaisant qui rendra l'activité aux champs, la fécondité au sol ! Il réapparaît vers le 10 février. Jadis dès que l'aube de ce jour pointait sur les montagnes, quatre bergers du hameau parcouraient le village en sonnant du fifre et de la trompette. Ils se rendaient d'abord chez le plus âgé des habitants, le vénérable, puis dans chaque maison, où ils commandaient la confection d'une omelette. A dix heures, tous se réunissaient sur la place du hameau, leur omelette à la main. Le vénérable était reçu au milieu d'eux par des acclamations. Ainsi qu'un prêtre de culte primitif et naturel, il avait la mission d'offrir au soleil les omelettes de ses disciples. Pour cela, suivi de tout le village, il se rendait sur un pont de pierre d'où l'on voit apparaître l'astre du jour, et, tête nue, une à une, il haussait les omelettes vers le globe radieux. Pendant ce temps, la jeunesse dansait éperdument des farandoles dans le pré voisin tandis que les bergers jouaient de leurs instruments. Le jour naissait dans la joie. On mangeait ensuite en famille l'omelette rituelle.

*La moisson.* — La moisson surtout a inspiré des coutumes variées. Du nord au midi de la France, elle est entourée d'honneurs. Elle est l'aboutissement de tant de durs labeurs et de tant d'espérances ! Nous ne pouvons décrire ici toutes les coutumes, toutes les fêtes qui l'environnent. En voici seulement quelques-unes assez significatives.

Dans les Ardennes, la première gerbe coupée — et considérablement grossie pour la circonstance — est le prix de l'agilité et de la force des femmes qui participent aux travaux des champs. Cette première gerbe appartient à la gagnante d'une course de vitesse organisée entre ces rudes et accortes paysannes qui continuent ainsi inconsciemment les traditions de la mythologie antique.[1] Il y a des Atalantes [2] remarquables dans les villages français !

Le culte païen de Cérès [3] a peut-être aussi une ramification lointaine dans une coutume du Nord et du Pas-de-Calais. Dans ces pays, avant de commencer leur travail, les moissonneurs font un bouquet d'épis d'orge et de blé. Ils le présentent, avec un certain apparat, au fermier qui les emploie. Il est d'usage d'arroser le bouquet par des libations, puis on le suspend avec fierté au plafond de la cuisine de la ferme. Il y restera jusqu'à ce que son successeur de la récolte suivante le détrône.

Pendant toute la moisson les fermes sont d'ailleurs en fête. Dès que les moissonneurs sont partis aux champs dans l'aube qui naît, les maîtresses et les servantes s'affairent autour des rôtis et des victuailles de toute sorte. Les fours sont allumés, les tartes et les gâteaux cuisent. Toute la journée, on n'entend que bruit de vaisselle. Le soir, derrière les charrettes pleines de gerbes, les travailleurs rentrent affamés et joyeux en entonnant de vieilles chansons. Ce sont alors des repas pantagruéliques et pastoraux, présidés

---

[1] *Revue des Traditions Populaires*, 1911.
[2] Héroïne célèbre pour sa légèreté à la course.
[3] Déesse latine de l'agriculture.

par le maître et la maîtresse qui tiennent à honneur de bien traiter leurs serviteurs et leurs aides.

La fin des moissons surtout abonde en jolies coutumes. Dans le Bocage vendéen,[1] lorsque dans une ferme la moisson est terminée, un des moissonneurs fait une croix avec deux poignées de blé et fixe cette croix au sommet d'un arbre ou d'un piquet planté dans le champ.  Tous les gens de la ferme s'écrient en chœur: « Javelot! javelot!! »[2] et leurs clameurs annoncent aux fermes voisines leur satisfaction d'avoir fini leur moisson.

En Normandie, une fête qu'on appelle « le mois d'août » consacre la fin des moissons.  Après avoir bu et dansé, les moissonneurs se promènent dans la ville, ou les villages proches.  Leur équipage est tout à fait rustique.  C'est un gros chariot de ferme à l'avant duquel un grand bâton supporte un coq vivant pendu par les pattes, et un bouquet. Les moissonneurs ont leurs chapeaux ornés de fleurs et de rubans; pendant le trajet ils soufflent dans une corne: « hou, hou, hou », et enfin rentrent à la ferme continuer leurs bombances.

En Dauphiné, le dernier champ de blé coupé, les moissonneuses font une couronne des plus beaux épis.  De leur côté, les moissonneurs font une provision de fleurs pour orner la couronne rustique.  On la fixe sur deux branches de coudrier, mises en croix, et, solennellement, on la porte en cortège à la ferme.  Pendant le parcours, on chante des litanies.  La piété se mêle étroitement à la satisfaction de la récolte: en recevant ces derniers épis de la moisson, le maître et la maîtresse baisent cette couronne comme un don précieux de la

---

[1] Petit pays de France (Vendée).

[2] Cette exclamation signifie très probablement qu'on a fini de mettre le blé coupé en « javelles ».  Les javelles sont les petits tas d'épis moissonnés qu'on laisse sécher et achever de mûrir sur le champ, avant de former les « moyettes », c'est-à-dire les groupes de gerbes qu'on rentrera dans la grange ou qu'on disposera en meules.

Providence, et la fixent au-dessus de la porte de la grange où elle restera comme un témoignage et un talisman jusqu'à l'année suivante.

Dans le département de la Mayenne [1] c'est la dernière gerbe tout entière qui est rentrée processionnellement et en

Le cortège de la gerbe
(*Voir légende p. 216*)

triomphe dans la grange. Les moissonneurs l'ornent de fleurs et de rubans, et vont chercher cérémonieusement le fermier et la fermière pour l'emporter. Le cortège présente cette particularité comique: deux moissonneurs armés d'énormes balais marchent en tête de la procession et soulèvent d'épais nuages de poussière sous prétexte de nettoyer le chemin! Des enfants, porteurs d'épis, suivent ces deux zélés; viennent ensuite la gerbe triomphante et les moissonneurs. Comme partout, un grand repas termine la journée.

Même aux environs de Paris où les champs font d'année en année place aux lotissements et aux petites propriétés, on célèbre encore la fin des moissons, témoignant ainsi d'un

[1] Département formé d'une partie du Maine et de l'Anjou.

sincère attachement aux coutumes du passé. La charrette qui emporte les dernières gerbes d'un champ est fleurie et un « mai » est planté à son faîte. Ce mai a la forme d'une gerbe. Il est fait de branches vertes garnies de fleurs, de rubans, et d'autres choses moins poétiques et plus substantielles: bouteilles de vin, volailles, brioches, etc. Les moissonneurs escortent cette parade jusqu'à la ferme où a lieu le repas traditionnel, celui où l'on se dit adieu jusqu'à l'année suivante.

*Les vendanges et le vin.* — Le blé et la vigne sont les deux chatons magnifiques du sol de la France et l'un et l'autre sont également honorés, également célébrés. Les vendanges, suivant les régions, se font au mois de septembre ou au mois d'octobre. C'est un des plus grands travaux de l'année et il a le caractère d'une véritable fête, principalement dans la région bordelaise, au sud-ouest de la France. L'automne a dans cette contrée une douceur et un charme très particuliers, et les matins et les soirs de vendanges sur les coteaux plantés de vignes sont des matins et des soirs pleins d'allégresse et de chansons.

> Raisin nouveau, raisin vermeil,
> Garde la chaleur du soleil,
> Et verse-la dans le tonneau,
> Raisin vermeil, raisin nouveau.
>
> Mets la jeunesse au corps des vieux
> Et le sourire dans leurs yeux;
> Donne la joie aux braves gens
> Et l'espérance aux indigents;
>
> A ceux qui pleurent, la gaîté;
> A ceux qui souffrent, la santé.[1]

Eparpillés entre les ceps, les travailleurs coupent avec des ciseaux les belles grappes vermeilles ou dorées et les empilent dans de vastes corbeilles, tandis qu'une autre catégorie de travailleurs passe dans les sillons vidant le contenu des cor-

[1] H. Chantavoine.

beilles dans la hotte qu'ils portent sur le dos. Les hottes, à leur tour, sont vidées dans des charrettes qui font la navette entre la vigne et le « fouloir ».

Le Limagner et sa hotte
(*Voir légende p. 216*)

On foule encore le raisin aux pieds nus chez les petits propriétaires et dans les crus renommés où l'on craint que le fouloir mécanique n'écrase aussi la tige de la grappe dont la saveur et l'amertume nuiraient au pur jus du raisin.

A la fin des vendanges, la dernière charrette est ornée de branches vertes, elle aussi; les jeunes filles qui ont aidé aux vendanges s'y installent et rentrent à la propriété en chantant. A la maison, un grand repas traditionnel attend les vendangeurs: c'est la « gerbeaude » dans le Bordelais. Il est présidé par le vigneron. Les vendangeurs lui offrent un bouquet et le festin commence, coupé par des chants, terminé par des danses joyeuses, pendant qu'au fouloir commence à couler toute la pourpre du vin nouveau.

Puis, ce vin nouveau est lui-même le sujet d'autres coutumes. Et le grand poète Mistral [1] en raconte une assez pittoresque dans ses souvenirs d'enfance. Saint Marcellin a le privilège de bénir le vin. Ce saint a pour asile une chapelle qui ne voit guère de fidèles qu'au jour de la St-Marcellin. Mais quels fidèles ! Tous arrivent au lieu de leur pèlerinage avec une bonne bouteille de vin sous le bras. Pèlerins seulement, car au pays de Mistral, en Provence, les femmes ont la réputation de ne pas boire de vin et pour les encourager à respecter la bonne tradition, on répète souvent aux petites filles que « l'eau rend jolie ». Or donc, les hommes une fois casés dans la chapelle minable, le vieux curé arrive à l'autel et se tournant vers l'auditoire s'écrie: « débouchez vos bouteilles et qu'on se taise pour la bénédiction ! » Et il chante la formule consacrée à la bénédiction du vin. Après cela le curé et le maire de la commune trinquent sur les marches de l'autel et boivent le vin de l'année, tandis que chacun des assistants, le bras levé, boit une gorgée du contenu de sa précieuse bouteille !

A Arbois, en Franche-Comté, pays natal du grand Pasteur, a lieu à l'époque des vendanges une réjouissance populaire connue sous le nom de « fête du Biou ». Le Biou est une énorme grappe confectionnée avec une multitude de petites grappes de raisins. On la promène solennellement par les rues de la ville à l'aide d'une perche que supportent les épaules des vignerons. Devant le Biou les sociétés de musique se relaient pour jouer des marches entraînantes et derrière le trophée défilent les notabilités de la ville. Le grand Pasteur a souvent fait partie du cortège, aussi rieur et aussi enjoué que les autres. Une messe solennelle est chantée dans une chapelle en l'honneur du Biou qui, après sa promenade triomphale,

---

[1] Poète provençal, mort en 1914.

est accroché en ex-voto dans la chapelle jusqu'à l'année suivante.[1]

*L'abatage du cochon.* — Après le pain et le vin, la place d'honneur revient au cochon ... C'est qu'autrefois, dans les campagnes françaises, la viande de boucherie n'arrivait aux villages qu'assez rarement. Il fallait pour parer à cette pénurie d'aliments carnés des provisions de lard, de saucisses, de « confits »,[2] de salé, et le cochon était un pourvoyeur honoré et soigné. Il reste d'ailleurs très considéré malgré la facilité relative avec laquelle les paysans, qui ont vite apprécié la vitesse des autos, se procurent le bœuf, le veau, le mouton qu'ils ne mangeaient guère autrefois qu'aux jours de grande liesse. Il reste très considéré parce qu'il a énormément augmenté de valeur et que, vendu ou mangé par ses maîtres, il est toujours une richesse pour celui qui l'a engraissé. Lorsque le moment de son massacre arrive, toute la famille se prépare, car le jour où l'on « tue le cochon », où l'on « tue » même tout court, est un jour mémorable à la ferme. On invite les voisins, les voisines. Car il faut de l'aide, beaucoup d'aide pour « tuer » convenablement, recueillir le sang, préparer le boudin, couper, découper, trier, gratter, et disposer dans des serviettes les morceaux qu'on offrira à M. le Curé, à M. le Maire, aux parents, aux amis. Les enfants eux-mêmes assistent à la cérémonie. Ils ont quelquefois le cœur gros en entendant les cris désespérés de l'animal qu'on égorge, mais ils savent qu'ils doivent se contenir pour participer le soir au festin rituel qui suit l'abatage du cochon. Tout ce qu'on y sert est tiré de la bête sacrifiée: soupe, entrée, rôti ...

*Les « lits-clos ».* — La France, qui a des climats variés, a forcément aussi des types d'habitations rurales très variés, et les coutumes qui ont présidé et président encore à leur édification et à leur aménagement intérieur sont nées d'impérieuses nécessités.

---

[1] Gazier, *La Franche-Comté.*

[2] Quartiers de viande cuits et conservés dans de la graisse.

L'une d'elles a créé des œuvres d'art que se disputent journellement, en Bretagne, les touristes et les antiquaires.  Ce
sont les fameux « lits-clos » et les coffres sculptés.  Dans les
petits villages bretons, peuplés presque uniquement à l'origine
de pêcheurs et de marins, les maisons anciennes sont exiguës,
formées souvent d'une seule pièce attenante à l'étable.  La
pudeur inventa alors le lit-clos où le Breton pouvait se déshabiller et dormir à l'abri des regards indiscrets.  Les portes
des lits-clos sont faites de panneaux ajourés, travaillés de
rosaces, de galeries et d'entrelacs.  On y accède en montant
sur le coffre sculpté où sont pliés les vêtements de cérémonie,
les costumes régionaux qu'on arbore dans les fêtes ou aux
grands pardons et les fines dentelles sur lesquelles se pen-
chèrent les aïeules en coiffe blanche.

## COUTUMES MARITIMES

APTISER les bateaux est une des plus intéressantes des coutumes maritimes.  Le paysan,
le cultivateur font bénir leurs bestiaux et protègent leurs étables et leurs écuries par toutes
sortes de talismans.  Le marin, lui, va plus loin.  Il identifie
son bateau à une personne vivante et le fait baptiser par
le prêtre en surplis.  On trouve rarement un bateau qui
n'ait pas été baptisé.  Il y a très peu de temps encore,
ces bateaux libres-penseurs auraient manqué d'équipage pour
les gouverner.  Et puis la cérémonie du baptême d'un bateau
est une si jolie fête qu'on n'aime pas à la laisser tomber en
désuétude et s'en passer.

*Baptême du bateau.* — La cérémonie varie d'un endroit
à l'autre, mais dans les détails seulement.  Dans le fond c'est
toujours la même chose: une abondante aspersion d'eau
bénite.  A Boulogne, le nouveau bateau tout pimpant et tout
fleuri, est amené à quai.  Le prêtre, en surplis et en étole,

accompagné des enfants de chœur, du parrain et de la marraine du bateau, arrive gravement pour la cérémonie. Tous les assistants se découvrent et font le signe de la croix. Puis le prêtre bénit le bateau en l'aspergeant consciencieusement d'eau bénite: le moindre recoin, le plus petit clou doit recevoir sa part protectrice contre les eaux malveillantes avec lesquelles il est appelé à lutter. La cérémonie terminée, l'officiant, le parrain, la marraine et les invités descendent à bord, mangent des gâteaux et boivent, tandis que sur le quai un marin muni de bouteilles et de verres offre à boire aux passants. Il faut bien se garder de refuser: ce serait attirer la mauvaise chance sur le nouveau baptisé. Pour l'honorer mieux encore, la marraine jette à pleines poignées des dragées aux marmots accourus sur le quai.

> Le bon Jésus marchait sur l'eau,
> Va sans peur, mon petit bateau.

**Bénédiction de la mer.** — On ne bénit pas seulement le bateau; on bénit aussi l'onde traîtresse sur laquelle il va naviguer.

A Etretat,[1] cette bénédiction a lieu le jour de l'Assomption.[2] En cortège, le curé, ses enfants de chœur, ses chantres et ses paroissiens se rendent au bord des flots. Sur les durs galets du rivage, tous se mettent à genoux tandis que le prêtre élevant très haut la grande croix d'argent trace au-dessus des vagues moutonnantes le signe de la croix en disant: « Au nom du Père, du Fils et du St-Esprit, je bénis la mer. Je mets sous la garde de Marie nos bateaux et nos hommes qui les montent, et nos filets et nos voiles ». L'invocation au pied des falaises rongées par la mer agitée ne manque pas de solennité et de grandeur, et c'est dans un recueillement impressionnant que la procession s'en retourne vers la ville en chantant des litanies.

A Berck,[1] la cérémonie de la bénédiction de la mer est

---

[1] Village sur la Manche.　　　　[2] Le 15 août.

entourée d'un peu plus de pompe.  Cette fête a lieu le premier dimanche de septembre.  La procession comporte des figures allégoriques et des statues de la Vierge et de saints.  Saint Pierre est porté par quatre pêcheurs, revêtus de leurs plus beaux habits.  Au centre du cortège, trois jeunes filles du pays représentent la Foi, l'Espérance et la Charité.  La Foi doit tenir constamment ses bras levés vers le ciel; l'Espérance a une ancre dorée à la main et la Charité a comme emblème un cœur de drap rouge.  Un bateau pavoisé et fleuri est préparé pour recevoir le prêtre qui doit bénir la mer.  Il y monte, et, de cette chaire instable, il fait un sermon à l'assistance.

Mais la plus impressionnante de ces bénédictions avait lieu, il y a très peu d'années encore, dans le chenal de l'Ile de Groix.[1]  Elle était vraiment une fête maritime, car elle se passait tout entière sur l'eau.  Toutes les paroisses riveraines s'y rendaient en barques, en chaloupes, en navires même, pavoisés et fleuris, chaque bateau chargé d'hommes, de femmes et d'enfants en habits de fête.  En tête de chaque file, le bateau qui portait le prêtre de chaque paroisse arborait la bannière de son église.  Ces bateaux d'honneur, ces bateaux-amiraux se rejoignaient et le curé le plus ancien de toute cette assemblée se levait, étendait la main et bénissait la mer et ses biens.  Alors tous les autres prêtres, reprenant son geste et sa formule, amplifiaient et propageaient cette bénédiction pendant que de toutes ces escadrilles de pêcheurs s'élevait, majestueux, le chant des cantiques, accompagné par les orgues puissantes dont la mer est l'organiste.

Une cérémonie semblable se déroule encore sur la Méditerranée, où l'évêque de Montpellier, mitre en tête et crosse à la main, va vers le large dans une frêle barque bénir les flots et les adjurer d'être cléments.

*La St-Sauveur à Étaples*. — Une curieuse fête maritime se célèbre à Étaples dans le département du Pas-de-Calais.  Comme toutes ces fêtes, elle a un caractère d'austérité et de

---

[1] Au sud de la Bretagne.

profonde piété, mais il s'y mêle aussi des manifestations bruyantes et gaies.   La fête, appelée la St-Sauveur, a lieu le samedi qui suit la Transfiguration.[1]   Les réjouissances débutent
par une messe solennelle à laquelle assistent tous les marins
de l'endroit.   Ils y vont en cortège portant sur des brancards
un énorme gâteau décoré de fleurs et parsemé d'oiseaux en

Pêcheuses normandes
(*Voir légende p. 216*)

sucreries.   Au-dessus du gâteau se trouve un dais verdoyant
dont les arcades de mousse contiennent une quantité de pâtisserie de formes diverses.   Pour porter tout l'édifice il faut
huit marins.   Porteurs et assistants ont à la boutonnière une
autre petite pâtisserie en forme de croix.   Le gâteau et les
autres pâtisseries sont bénis à l'Offrande et le premier distribué aux assistants.   La messe terminée, le cortège se rend
chez les autorités et les notabilités de la ville et la distribution

[1] Le 6 août.

des emblèmes savoureux commence. Le curé reçoit un bréviaire; le maire, une croix de la Légion d'Honneur; les magistrats, un livre qui doit leur rappeler le Code; le syndic de la marine est gratifié d'un symbolique petit bateau, etc.

Cette cérémonie est suivie d'une coutume professionnelle et sportive. Il s'agit de distinguer parmi les mousses ceux qui sont capables de devenir matelots. Le jeune mousse dont on a toute l'année apprécié les qualités de courage, de sang-froid et de force doit à présent faire preuve d'adresse. Il est amené entre deux marins devant l'aréopage et on lui donne un verre rempli de vin. Il le boit d'un seul trait et jette ensuite son verre contre un rond tracé à la craie sur le mur de la salle. Le verre doit se casser contre le mur malgré les obstacles que multiplient les deux surveillants du candidat. A chaque tentative malheureuse, il est obligé de payer une bouteille de vin à ses compagnons. Enfin il réussit et il est proclamé matelot au milieu d'une exubérante gaîté.

## DANS LES MÉTIERS ET LES PROFESSIONS

NOUS avons intitulé ce livre *Coutumes françaises d'hier et d'aujourd'hui*, et c'est presque uniquement dans l'« hier » que nous puisons la matière de ce chapitre, car bien plus que les travaux des champs, bien plus que les procédés agricoles, la mentalité ouvrière et les procédés industriels et commerciaux ont changé. La révolution industrielle qui s'est opérée au cours du XIXe siècle, supprimant beaucoup de métiers ou en transformant la production, a fait disparaître presque complètement les coutumes par lesquelles les anciennes organisations étaient consacrées et protégées. Un long siècle de progrès rapide et ininterrompu a passé sur elles et n'en a laissé que des traces vagues, des souvenirs. Cependant, comme elles servent d'explication à des phénomènes actuels, en voici quelques-unes choisies parmi les plus curieuses et les plus instructives.

*Les corporations.* — Un artisan ou un commerçant français des siècles passés serait aujourd'hui très étonné de voir que tout individu peut exercer comme il l'entend et où il lui plaît la profession qu'il a choisie, que n'importe qui peut ouvrir boutique dans l'endroit qu'il désire pour y vendre ce que bon lui semble, sans être agréé de ses futurs confrères. Pendant des centaines d'années le travail et le commerce furent soumis à des règles étroites édictées par les « corporations ». Les corporations étaient des groupements d'individus exerçant le même métier ou la même profession. Pour défendre leurs membres contre toute compétition, elles avaient recours à des moyens qui supprimaient toute liberté, tuaient toute initiative et gênèrent l'expansion commerciale et industrielle. Chaque corporation était enfermée dans des limites étroites ne permettant pas d'empiéter sur les attributions de sa voisine, et on tâchait de réduire le nombre des entreprises et des artisans. Pour se livrer à un travail ou fonder un commerce il fallait d'abord être accepté dans la corporation dont on allait faire partie. Pour cela il fallait donner des garanties, prouver qu'on était homme de bien, qu'on avait fait un apprentissage sérieux et acquis une instruction professionnelle complète. Les méthodes de travail étaient rigoureusement contrôlées, et chacun devait se conformer à la manière consacrée et délimitée strictement par des règlements. Les corporations étaient très hostiles à toute innovation. Presque chaque invention nouvelle était accueillie avec hostilité et son auteur persécuté et malmené comme ennemi de la société. Il est curieux de remarquer qu'aujourd'hui encore le commerce français est soumis à certaines restrictions qui sont la survivance des privilèges des anciennes corporations. Ainsi deux commerces similaires n'ont pas le droit de s'établir côte à côte, au dedans d'un certain rayon; de même un commerçant ne peut vendre des produits que l'on vend déjà à côté de chez lui dans un commerce différent, etc.

La corporation avait ses grades hiérarchiques. D'abord « apprenti » le futur ouvrier, dont l'apprentissage durait quelquefois dix années, devenait « compagnon », puis « maître » ou « patron ». On ne pouvait être maître qu'après la présentation d'un « chef-d'œuvre ». C'est à cette coutume que la France doit tant d'objets d'art pieusement recueillis dans ses musées: ouvrages d'orfèvrerie incomparables, de serrurerie compliquée, des émaux ou des vitraux qu'on n'a pu encore égaler.

Une autre coutume corporative exigeait que, pour le perfectionnement de leur art ou de leur métier, les compagnons fissent leur « tour de France ». Ce voyage était à l'époque une épreuve redoutable. Le jeune apprenti qui l'entreprenait n'avait pas alors à sa disposition les chemins de fer, ni les bourses de voyage que tant de groupements mettent à présent à la disposition des ouvriers qui désirent se perfectionner. Il partait à pied, ses outils dans son sac, et son escarcelle souvent bien légère... Le patron qu'il quittait ne pouvait guère lui fournir d'indications et de recommandations au-delà de la 3e ou 4e étapes. C'était un vrai voyage d'aventure pour lequel il fallait avoir beaucoup de courage et de foi. D'étape en étape, il fallait chercher du travail afin de subsister et souvent le voyageur harassé ne trouvait que méfiance et dureté. Il couchait souvent à la belle étoile, exposé aux attaques des rôdeurs de grand chemin, il souffrait de faim et d'intempéries. Mais il était soutenu par le désir de réussir, de devenir maître, de créer ou parfaire son chef-d'œuvre. Les visiteurs des musées ne se rendent pas toujours compte que les chefs-d'œuvre qu'ils admirent ont été élaborés au prix de grandes privations, de grandes difficultés, quelquefois même de grands dangers.

La Révolution Française qui abolit les privilèges des corporations ne porta pas atteinte à la coutume du « tour de France ». Jusqu'au milieu du siècle dernier, elle fut observée, et quelques vieillards français chantent encore dans les cérémonies familiales la chanson enthousiaste de leur jeunesse:

> Nous irons à Lyon
> Chez la mère des compagnons !

La « mère des compagnons », dans beaucoup de villes, était l'hôtesse affable et bonne cuisinière qui accueillait les voyageurs des corporations. Celle de Lyon avait un talent renommé pour faire la soupe à l'oignon.

Décrire toutes les coutumes anciennes et modernes de tous les métiers serait impossible et d'ailleurs fastidieux. En voici quelques-unes choisies parmi les plus curieuses.

*Chez les boulangers.* — Le compagnon boulanger était consacré maître au cours d'une cérémonie annuelle qui ne manquait pas de pittoresque. Les conditions requises étaient d'ailleurs sévères: il fallait être âgé de vingt-deux ans au moins, professer la religion catholique,[1] présenter un certificat de bonnes vie et mœurs, n'être atteint d'aucun mal dangereux qui se puisse communiquer et avoir fait trois années d'apprentissage et trois années de compagnonnage. Le jeune homme qui remplissait ces conditions se présentait devant un lieutenant royal, préposé à la surveillance de la fabrication du pain, avec un pot de terre rempli de noix et de légères pâtisseries. Tout le village assistait à l'investiture qui consistait surtout à faire jeter dehors par le postulant son pot de terre, ses noix et ses galettes, puis l'on buvait à la santé et à la prospérité du nouveau boulanger.

*Chez les libraires et les bouquinistes.* — Jusqu'au XIIIe siècle, la transcription et la vente des livres restèrent presque exclusivement concentrées dans les couvents. Mais les religieux ne copiaient pas toute espèce de livres. Le droit civil, la médecine et quelques autres matières leur étaient interdits. C'est ainsi que prit naissance la librairie laïque. Mais l'Université ne crut pas pouvoir laisser libre un commerce de

---

[1] A. Franklin, *Dictionnaire historique des Arts, Métiers et Professions.*

ce genre. Les libraires devaient produire un certificat de bonnes vie et mœurs; ils versaient une caution entre les mains du recteur et ils prêtaient serment d'obéir aux lois qu'on leur imposait. Sous certains rapports ils faisaient partie de l'Université. Ainsi dans les processions solennelles ils avaient leur place derrière les membres du Parlement [1] et les professeurs. Ils étaient dans l'obligation de s'installer dans les parages de l'Université, et presque tous étaient en même temps des taverniers. A eux aussi était réservée la corvée d'allumer les quinquets pour l'éclairage public. A l'époque de la Réforme, de nombreux édits, arrêts ou ordonnances de l'Université interdirent aux libraires la vente de certains ouvrages. L'infraction entraînait la peine de mort, et elle fut plus d'une fois appliquée aux coupables. D'ailleurs même au XVIIIe siècle on punissait encore de mort des distributeurs d'ouvrages hostiles à la religion de l'État et au gouvernement.[2]

Aujourd'hui la publication et la vente des livres sont absolument libres en France. Les grands éditeurs parisiens, ainsi que la plupart des libraires, résident dans ce même Quartier Latin où s'étaient établis leurs devanciers. A côté d'eux sont les « bouquinistes ». Dans des boutiques modestes des quais, du Pont au Change jusqu'au Pont-Neuf, ou dans des boîtes installées sur les parapets, les bouquinistes vendent, achètent, échangent les livres d'occasion, les livres d'étude, les livres anciens échappés des bibliothèques familiales. Les bouquinistes ont leurs fervents, toujours en quête d'une reliure ancienne, d'un livre rare égaré on ne sait au juste comment dans ces rebuts qui recèlent quelquefois des ouvrages de valeur.

***Chez les barbiers.*** — Jusqu'au milieu du XVIIe siècle, tout barbier était en même temps chirurgien et quelquefois aussi dentiste. Dans sa boutique, obscure et sale, il rasait et saignait, coupait les cheveux et posait des ventouses, pansait

---

[1] Principal corps de justice en France, sous l'ancien régime.

[2] A. Franklin, *Les Arts, Métiers et Professions dans Paris.*

les plaies, ouvrait les anthrax... arrachait les dents. Les barbiers furent tous au début des ignorants qui apprenaient la chirurgie par la pratique, au détriment des patients, mais parmi eux se trouvèrent bientôt de vrais chirurgiens qui avaient fait leurs études à l'École de Médecine. Cependant, comme la concurrence et l'envie sont de tous les temps, la discorde régna dans leur corporation à laquelle d'ailleurs le public reprochait de cumuler trop d'attributions. Louis XIII,[1] pour donner satisfaction aussi bien au corps des barbiers qu'à leurs pratiques, créa une nouvelle communauté de barbiers, appelée « barbiers-barbants ». Il était interdit à ces derniers de faire aucune intervention chirurgicale, et leurs attributions se bornaient aux bains et à la coiffure. Plus tard, le luxe et la mode ayant amené l'usage des perruques, les barbiers-barbants s'appelèrent barbiers-perruquiers. Afin d'établir une distinction bien apparente entre les boutiques des barbiers-perruquiers et celles des barbiers-chirurgiens, les premiers devaient avoir des boutiques peintes en bleu et mettre à leurs enseignes des bassins blancs, et les derniers avaient la boutique et les bassins peints en jaune. Les bassins représentaient les récipients dans lesquels le chirurgien recueillait le sang de l'opéré.[2] On voit encore aujourd'hui ces bassins se balancer comme autrefois au-dessus de la porte des coiffeurs. Car on ne désigne plus sous le nom de « barbier » le spécialiste qui rase le visage, fait la barbe autrement dit, et coupe les cheveux. Cette dernière fonction étant de beaucoup la principale, on appelle son pratiquant le « coiffeur » ou même l'« artiste capillaire ». Il n'opère plus dans une « boutique », mais dans un « salon de coiffure »; sa clientèle presque exclusivement masculine il y a une trentaine d'années s'est considérablement augmentée de la clientèle féminine et cela même au fond de campagnes perdues où l'on rencontre de jeunes bergères en robes fleuries et à

[1] 1610 à 1643.
[2] *Encyclopædia Britannica.*

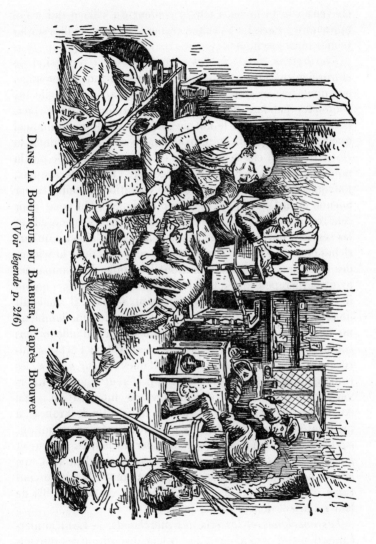

Dans la Boutique du Barbier, d'après Brouwer

(Voir légende p. 216)

cheveux courts bouclés par le coiffeur du village qui a été apprendre à Paris l'art de faire régner la mode des villes sur les jeunes têtes paysannes.

*Chirurgiens, médecins et rebouteux.* — La profession de chirurgien qui est entourée de nos jours de tant de prestige, eut donc une origine extrêmement modeste, puisqu'elle fut confondue pendant des siècles avec la profession de barbier. C'est qu'avant 1789,[1] le fait de se livrer à un travail manuel quelconque parquait impitoyablement son auteur dans la classe ouvrière, classe dédaignée et souvent malmenée par la noblesse, le haut clergé et la bourgeoisie. Les médecins, eux, jouissaient de l'estime générale à la condition de ne pratiquer aucune opération, fût-ce une simple saignée. On avait pour cela recours au chirurgien ou à l'apothicaire. Les conseils et les services des uns et des autres n'allaient d'ailleurs qu'aux riches et aux gens de villes instruits, confiants dans la science des docteurs; le peuple et surtout le peuple des campagnes avait sa thérapeutique à lui: les guérisseurs, les sorciers quand il s'agissait de maladies, les « rebouteux » quand il s'agissait de remettre un membre démis, ou de ressouder une jambe ou un bras cassé. C'est une profession qui n'a d'ailleurs pas complètement disparu. A présent, malgré tout l'art des chirurgiens, malgré les résultats magnifiques de leur science, les campagnards de maints endroits préfèrent encore l'intervention du rebouteux à leur savante intervention. En Auvergne, en Bretagne et même dans l'Ile-de-France, à proximité de Paris, existent de nombreux guérisseurs qui ont soi-disant le « don » pour raccommoder les jambes cassées et guérir les maux de toute sorte. Les médecins leur font une guerre acharnée, mais rien ne prévaut contre la vieille coutume d'avoir recours à ceux qui héritent de père en fils de leur « don » et de leur savoir-faire.

*Les enseignes et les cris des marchands.* — Les commerçants d'autrefois n'avaient pas à leur disposition les moyens

[1] Date de la Révolution Française.

A mon bon vinaigre ! A la bonne encre ! Harengs frais !

Quelques cris de Paris du XVIIᵉ siècle

de publicité et de réclame qu'on a aujourd'hui. Ces moyens d'ailleurs auraient peu impressionné la clientèle illettrée de jadis. Il fallait frapper sa vue ou son ouïe pour l'attirer. De là les enseignes symboliques et les cris annonçant la marchandise sur des modulations chantantes appropriées. Les enseignes du moyen âge étaient immenses, lourdes, bariolées, découpées, incrustées dans la pierre ou peintes sur une planche de bois ou de métal. La plupart d'entre elles, suspendues par des anneaux à un support de fer, dépassaient le milieu des étroites rues de cette époque, contribuant encore à les assombrir. Des bas, des clefs, des paquets de chandelles, des pains de sucre gros comme des tonneaux, des truies qui volent, des chats qui pêchent, des ânes qui jouent de la vielle, etc., encombraient les rues et, les jours de vent, se balançaient, se choquaient entre elles, grinçaient et criaient ... Elles étaient une menace perpétuelle sur la tête du passant. Chaque maison de commerce était désignée par son enseigne, et plusieurs rues de Paris doivent leur nom à l'enseigne la plus originale ou la plus apparente qui s'y balançait: rue du Pot-de-Fer, rue de la Clef, rue de l'Éperon, rue du Chat-qui-Pêche, etc.

Les marchands ambulants remplaçaient l'enseigne par un cri ou une chanson. De là les célèbres « cris de Paris ». Il y en avait un nombre considérable dont voici quelques-uns: « Vieilles ferrailles ! Chandelles de coton ! Harengs frais ! Les bains sont chauds ! Couteaux et ciseaux à moudre ! A ma bonne encre ! A mes beaux oiseaux qui chantent ! » Chacun de ces cris était modulé sur un ton différent qui le faisait reconnaître.

Les enseignes immenses et lourdes ont presque toutes disparu, et celles qui restent sont appliquées contre la maison, de façon à ne pas intercepter la lumière, mais le style de leurs ancêtres du moyen âge se retrouve encore, bien que rarement. Ainsi on rapporte avoir vu tout récemment les enseignes suivantes: *Laiterie de l'Enfant-Jésus, Au Roi des Habille-*

*ments, A l'Hirondelle du Petit-Pont, A la Fontaine de Mars,*
*Au Singe qui lit, Maison de l'Ane qui veille, A la Barbe d'Or*
*. . .*, etc.

Quant aux cris, leur nombre a diminué et bien peu subsistent encore dans la modulation et le texte anciens.  Ce sont surtout les marchands dits des quatre saisons [1] qui en ont hérité.  A Paris, ils ne se contentent pas, comme leurs con-

Vieille enseigne d'un droguiste
(*Voir légende p. 217*)

frères de New-York ou de Chicago, de promener leurs voiturettes à travers les rues.  Ils appellent la clientèle de tous les étages en braillant vers elle leur petite chanson.  Les chansons très courtes sont prolongées par des sortes d'échos.  Elles sont si pittoresques, si particulières à la capitale de la France que le grand compositeur Charpentier les a immortalisées en les fixant dans son opéra de *Louise*.  Tout au début de l'été, c'est un concert de « pois verts, pois verts ! » attirant une clientèle joyeuse vers les premières cosses vertes et sucrées. Puis viennent les « haricots verts », etc.  Le vendredi, les mar-

[1] Parce que d'un bout à l'autre de l'année ils vendent plus spécialement les produits inhérents à chaque saison.

chands de poisson annoncent leur marchandise d'une voix forte et impérative; le samedi, en beaucoup de quartiers, le tripier presque artiste n'épargne pas ses couplets aux ménagères que sa chanson égaie et met en appétit; et le pauvre vieux, vaincu par la vie, dont l'éventaire n'est plus garni que de quelques touffes vertes qu'il a cueillies dans les champs les plus voisins chante de sa voix plaintive et cassée « J'ai du mouron pour les p'tits oiseaux ! » [1]

## COUTUMES ESTUDIANTINES

N LIVRE sur les coutumes françaises serait incomplet sans un chapitre sur les coutumes estudiantines. Bien que les universités françaises soient plus anciennes que les universités américaines, ou peut-être à cause de cela, les coutumes scolaires françaises actuelles paraissent très pâles si on les compare à celles qui existent dans les écoles américaines d'enseignement supérieur. Aussi pour intéresser nos lecteurs, nous sortirons momentanément de notre cadre et, avant d'aborder les quelques coutumes estudiantines qui ont survécu, nous tracerons à grands traits les caractères saillants de la vie scolaire française, surtout dans ce qu'ils ont de nettement différent avec la vie scolaire américaine.

*Établissements d'enseignement secondaire.* — L'enseignement secondaire est donné dans les lycées et collèges de garçons et de jeunes filles. Dans quelques-uns de ces établissements, aux premiers et aux derniers échelons, les classes enfantines et les classes de préparation supérieure, reçoivent des garçons et des jeunes filles. Les professeurs des lycées de garçons sont des hommes; ceux des lycées et collèges de jeunes filles sont des femmes.

[1] Voir pages 226 et 227.

Le régime des lycées de garçons était, il y a quelques années encore, très rigoureux, surtout en ce qui concernait les internes ou pensionnaires. Napoléon 1er les avait placés sous sa férule et sa discipline rigoureuse qui en faisait la première préparation à la discipline de la caserne et du camp. Il ne reste plus guère de toutes les anciennes règles militaires que le roulement de tambour qui annonce la fin des classes ou la fin des récréations.

*Les sorties.* — Les internes peuvent sortir le jeudi et le dimanche pour aller chez leurs parents ou leurs correspondants.[1] Mais cette sortie est une faveur plutôt qu'un droit. Bon nombre de pensionnaires sont quelquefois « consignés » pour des peccadilles ou des leçons mal sues qu'ils sont condamnés à étudier ou à copier pendant que leurs camarades se promènent et se réjouissent.

*La règle.* — Le régime de l'intérieur du lycée n'est pas des plus doux et dispose peu à la mollesse. Les plus jeunes élèves se lèvent, au plus tard, à 6 h. $\frac{1}{2}$; les autres à 6 heures en hiver, à 5 h. $\frac{1}{2}$ en été. Le nombre d'heures de travail sédentaire (classes et études) est fixé à 6 heures par jour pour les plus jeunes, à 8 heures pour les moyens et à 10 heures ou 10 h. $\frac{1}{2}$ pour les plus âgés.

Les récréations sont courtes; mais tandis qu'autrefois elles se prenaient dans les cours étroites et mal aérées des vieux lycées sombres, le nombre des lycées spacieux et clairs augmente chaque année et les jeunes gens peuvent respirer largement après l'effort intellectuel. Bon nombre de lycées de Paris ont d'ailleurs en banlieue toute proche des terrains de sport où la jeunesse va s'ébrouer à la fin des après-midi studieux, ou les jeudis et dimanches. Les jeunes filles ont les mêmes avantages et pratiquent dans des stades à elles les exercices athlétiques et sportifs qui les développent.

Deux grandes fêtes annuelles animent les longs mois de

[1] Personne agréée par la famille éloignée pour recevoir le lycéen, signer ses notes, etc.

labeur acharné au lycée; ce sont la St-Charlemagne et la distribution des prix.

*St-Charlemagne.* — La St-Charlemagne est la grande fête scolaire d'hiver. Charlemagne, l'empereur à la barbe fleurie, fut, dans son grand empire, le fondateur de nombreuses écoles. A lui revient l'honneur d'avoir fait briller à nouveau l'amour et la culture des lettres et des sciences qui menaçaient de sombrer à jamais pendant la décadence romaine. Aussi est-il vénéré à tous les degrés de l'enseignement en France, et plus particulièrement encore dans l'enseignement secondaire dont la prérogative était l'étude du latin, et qui héritait ainsi directement de l'enseignement des temps de Charlemagne, où l'on écrivait et lisait en latin.

La fête de St-Charlemagne a lieu le jeudi qui suit le 28 janvier. Elle avait, avant la guerre, un prestige et un apparat remarquables. Dans chaque lycée, un grand banquet réunissait ce jour-là l'administration, les professeurs et les élèves qui avaient été au moins une fois premiers dans le premier trimestre de l'année scolaire. C'était une fête opulente. Des tables somptueuses étaient dressées dans les réfectoires et garnies de hors-d'œuvre appétissants, de viandes de choix, d'entremets savoureux, de desserts variés et . . . de vin mousseux qui déliaient la langue des élèves et des maîtres. On toastait à la mémoire du grand empereur, on faisait l'éloge des maîtres, on se promettait amitié et dévouement perpétuels. Le proviseur quittait son air habituellement sévère pour regarder paternellement ses jeunes convives fumer des cigarettes. Un événement extraordinaire ! Pendant la guerre la Saint-Charlemagne eut le sort de tant d'autres fêtes: elle fut supprimée. Rétablie en 1920, elle ne suscite plus le même enthousiasme et souvent l'administration, trop économe, remplace le banquet par un lunch. Mais telle qu'elle est, elle est encore une fête très appréciée, où le cachet honorifique remplace le mieux qu'il peut les joies gourmandes d'antan.

*La distribution des prix.* — La distribution des prix a lieu tous les ans à la mi-juillet et est la consécration de l'année scolaire écoulée. Elle ressemble beaucoup à la cérémonie de « commencement » aux États-Unis. Voici à peu près comment les choses se passent. En plus des professeurs et des autorités administratives de l'établissement, assistent à ces cérémonies de hauts fonctionnaires civils et militaires de l'État. Le plus d'éclat possible est donné à la fête où sont conviés tous les parents et correspondants des élèves; les musiques militaires prêtent leur concours à la cérémonie au cours de laquelle de nombreux et magnifiques discours sont prononcés. A Paris, les distributions de prix des lycées ont lieu au grand amphithéâtre de la Sorbonne; en province, elles ont lieu dans la salle des fêtes de la mairie du lieu. Les lycéens sont en uniforme et les professeurs, en toques et toges. Sur une estrade pompeusement rehaussée de franges d'or et de draperies prennent place les autorités civiles et militaires, les personnages officiels et les professeurs. Dans un coin de cette estrade une grande table supporte les piles de livres qui doivent être distribués aux meilleurs élèves. Ce sont très souvent des livres de luxe, quelquefois aussi des ouvrages d'enseignement; leur valeur est d'ailleurs proportionnée à la valeur de l'élève qui les a mérités. La liste des élèves récompensés s'appelle « le palmarès ».[1] La lecture du palmarès, c'est-à-dire l'appel du nom des lauréats, soulève les applaudissements de l'assistance. Chaque lauréat monte sur l'estrade, reçoit le ou les livres qui lui sont destinés; on lui remet souvent aussi une couronne symbolique en papier vert et simulant des feuilles de chêne ou de laurier. Pour honorer une notabilité présente ou pour marquer de l'affection et du respect à un professeur préféré, l'élève lui présente cette couronne; ainsi sollicité, le personnage se lève, place la couronne sur le front de l'enfant ou du jeune homme en même

---

[1] Ceci a son origine dans les coutumes grecques. Les vainqueurs des jeux olympiques recevaient des « palmes » en récompense.

temps qu'il lui adresse ses félicitations et ses encourage-
ments.

Des distributions de prix analogues ont lieu dans les établissements d'instruction pour les jeunes filles et dans les
écoles primaires des grandes villes.

*Les universités.* — Les universités françaises sont très
différentes des universités américaines. Elles ne donnent
qu'un enseignement vraiment supérieur et ne s'adressent qu'à
une élite. Tous les professeurs y font des cours, aucun ne fait
des classes. Les professeurs et les élèves ne s'y connaissent
pas ou ne s'y connaissent que rarement; de même les professeurs entre eux et les élèves entre eux, car il n'y a pas de vie
universitaire dans le sens où ce mot est entendu en Amérique.
Il n'y a ni « fraternities » ni « sororities » ni équipes de sport,
ni musique, ni orphéon, ni journal universitaire. Pire que
tout cela — il n'y a pas d'hymne universitaire, ni même de
cri universitaire. Mais d'autre part, on n'y fait pas l'appel,
on n'y récite pas ses leçons, on n'y donne pas de notes et,
bonheur suprême ! les examens y sont très rares et personne
n'est obligé de les subir à moins qu'il le veuille bien. Un
étudiant est simplement un homme ou une femme dont l'occupation est d'étudier. Il fait ce qu'il veut, il demeure où bon lui
semble. Il s'inscrit quand il veut, se présente aux examens
quand il se sent suffisamment préparé, et s'il a droit à un diplôme, il se présente au Secrétariat pour le recevoir. Sauf
pour l'École de Médecine et quelques cours techniques,
l'étudiant vient au cours quand cela lui plaît, et il n'y va pas
s'il préfère rester chez lui ou faire autre chose. Naturellement, s'il ne suit pas les cours et ne fait pas les travaux ré-
glementaires, il pourra rester vingt-cinq ans à l'université
sans jamais avoir le diplôme. Mais ici une remarque est
nécessaire. C'est qu'en France ne vont à l'université que les
jeunes gens réellement désireux d'apprendre. En outre, les
examens qui sont moitié écrits et moitié oraux et toujours
donnés par un jury d'au moins trois professeurs, sont si

sévères qu'un étudiant qui n'aurait pas suivi régulièrement les cours et fait tous les travaux indiqués n'aurait pas la moindre chance de succès.

***Les étudiants.*** — Autrefois les étudiants d'université formaient une caste à part. Ils s'habillaient de façon particulière, arboraient des bérets ou des coiffures excentriques, mettaient un point d'honneur à paraître négligés: longs cheveux, barbiches sales, cravates énormes à nœuds lâches, pantalons bouffants et disgracieux. Ils affectaient une allure de bohème et, à la mode romantique, s'ingéniaient à faire montre de pensées macabres. Ils étaient ardemment mêlés à la vie sociale de la ville et à la vie politique du pays. Toute l'histoire de Paris est pleine de récits où les étudiants tiennent des rôles importants. Leurs traditions, leurs coutumes bizarres et leurs fêtes bruyantes ont inspiré des peintres, des romanciers et des conteurs. A la Sorbonne, un grand panneau nous peint le départ des étudiants pour la foire du Lendit, à St-Denis.[1] Cette foire qui avait lieu en octobre avait un caractère particulier: on y vendait le parchemin pour les travaux des étudiants. Ils s'y rendaient en bruyant cortège: les plus riches à cheval, les autres à pied ou sur des ânes, semant le bruit, la gaieté, la terreur quelquefois aussi, sur leur parcours. La foire du Lendit a subsisté, mais où sont les joyeux « escholiers » d'antan ! Graves et compassés, ils dédaignent à présent les boniments des saltimbanques, et les bonbons et gâteaux populaires sur lesquels leur gourmandise jamais inassouvie se jetait autrefois.

Ils rendaient les villes universitaires: Paris, Montpellier, Orléans, bruyantes et animées. La police y était sévère, les ordonnances royales contre les turbulences et les excès des étudiants pleuvaient, mais ceux-ci en faisaient fi. Une de leurs coutumes, dangereuse autrefois, existe encore à l'état de manifestation le plus souvent joyeuse, en tout cas inoffensive; c'est le « monôme ».

[1] A douze kilomètres de Paris.

La Fête du Lendit au XVᵉ siècle, d'après Weerts

*Le monôme.* — Un monôme est constitué par une longue
file d'étudiants, qui marchent en rangs serrés les uns derrière
les autres, chacun appuyant ses deux mains sur les deux
épaules de celui qui le précède. Autrefois le monôme se ruait
à l'assaut de la Sorbonne ou d'autres bâtiments universitaires,
à travers les rues, les places et les boulevards, hurlant des cris
séditieux, enfonçant les devantures des boutiques, renversant
les passants et même les voitures; ceci sous les prétextes les
plus futiles et pour cacher souvent une rapine organisée. Car
les étudiants étaient pauvres et leurs moyens d'existence pré-
caires et quelquefois pas très honnêtes. A présent le monôme
a un véritable caractère de manifestation corporative. Cependant il arrive quelquefois que les étudiants (surtout ceux
qui appartiennent aux partis politiques conservateurs ou
réactionnaires), mécontents d'un professeur ou d'un règlement
nouveau, essaient de retrouver leur virulence d'autrefois. Ils
se mettent en grève, entrent en lutte avec la police et la garde
républicaine et commettent des excès et des déprédations. Ce
sont des faits de plus en plus rares et dus à des circonstances
tout à fait exceptionnelles. En général, les étudiants sont
pacifiques, et respectent la liberté et la propriété d'autrui.

On ne peut pas affirmer cependant que l'étudiant d'aujour-
d'hui soit totalement différent de l'escholier de jadis. Sans
doute a-t-il l'esprit plus pratique et a-t-il les aspirations et les
ambitions caractéristiques de notre temps, mais il s'appuie
toujours sur les traditions d'antan. Il les modernise, il est
vrai, mais il les aime profondément et en respecte l'essence.
Ce qu'il a corrigé en elles surtout, ce qu'il abandonne, ce sont
les manifestations débordantes et intempestives, mais son
esprit est toujours un esprit de novateur et d'apôtre, et son
cœur est aussi vibrant que celui de ses ancêtres qui partici-
pèrent à la grande Révolution ou à celle de 1848 et que
Victor Hugo a immortalisés dans *Les Misérables*. Ses études
et les manifestations de la vie de son milieu n'épuisent pas sa
vive curiosité. Son intérêt se porte sur toutes les questions

nationales et mondiales, qu'il discute passionnément avec ses amis, et sur lesquelles il se documente par de nombreuses lectures.

D'autre part, l'étudiant français ne cultive presque jamais, à l'Université, cette camaraderie qui unit pour la vie les élèves des universités et collèges américains. Les relations entre étudiants sont comparables à celles qui existent ordinairement entre gens exerçant une même profession. Même là où une camaraderie existe réellement, elle n'est pas personnelle, mais est fondée sur un idéal professionnel commun et sur l'émulation. De même ils ne s'attachent pas à leur université comme les étudiants américains à la leur. Ils semblent à peine se souvenir du lieu où ils ont étudié. Car ils vont au cours comme on irait à une conférence publique, et aussitôt après, ils rentrent chez eux. Les relations entre professeurs et élèves sont comparables aussi à celles d'un conférencier en tournée et de son auditoire d'occasion.

*Les cours.* — Le professeur et les élèves n'entrent ni ne sortent par la même porte, et à ce sujet voici la coutume très ancienne qui préside aux cours universitaires. Le professeur, vêtu d'un costume sombre et d'une cravate sombre, col dur empesé, est introduit dans la salle de conférences par l'appariteur, personnage imposant en uniforme sombre à boutons de nickel, ayant en mains un plateau chargé de la carafe et du verre d'eau traditionnels. Ce même personnage a également la mission de reparaître à la petite porte placée derrière l'estrade lorsque l'heure de la conférence est écoulée pour rappeler, par sa présence, au professeur et à l'auditoire que le cours doit se terminer.

*Dans les Grandes Écoles.* — Dans les universités proprement dites [1] il n'y a pas de « classes ». Un étudiant est sim-

---

[1] La constitution des différentes universités n'est pas identique, mais elles comprennent toutes des établissements des types suivants: Faculté de Droit, Faculté des Lettres, Faculté des Sciences, Faculté de Médecine, Faculté de Pharmacie.

plement un étudiant et personne ne se préoccupe de savoir s'il est élève de première ou de quatrième année. Mais il en est un peu autrement dans les grandes écoles spéciales. Dans ces écoles, les élèves de première année s'appellent « bizuths » ou « conscrits », ceux de seconde année, les « carrés », ceux de troisième année les « cubes », et ceux de quatrième année, les « bicas ». « Carrés » et « cubes » sont des « puissances ».

Ces distinctions remontent à des traditions du moyen âge où les étudiants jouissaient de tant de privilèges qu'avant de pouvoir se parer du titre d'étudiant il fallait subir une sorte de noviciat. Ce noviciat s'appelait « béjaunage » chez les étudiants en médecine et durait un an. La déférence que les béjaunes devaient à leurs anciens les obligeait à certaines fonctions serviles: ils essuyaient les tables et convoquaient les assemblées; dans les réunions ils restaient debout et tête nue, tandis que les anciens étaient assis et coiffés de leur toque; ils ne prenaient pas part aux délibérations et s'ils commettaient l'imprudence de rompre le silence, on leur appliquait deux coups de férule.[1] En toutes circonstances ils cédaient la place aux anciens et, l'hiver, ils ne pouvaient s'approcher du feu que si toutes les places proches du foyer n'étaient pas occupées par des anciens. Le commencement et la fin du béjaunage étaient marqués par des cérémonies spéciales dont on retrouve des vestiges encore aujourd'hui. C'est ainsi qu'à l'École des Beaux-Arts les « nouveaux » sont passés par toutes sortes d'épreuves qui ne le cèdent en rien aux meilleures traditions américaines.

***Coutumes des Centraux.***[2] — A l'École Centrale des Arts et Manufactures, quelques jours après la rentrée d'octobre a lieu le « chahut d'entrée ». Les « bizuths », revêtus de leurs blouses, sont peints, repeints de façon horrible ou grotesque par les élèves de 2e année ou « carrés ». La direction, indul-

---

[1] U. Cabanès, *Mœurs intimes du Passé.*
[2] Élèves de l'École Centrale des Arts et Manufactures.

gente, met ensuite à leur service savons, brosses et réconfortants.

***Chez les X.***[1] — A l'École Polytechnique, il y a une quarantaine d'années, la cérémonie du « bahutage », ou les brimades, durait plusieurs jours et les « conscrits » en sortaient harassés, meurtris, souvent malades.   La direction de l'École dut prendre des mesures.   L'entrée des nouveaux à l'École pré-

Un bizuth peint par les anciens
(*Voir légende p. 217*)

cède de quelques jours la rentrée des anciens;  les premiers sont déjà habitués à leur nouvelle vie, installés, et peuvent mieux déjouer les brimades.  Tout se borne à présent à un « chahut » inoffensif.  Le « major » des conscrits, c'est-à-dire l'élève reçu le premier dans la nouvelle promotion, doit monter sur un billard pour prononcer un discours souvent interrompu par les hurlements de l'assemblée.  Puis les anciens s'assemblent pour la lecture des « côtes », rite qui consiste en ceci: tous ceux qui dans leur année de préparation se sont signalés par quelque singularité de façon ou de caractère sont appelés tour à tour à monter sur le billard et là, les mains

[1] Élèves de l'École Polytechnique.

collées à la couture du pantalon, ils subissent la lecture d'un petit factum, le plus souvent fort drôle où leur personnalité est quelque peu écorchée.

Le monôme à l'École Polytechnique a une particularité amusante: c'est que les nouveaux y portent leur veste retournée du côté de la doublure. De place en place, les anciens postés sur le parcours du monôme et approvisionnés de pots de peinture noire, rouge ou jaune dispensent ces couleurs sur les « conscrits » qui ne montrent pas assez d'entrain. Enfin, les deux promotions, c'est-à-dire les élèves de 1${}^{re}$ année et ceux de 2${}^{me}$ année, se fondent et le labeur commence. La gaieté le rend plus facile; un langage particulier aux Polytechniciens, aux X., le consacre. Ce langage, l'argot de l'X., est inspiré par les mathématiques: le plancher s'appelle un « géométral »; l'élève étranger, une « constante »[1]; l'épée, une « tangente », etc... Parmi les farces classiques en honneur à Polytechnique est celle qui consiste à réveiller le dormeur en étude en allumant une feuille de papier sous sa chaise.

Mais le 4 décembre arrive, fête de sainte Barbe, patronne des artilleurs et des Polytechniciens. Malheureusement sa fête n'est pas officiellement reconnue par l'Administration de l'École, et les élèves en sont réduits à la célébrer en cachette, sans rien changer à leurs travaux journaliers.

Dans la matinée du 4 décembre, quelques minutes avant midi, on entasse sur la table tous les tabourets de la salle d'étude. Le « crotale » ou « serpent », ou chef de salle, se glisse à genoux au-dessous de l'échafaudage, et au premier coup de l'horloge, se relevant brusquement, il envoie rouler au loin tous les sièges massifs, imitant ainsi sur le parquet sonore, en l'honneur de sainte Barbe, la détonation du canon. Faisons remarquer que, pour se mettre à l'abri de ces projectiles d'une nouvelle espèce, les camarades de la salle ont la précaution de se réfugier sous d'autres tables. La même cérémonie ayant lieu simultanément dans toutes les salles

[1] Parce que les élèves étrangers ne portent pas l'épée, la « tangente ».

d'étude, qui sont au nombre de cinquante ou soixante, le tapage est assez formidable. On espère sans doute qu'ainsi il arrive jusqu'aux oreilles de la sainte, au ciel. Puis, le soir venu, les portes de l'École étant closes, les X. sortent de leurs dortoirs en tapinois, sautent le mur et vont rendre visite aux « taupins »[1] du lycée Louis-le-Grand, endormis dans leurs dortoirs. Les autorités compétentes ferment les yeux et n'interviennent que si les brimades dépassent vraiment la mesure. Réveillés, un peu bousculés par leurs futurs condisciples, les lycéens aiment cette coutume qui les avance de quelques mois, leur semble-t-il, dans la réalisation de leur rêve: la vie à l'École Polytechnique. Et ce que nous disions plus haut à propos de la camaraderie universitaire, doit être démenti en ce qui concerne l'École Polytechnique. La solidarité entre les X. est très étroite et malgré les différences d'âge et de situation, elle règne inattaquable entre tous ceux qui ont fait partie du célèbre établissement.

Une très jolie légende et une gracieuse superstition règnent en souveraines parmi eux, et les voici:

Berzélius, un professeur suédois, faisait aux Polytechniciens réunis dans l'amphithéâtre un cours de physique. Un petit moineau était sous la cloche pneumatique et, haletant, semblait implorer la pitié de tous ces jeunes yeux braqués sur lui. Ses cris de détresse s'étaient changés en appels plaintifs et suppliants. Haletants, les Polytechniciens l'étaient aussi, et comme le pauvre volatile semblait près d'expirer, tous, suppliant à leur tour le professeur, interrompirent le martyre de l'oiseau. Il s'en fut à tire-d'aile par la fenêtre ouverte, s'égosillant en cris de reconnaissance et de joie. Depuis, les Polytechniciens assurent que lui, ou plutôt un de ses arrière-petits-fils, surveille, le soir des jours de congé, l'horloge de l'École. Dès que dans la rue déserte il aperçoit un Polytechnicien qui se hâte, car l'heure va sonner, il se suspend à l'aiguille, arrêtant de son frêle poids la marche inexorable du temps.

[1] On appelle ainsi les élèves des classes de mathématiques spéciales.

*Les examens.* — Au moyen âge, comme aujourd'hui, les examens étaient toujours suivis de réjouissances quelquefois même exagérées. Les étudiants se répandaient ces jours-là tumultueusement dans les rues, cherchaient querelle aux bourgeois et à la garde, illuminaient les maisons qu'ils habitaient ou les tavernes qu'ils fréquentaient. Comme autrefois, et mise à part l'exagération de ripaille à laquelle se livraient les étudiants du moyen âge, les élèves des grandes Écoles, les étudiants des Facultés aiment à se réunir à la fin de l'année scolaire dans de joyeux banquets, où les nouveaux promus sont fêtés, acclamés. Une « cagnotte » [1] laborieusement amassée tout le temps de l'année d'études, en fait ordinairement les frais.

Une coutume bizarre se pratiquait, il n'y a pas très longtemps encore, aux examens du baccalauréat. C'était le temps où régnaient porte-plumes et encriers à présent détrônés par les stylos. Or, à la fin des examens écrits, les candidats au baccalauréat, pour bien signifier qu'ils avaient joué leur dernier atout et mis le point final à leurs compositions, cassaient, au sortir des salles d'examens, leurs encriers sur les murs extérieurs des Facultés. A Paris, la façade de la Sorbonne était ces jours-là abominablement tâchée d'encre et le trottoir et les escaliers qui y acheminent jonchés de débris de verre.

Une variante de cette coutume subsiste encore tout près de l'École Militaire où les candidats à l'École Polytechnique font les épreuves écrites de la première partie de l'examen. Après l'épreuve de dessin, ils vont tous en cortège jeter leurs cartons dans la Seine toute proche, du geste décidé avec lequel on se débarrasse d'un objet désormais inutile !

[1] Somme recueillie par de petites contributions.

# LÉGENDES

### Un lit-clos en Bretagne

Après le repos de la nuit, on sort de son lit-armoire à étages. Les jeunes sont au premier; les vieux au rez-de-chaussée; ainsi chacun est chez soi pour dormir. Le coffre en bois, merveilleusement sculpté, sert d'escabeau.

### Un âne en chape

Cette sculpture orne une église de France. C'est évidemment un souvenir de la Fête de l'Ane. Le sculpteur naïf du XII° siècle qui a fixé ce souvenir a su donner à son œuvre le caractère grave et ironique qui convenait.

### L'Arbre aux Vipères de la Saint-Jean

Tandis que les jeunes gars du pays veillent à ce que les vipères n'échappent pas à l'hécatombe, des fiancés mettent leur futur bonheur sous l'égide de saint Jean.

### Une procession de Fête-Dieu en Alsace

Les tabliers brodés, et les grands nœuds de coiffure sont la caractéristique du costume régional féminin. Deux des petites filles ont encore les nattes blondes de la coiffure traditionnelle; les autres portent les cheveux courts.

### La visite au cimetière en Lorraine

Remarquez les croix doubles, dites croix de Lorraine.

### Hans Trapp et Christkindel en Alsace

Avant même de franchir le seuil de la maison, Hans Trapp menace de sa canne les deux polissons qui n'ont à espérer que des châtiments. Une fillette qui sait d'avance qu'elle sera complimentée et récompensée par Christkindel sourit dans l'embrasure de la porte.

### Berceuse bretonne

Devant le lit-clos, le berceau sculpté est installé sur le coffre et l'aïeule a tâche de le secouer pour endormir le petit récalcitrant.

## Les présents aux mariés

C'est un nouveau ménage de paludiers qui reçoit ses cadeaux de noces; cadeaux de première nécessité et de toute rusticité aussi. Les joueurs de binious ont accompagné les donatrices qui chantent et dansent en présentant leurs cadeaux.

## Le pot de grès

La mariée suit les péripéties du jeu avec intérêt, tandis que le marié, en costume de cérémonie et son chapeau sur la tête, grille de montrer son adresse et sa force. Mais ce n'est plus son tour.

## Les Noces d'or en Limousin

Voici la sortie de l'église des « novis » (mariés) qui célèbrent leurs noces d'or. Derrière eux marchent leurs enfants. La mère seule a été fidèle au « barbichet », la coiffure régionale.

## Le Dernier Retour, d'après H. Berteaux

On est en Bretagne et le chemin qui mène à l'église du bourg longe la mer et traverse la lande rocheuse. Le convoi a gravi péniblement la falaise, grossi de tous ceux que l'on rencontre et qui accompagnent le défunt avec leurs vêtements et leurs outils de travail. Les bœufs patients et lents traînent une dernière fois leur maître qu'ils ont si souvent ramené après la dure journée de labour: cette fois c'est le *dernier retour* vers le repos et la paix. Près du cercueil marche la veuve en longs vêtements de deuil et courbée par la douleur. Le peintre a très probablement saisi l'instant où le convoi se remet en marche après une pause, car dans le cortège qui s'ébranle, une femme en coiffe est encore à genoux.

## Le mât de Cocagne

C'est un des jeux les plus populaires des fêtes de village. A la prouesse glorieuse de grimper aussi haut que possible sur le tronc flexible se joint aussi le plaisir de récolter la-haut quelque récompense, le plus souvent gastronomique.

## La procession de la Tarasque

Aux côtés de la bête monstrueuse marche une jeune Tarasconnaise symbolisant sainte Marthe. Elle la conduit par un ruban attaché dans la gueule et fixé au légendaire petit bâton qui dompte l'animal. Remarquez les yeux fulminants de la Tarasque; ils sont mobiles et mus par les hommes cachés à l'intérieur de la carapace.

## Scala Sancta à Rocamadour

Rocamadour est le plus ancien pèlerinage de France. L'escalier qui monte à la chapelle miraculeuse est taillé dans le roc et domine à pic une vallée profonde et encaissée. Les pèlerins gravissent à genoux l'escalier sacré, récitant à chaque marche un *Ave Maria*.

## Le fandango basque

Les jeunes hommes ont gardé pour la danse le béret national; mais les danseuses portent des jupes courtes et des talons hauts. Leur entrain se réveille endiablé dans la danse alerte du fandango. La brise de la mer se mêle au grand souffle venu des cimes pyrénéennes pour exciter les danseurs.

## Le cortège de la gerbe

Sur le chemin soi-disant balayé et dans une apothéose de poussière s'avance le joyeux cortège. Les batteurs au fléau l'escortent et le vanneur commence à semer les grains qui tombent de la dernière gerbe pour attirer la chance sur la future récolte.

## Le Limagner et sa hotte

Elle ne s'emploie du reste pas qu'aux vendanges; le Limagner ne se sépare guère de sa hotte. On raconte que dans cette région un touriste eut un jour une lettre urgente à faire porter à un bureau de poste éloigné de 3 kilomètres. Le messager se présenta, sa hotte au dos. Il prit la lettre, la soupesa, posa sa hotte à terre, y enfouit la lettre, rechargea sa hotte et partit. Arrivé au bureau de poste, il refit gravement le même cérémonial pour décharger sa hotte et s'acquitter de sa mission.

## Pêcheuses normandes

La vie est dure pour celles-ci qui pêchent des moules et des crevettes sur les rives de la Manche houleuse et froide. Leur air renfrogné peint assez le pénible métier.

## Dans la Boutique du Barbier, d'après Brouwer (Musée de Munich)

Le barbier-chirurgien fait une incision au pied d'un paysan, pendant que sa femme prépare l'emplâtre; au fond un autre client se fait raser.

### Vieille enseigne d'un droguiste

Voici une enseigne tout à fait symbolique: l'apothicaire est représenté par un mouton débonnaire: ni soins brutaux, ni soins douloureux ne seront débités dans son officine; mais des onguents savamment pilés et amalgamés dans ce mortier, encore employé aujourd'hui dans les laboratoires pharmaceutiques.

### Un bizuth peint par ses anciens

Les anciens l'ont consciencieusement barbouillé de plâtre et « saupoudré » de plumes.

# BIBLIOGRAPHIE

Les livres et les périodiques suivants nous ont été d'un grand secours dans la préparation de cet ouvrage:

## LIVRES:

A. Bernardi, *Le Berry* (H. Laurens, Paris).

P. Berret, *Le Dauphiné* (H. Laurens, Paris).

A. Le Braz, *Au Pays des Pardons* (Calmann-Lévy, Paris).

L. Bréhier, *L'Auvergne* (H. Laurens, Paris).

Docteur Cabanès, *Mœurs intimes du passé* (A. Michel, Paris).

J. Calmette et H. Drouot, *La Bourgogne* (H. Laurens, Paris).

G. Claris, *Notre École Polytechnique* (Librairie et Imprimerie réunies, Paris).

F. Chapiseau, *Folk-lore de la Beauce et du Perche* (J. Maisonneuve Frères, Paris).

C. Daugé, *Le Mariage et la Famille en Gascogne* (A. Picard, Paris).

A. Franklin, *Dictionnaire historique des Arts, Métiers et Professions* (H. Welter, Paris). — *La Vie privée d'Autrefois* (Plon-Nourrit, Paris).

J. G. Frazer, *The Golden Bough* (The Macmillan Co).

E. Gaspard, *Fêtes de Famille et Fêtes publiques en France* (Velhagen et Klasing, Leipzig).

B. Gastineau, *Le Carnaval* (Havard, Paris).

G. Gazier, *La Franche-Comté* (H. Laurens, Paris).

P. Gruyer, *Les Fontaines bretonnes* (H. Laurens, Paris). — *Chapelles bretonnes* (H. Laurens, Paris).

Ch. Le Goffic, *Fêtes et Coutumes populaires* (A. Colin, Paris).

H. Guerlin, *La Touraine* (H. Laurens, Paris).

J. K. Huysmans, *Les Foules de Lourdes* (Plon-Nourrit, Paris).

P. Kauffman, *Costumes et Coutumes régionalistes de France* (Alsatia, Colmar, Haut-Rhin).

P. Lacroix, *Le dix-septième siècle* (Firmin Didot, éditeurs).

Laisnel de la Salle, *Le Berry: Croyances et Légendes* (J. Maisonneuve, Paris).

H. Lapaire, *Les Légendes berrichonnes* (J. Gamber, Paris).

J. Nouillac, *Le Limousin et la Marche* (H. Laurens, Paris).

A. Parmentier, *Les Métiers et leur histoire* (A. Colin, Paris).

J. de Pesquidoux, *Chez nous* (Plon-Nourrit, Paris).

H. Pourrat, *Ceux d'Auvergne: Types et Coutumes* (Horizons de France, Paris).

H. Prentoux, *La Normandie* (H. Laurens, Paris).

A. Rambaud, *Histoire de la Civilisation française* (A. Colin, Paris).

E. Ripert, *La Provence* (H. Laurens, Paris).

P. Sébille, *Coutumes populaires de la Haute-Bretagne* (J. Maisonneuve, Paris).

G. Sevrette, *Les vieilles Chansons des Pays de France* (A. Colin).

Ch. Spindler, *Ceux d'Alsace: Types et Coutumes* (Horizons de France, Paris).

P. Vachet, *Lourdes et ses Mystères* (La Revue de l'Université, Paris).

Ch. Verecque, *Histoire de la Famille* (Giard et Brière, Paris).

G. Vuillier, *La Danse* (Hachette, Paris).


PÉRIODIQUES:


Collections des « Annales ».

Collections de « l'Illustration ».

Collections de « la Tradition ».

Collections de la « Revue des Traditions populaires ».

# MUSIQUE

## L'AGUILANEUF

La part à Dieu On vous la de-man-de, S'il vous plaît, don-nez-nous du pain! Nous som-mes sans feu et sans flam - be, Nous trem-blons de froid, nous mou-rons de faim. Si vous n'a-vez rien à nous don-ner Ne nous fai-tes pas at-ten-dre, Car nous a-vons ail-leurs al - ler Pour ra-mas-ser nos ren-tes, Nos ren-tes et nos re-ve-nus. Don-nez-nous la Guil-lon-nu, Guil-lon-nu et Guil-lon-

net - te, Un p'tit mor-ceau de ga - let - te, Guil-lon -

nu et Guil-lon-neau Un p'tit mor-ceau de gâ - teau!

## NOËL TOURANGEAU

On en-tend par-tout ca-ril-lon, Sur les monts de Ju -

dé - e, An-non-çant du roi de Si-on En

ter-re l'ar-ri-vé - e, Que nous a pro-duit, ce dit -

on, La Vier-ge, Mère du Pou-pon, En -

vi-ron l'heu-re de mi-nuit Bé-no-ni. Sans

lui le monde au-rait pé-ri, Cher a-mi!

## MARCHE DES ROIS MAGES[1]

De bon ma - tin J'ai ren - con - tré le

train De trois grands Rois qui al - laient en voy -

a - ge. De bon ma - tin J'ai ren - con - tré le

train De trois grands Rois des - sus le grand che -

min. Ve - naient d'a - bord Des gar - des du

corps, Des gens ar - més a - vec tren - te pe - tits

pa - ges. Ve - naient d'a - bord Des gar - des du

corps Des gens ar - més des - sus leurs jus - tau

corps. Puis sur un char Do - ré de tou - tes

[1] Paroles d'Alphonse Daudet, musique de Georges Bizet.

parts, On voit trois Rois mo - des - tes com - me

d'an - ges. Puis sur un char Do - ré de tou - tes

parts, Trois Rois de - bout par - mi les é - ten - dards!

## LE MOIS DE MAI

Tri - mou - sett', C'est le Mai, mois de Mai, C'est le

jo - li mois de Mai. En re - ve -

nant de - dans les champs, En re - ve - nant de - dans les

champs, A - vons trou - vé les blés si grands, La blanche é -

*Largement*

pi - ne flo - ris - sant, De - vant Dieu. C'est le

Mai, mois de Mai, C'est le jo - li mois de Mai.

## FARANDOLE

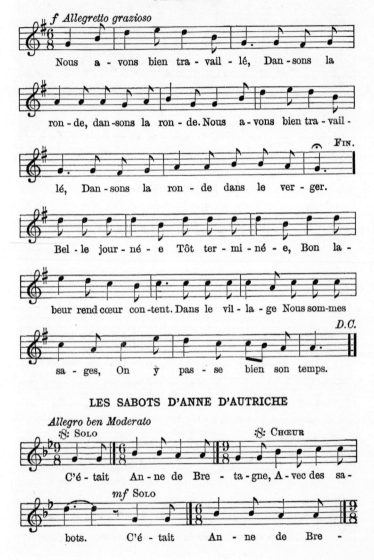

*f Allegretto grazioso*

Nous a - vons bien tra - vail - lé, Dan - sons la

ron - de, dan - sons la ron - de. Nous a - vons bien tra - vail -

Fin.

lé, Dan - sons la ron - de dans le ver - ger.

Bel - le jour - né - e Tôt ter - mi - né - e, Bon la -

beur rend cœur con - tent. Dans le vil - la - ge Nous som - mes

D.C.

sa - ges, On ÿ pas - se bien son temps.

## LES SABOTS D'ANNE D'AUTRICHE

*Allegro ben Moderato*

:S: Solo                          :S: Chœur

C'é - tait An - ne de Bre - ta - gne, A - vec des sa -

*mf* Solo

bots. C'é - tait An - ne de Bre -

:S: Chœur — Solo

ta - gne, A - vec des sa - bots, Re - ve -

:S: Chœur

nant de ses do - mai - nes, En sa - bots mir - li - ton -

cresc. — ff — enchaînez

tai - ne, Ah! ah! ah! Vi - ve les sa - bots de bois!

## LE RENOUVEAU

C'est le temps où la ber - gè - re Fi - le sa que -

nouille aux champs. Je la vois pas - ser lé - gè - re

Quand re - naît le beau prin - temps. Elle em - mè - ne ses ou -

ail - les, Ses mou - tons tou - jours bê - lants, Et l'on voit sur

les brous - sail - les Des flo - cons de lai - ne blancs.

## QUELQUES CRIS DE PARIS

Pois verts, pois verts, pois verts! . .

Ha - ri - cots verts et tendres Ha - ri - cots!

Voi - là l'plai - sir, Mes-dames, voi - là l'plai - sir!

Sar - din's de Nantes, Sar - din's nou - velles!

Al - lons, Mes-dames les mé - na - gères, Ach' - tez - moi des

tripes pas trops chères; Toutes chaudes les tripes!

Goû - tez les tripes. V'là l'mar - chand d'tripes.

De - scen - dez vos plats, vos as - siettes et de l'ar -

gent, et vous au - rez des tripes à la mod' de Caen!

Goû - tez les tripes, tout' chaudes les tripes, V'là l'marchand d'tripes.

Du mou - rons pour les p'tits oi - seaux!

## LA FÊTE DU HAMEAU[1]

C'est la fê - te du ha - meau. Ga - lou - bet, cha - lu - meau,

Ré - son - nez au vert co - teau! Chan - te, doux pi - peau!

Le - vons-nous a - vec l'oi - seau Qui ja - cas - se sur l'or-meau!

Cé - lé - brons ce jour si beau Par un chant nou-veau.

[1] Extrait de *Chante, Jeunesse.* (Librairie Payot. Lausanne.)

## LES CORNEMUSEUX

Is sont trois cor - ne - mu - seux, Qui tra - ver - sont la
vil - le, Ra - me-nant les é - pou-seux De l'é - gli - se chez
eux.    Les mu - set - tes qu'ont de blancs ri - bons
En leur hou-neur en - ton - nent Tous leux vieux airs, leux
plus jo - lis chants, A la joi' des pas-sants.

# VOCABULAIRE

From this Vocabulary are omitted a number of words with which the student reading the book can reasonably be expected to be familiar or which he should be able to deduce from the context.

## A

**abaisser** to lower; reduce

**abatage** *m.* slaughter, killing

**abattre (s')** to fall (upon), burst

**abeille** *f.* bee

**abîmer** to swallow up

**aboli,** –e bygone

**abord (d'): tout d'—,** at first, first

**aborder** to land; accost, speak to; take up

**aboutissement** *m.* happy outcome, end

**abrégé** *m.* epitome

**abreuver (s')** to drink, quench one's thirst

**abri** *m.* shelter, refuge; **à l'— de** sheltered from; *see* **mettre**

**abriter** to shelter

**abstinence** *f.* abstinence (*here, refraining from eating meat*)

**accéder** to reach; have access to

**accent** *m.* tone, sound

**accentuer (s')** to be accentuated, become noticeable

**acception** *f.* sense, meaning

**accès** *m.* access, fit; admittance

**accident** *m.:* **— de terrain** unevenness of the ground

**acclamer** to acclaim, cheer

**accommodement** *m.* arrangement

**accompagnement** *m.* attendance

**accord** *m.* agreement; chord, sound, tune, strain, tone; friendship; **de commun —,** by common agreement; **en —,** in harmony

**accordé,** –e *m. & f.* bridegroom, bride; *pl.* betrothed couple

**accorder** to grant; unify; tune; **s'—,** agree; grant oneself

**accort,** –e pleasing, affable

**accourir** to come, hasten; gather

**accoutumé,** –e usual, accustomed, customary

**accrocher** to hang, fasten, hook (on)

**accroître** to increase

**accueil** *m.* welcome

**accueillir** to welcome, receive, greet; accept, adopt

**acéré,** –e sharp, pointed

**achalander** to patronize

**acharné,** –e stubborn, vigorous; set against, intense, furious, fierce, implacable

**achat** *m.* purchase

**acheminement** *m.* progress, step

**acheminer** to lead; **s'—,** set out, walk, proceed

**acheteur** *m.* buyer, purchaser

**achèvement** *m.* conclusion

**achever** to finish

**acquitter (s')** to fulfill

**acte de naissance** *m.* birth certificate

**action de grâces** *f.* thanksgiving

**activer (s')** to busy oneself

**actualité** *f.* thing of the day

**actuel,** –le modern, present, present-day

**actuellement** at present

**adepte** *m. & f.* follower

**adjoindre** to add; **s'—,** join to oneself

adjoint *m.* assistant

adjurer to call upon, beseech

administration *f.* government office *or* department; executives

administrer to give

adorer to worship

adosser to place *or* lean against

adoucir to soften, soothe; s'—, become less rigorous

adoucissement *m.* softening; consolation; relief

adresse *f.* skill, cleverness, dexterity; à l'— de directed to, intended for

adresser (s') to be designed

adroitement cleverly

advenir to happen, become

aérer to air, ventilate

affaiblir (s') to weaken, be weakened

affaire *f.* affair, business; avoir — à to have to deal with

affairer (s') to busy oneself

affamé, –e hungry

affecter to simulate; assume

affiche *f.* poster, bill; placard

afficher to post

affirmer to state, declare; s'—, gain strength, become popular

affluence *f.* crowd

affluer to flock, rush

affranchir to free, liberate

affront *m.* insult

affronter to face, dare, brave

afin: — de in order to; — que so that

âge *m.:* moyen —, Middle Ages

agencer to contrive, arrange

agenouiller (s') to kneel down

agglomération *f.* town

agir to act; il ne s'agit pas one must be careful; il s'agit it is necessary; it is a question of; s'— de be a question of

agitation *f.* excitement, surging

agiter to agitate, stir, shake; ring; s'—, exert oneself; hurry

agneau *m.* lamb

agonisant, –e dying; *m. & f.* dying person

agréer to accept, approve, consent; receive

agrément *m.* pleasure

aguilaneuf *see note on page* 4

aïeul, –e *m. & f.* grandfather, grandmother

aïeux *m. pl.* grandparents, ancestors

aigu, –ë sharp, high-pitched

aiguière *f.* ewer

aiguille *f.* needle; hand (*of a clock*)

ail *m.* garlic

aile *f.* wing

ailleurs elsewhere; else; d'—, besides, however

aîné: le fils —, eldest son

air *m.* air; tune; en plein —, in the open, outdoors

airain *m.* brass

aisance *f.* comfort, ease; avoir de l'—, to be well off

ajouré, –e pierced, laced, latticed

ajouter to add

alentour around, about; d'—, neighboring; *m. pl.* surrounding country, vicinity

alerte quick, brisk

aliéné, –e deranged, insane

alignement *m.* row, line

aligner to align, line up

aliment *m.* food, nourishment; — carné meat

alimenter to feed, supply

allécher to attract, entice

allée *f.* walk, path

alléger to lighten

allègrement cheerfully

allégresse *f.* mirth, joy

allier (s') to be united

allocution *f.* formal address, speech

allonger (s') to lengthen, grow longer; stretch out

allumer to light

allure *f.* gait, step, carriage, manner, appearance

alluvion *f.* flood deposit

alors: d'—, of that time; — que when, while

alouette *f.* lark

alsacien, –ne of Alsace

altérer to make thirsty; spoil

amabilité *f.* kind word

amalgamer to mix

amasser to amass, accumulate

amat–eur, –rice *m. & f.* lover, fancier; candidate; être — de to be fond of

ambiance *f.* surroundings

ambulant, –e traveling, walking, strolling

âme *f.* soul, person, spirit

améliorer to improve

aménagement *m.* furnishing

aménager to arrange, fit up

amener to bring (in *or* about)

amèrement bitterly

amertume *f.* bitterness

amonceler to pile up, gather, accumulate

amour *m.* love

amoureux *m.* lover

amour-propre *m.* pride, vanity; self-respect

amphigourique absurd, ludicrous

amphore *f.* pitcher; jug; vase

ampleur *f.* size

amplifier (s') to be extended

amulette *f.* amulet, charm

ancien *m.* elder, senior

ancienneté *f.* antiquity, age

ancre *f.* anchor

âne *m.* ass, donkey

anéantir to annihilate, destroy

ange *m.* angel

angle *m.* corner

angoissant, –e agonizing, distressing

angoisse *f.* anxiety

angoissé, –e anxious, distressed

anneau *m.* ring, link, circle

antan *m.* former days *or* times

anthrax *m.* carbuncle

antichambre *f.* hall

antienne *f.* anthem, song

apaisant, –e appeasing, calming

apaiser (s') to become quiet

apogée *m.* height

apostrophe *f.* insult

apostropher to call, address, exclaim

apôtre *m.* apostle

apparat *m.* great style, pomp, display, show, ostentation, pageantry; d'—, showy, splendid

apparenter (s') to be related

appariteur *m.* (university) beadle

appartenir to belong

appel *m.* call, calling; **faire l'**—, to call the roll

appétissant, –e inviting

appétit *m.* appetite, desire; **mettre en** —, to give an appetite; make eager

applaudissement *m.* applause

appliqué, –e fixed, attached

appliquer to apply

apport *m.* contribution; personal estate

apprenti *m.* apprentice

apprentissage *m.* apprenticeship

apprêter (s') to get ready

approprié, –e fitting, appropriate

approvisionner to supply; stock; s'—, get a supply

appui *m.* support, protector; **point** d'—, prop

appuyer to rest, lean against; s'—, lean upon *or* against, support

âpre austere, sharp, eager

après: d'—, from, according to

aptitude *f.* ability

araignée *f.* spider

arbitre *m.* referee

arborer to hoist; wear, put on; set up, erect; display

arbuste *m.* shrub, bush

arc de triomphe *m.* triumphal arch

arcade *f.* arch

archevêque *m.* archbishop

ardemment ardently

ardent, −e burning; *see* chapelle

aréopage *m.* areopagus, tribunal, jury, assembly

argenté, −e silvery

argentin, −e silvery, silver-toned

argile *f.* clay

argot *m.* slang

Arlequin *m.* Harlequin

arme *f.* weapon

armé, −e (de) provided (with), armed

armoire *f.* wardrobe, cupboard

armurier *m.* gun dealer

arracher to tear (from), pull (out), extract, remove, wrest, take (away), pick

arrêt *m.* stop; decree

arrêter (s') to stop

arrière: à l'—, in the back; en —, back, backward

arriéré, −e backward

arrière-petits-fils *m. pl.* great-grandchildren

arrière-saison *f.* end of autumn

arrivée *f.* arrival

arriver to arrive; happen; — à succeed in

arroger (s') to assume; arrogate

arroser to water, sprinkle

artère *f.* artery; street, thoroughfare

artilleur *m.* artilleryman

ascenseur *m.* elevator

asile *m.* shelter, refuge

asperger to sprinkle

aspersion *f.* sprinkling

assaillant *m.* aggressor

assaut *m.* assault, attack, storm; *see* prendre

assécher to drain

assiéger to besiege; crowd

assiette *f.* plate, dish

assises *f. pl.* assizes, court (session)

assistance *f.* company, public, audience, gathering

assistant *m.* one present, by-stander, spectator

assister to attend, be present; witness; help

assombrir to darken

assouplir to render supple

assourdir to deafen, muffle

assourdissant, −e deafening

assurer to insure, assure; assert; s'—, secure

astiquer to polish, burnish

astre *m.* star

atelier *m.* shop, workshop; — de couture women's tailoring shop

atout *m.* trump

âtre *m.* hearth, fireplace

attabler (s') to sit down (*to the table*)

attaquer to attack, begin (*vigorously*)

attardé, −e belated, late

atteindre to attack, fall upon, strike; reach, attain; être atteint suffer, be sick

atteinte *f.* attack; pang; *see* porter

attelage *m.* team

atteler to harness

attenant, −e adjoining

attente *f.* waiting, expectancy

attenti−f, −ve careful

atténuer to mitigate

attiédir (s') to lessen, weaken

attirant, −e attractive

attirer to attract, bring upon; s'—, draw to each other

attitré, −e experienced, regular

attrait *m.* attraction, charm

attraper to catch

attrayant, −e attractive

attribution *f.* function; province, department; power

aubade *f.* aubade, morning song

aube *f.* daybreak, dawn

auberge *f.* inn

au-delà beyond; l'—, life beyond

au-dessus above, over

auditoire *m.* audience

augmenter to increase

aumône *f.* alms

auparavant before, formerly

auréole *f.* halo, crown of glory; gladness

aurore *f.* dawn, daybreak

autant as many, as much, so many, so much; d'— plus all the more

autel *m.* altar; maître —, high altar

autrement otherwise, different; — dit in other words

autrui others

Auvergnat *m.* native of Auvergne

avaler to swallow

avancé, -e progressive, radical; late

avant *m.* front; à l'—, in front; en —, ahead, forward

avare miserly, avaricious; *m. & f.* miser

*Ave* Hail Mary (*prayer*)

avenant, -e charming, attractive, pleasing

avenir *m.* future

aventure *f.* adventure

avertir to warn, inform

avertissement *m.* warning

avide eager, greedy

avion *m.* airplane

avis *m.* mind, opinion

avocat *m.* lawyer

avoine *f.* oats

avoir to have; — beau in vain; — soin be careful

avoisinant, -e neighboring, nearby

## B

baccalauréat *m.* bachelor's degree

bachèlerie *f.* maidenhood

badaud, -e *m. & f.* idler, lounger

bagarre *f.* confusion, rush, hubbub

bague *f.* ring

baguette *f.* stick; rod; — magique wand

bahut *m.* trunk, chest

bahutage *m.* fagging; hazing

baie *f.* bay

baigner to bathe

baigneu-r, -se *m. & f.* bather

bain *m.* bath

baiser *m.* kiss

baiser to kiss

baisser to lower

bal *m.* ball, dance; — travesti masked ball

balai *m.* broom

balancement *m.* swinging

balancer to swing

balancier *m.* pendulum; balancing pole

balançoire *f.* swing

balayage *m.* sweeping

balayer to sweep

ballon *m.* ball, football

bambin, -e *m. & f.* infant, baby

bandelette *f.* band; bandlet

banlieue *f.* suburb, outskirts

bannière *f.* banner

bannir to banish

banquier *m.* banker

baptême *m.* christening, baptism

baptiser to baptize; call

baraque *f.* booth

barbe *f.* beard; à la — fleurie with the large beard; faire la —, to shave

barbet *m.* water spaniel

barbiche *f.* beard

barbier *m.* barber; —-barbant hair specialist

barbouiller to besmirch, blacken, daub

bariolé, -e variegated, of various colors

barque *f.* (small) boat

barrière *f.* barrier, rail; side

barrique *f.* cask

bas, -se low; tout —, in a low voice; —-clergé lower clergy

bas *m.* stocking

basilique *f.* basilica (*church*)

basse-cour *f.* farmyard

bassin *m.* valley, plain, hollow; basin

bataille *f.* battle, struggle; *see* livrer

bateau *m.* boat; — amiral flag-ship

batelier *m.* boatman

bâtir to build

bâton *m.* stick

batteur *m.* thrasher

battre to beat; dangle; — son plein be in full swing

baudet *m.* donkey

bavard, -e talkative

bavardage *m.* prattling, talk

bavarder to talk idly, chatter

bave *f.* foam, slaver

béant, -e gaping, open

beaucoup many, much; de —, by far

beau-père *m.* father-in-law

bec *m.* beak, bill; mouth

bégaiement *m.* stammering

béjaunage *m.* probation, apprenticeship

béjaune *m.* young bird, fledgling

bêlant, -e bleating

belle-mère *f.* mother-in-law

bénédiction *f.* blessing

bénéfice *m.* profit

bénéficier to benefit, profit (by)

bénévole benevolent

béni, -e blessed; happy

bénir to bless

bénisseu-r, -se of blessing, of benediction

bénit, -e blessed, consecrated

béquille *f.* crutch

berceau *m.* cradle

bercer to rock, swing

berceuse *f.* lullaby; rocker

béret *m.* béret, (round flat) cap

berg-er, -ère *m. & f.* shepherd, shepherdess

besogne *f.* task, work

besoin *m.* need, want

bestiaux *pl. of* bétail

bestiole *f.* little animal

bétail *m.* cattle, live stock

bête *f.* animal

beuglement *m.* lowing

beurre *m.* butter

beuverie *f.* drinking party

bibelot *m.* nicknack

bibliothèque *f.* library

bien well, many, quite; good (*fortune*); homme de —, man of character; tant — que mal more or less; *m. pl.* property, holding, possessions

bien-être *m.* welfare, enjoyment, well-being

bienfaisance *f.* charity, beneficence

bienfaisant, -e beneficent, kindly

bienfait *m.* benefit, favor, kindness

bienfait-eur, -rice beneficent; *m. & f.* benefactor

bienséance *f.* propriety

bienveillant, -e kindly, friendly

bière *f.* coffin

bijou *m.* jewel, piece of jewelry

billard *m.* billiard table

bille *f.* marble; ball

billet de faire part *m.* announcement (*of birth, death, or marriage*)

biniou *m. kind of Breton bagpipe*

bis twice, repeated

bise *f.* north wind, cold blast

bizarre strange, odd

blé *m.* wheat, grain

blême pale, wan

bleu, -e blue; — roi blue-black

bleuir to become blue

blottir (se) to lie hidden, crouch

bobine *f.* spool

bœuf *m.* ox, steer; beef; le — gras the fattened ox

bohème *m. & f.* tramp, gypsy

bohémien, -ne *m. & f.* gypsy, vagabond

bois *m.* wood

boisson *f.* drink

boiteu–x, –se lame; *m. & f.* lame person

bol *m.* bowl

bolide *m.* meteor

bombance *f.* revelry, feasting

bon: pour de —, for good

bonbon *m.* candy, goody

bonbonnière *f.* candy box

bond *m.* jump

bondir to bound, jump

bondissant, –e skipping

bonheur *m.* happiness, luck, good fortune; porter —, to bring good luck

bonhomie *f.* good nature

bonhomme *m.* good fellow

boniment *m.* clap-trap speech

bonne *f.* maid, servant

bonté *f.* goodness, kindness

bord *m.* border; edge; bank, shore

bordelais, –e of Bordeaux

border to edge

borne *f.* milestone

borner (se) to be limited

bosquet *m.* grove

bossu, –e hunchback

boucher *m.* butcher

boucherie *f.* butcher's shop

boucle *f.* buckle; ring; —s d'oreilles earrings

bouclé, –e curled

bouclier *m.* shield

bouder to sulk

boudin *m.* black pudding, blood-sausage

bouffant, –e puffed, large

bouffon, –ne comic, droll

bouffonnerie *f.* buffoonery

bougie *f.* candle

bouillir to boil

bouillon *m.* soup

boulanger *m.* baker

boule *f.* ball; bowls, bowling

bouleau *m.* birch tree

boulette *f.* ball, pellet

bouleversement *m.* disorder, upheaval, change

bouquetière *f.* flower vender

bouquiniste *m.* bookstall keeper

bourg *m.* town

bourgade *f.* small town

bourgeois *m.* citizen, townsman

bourgeoisie *f.* middle class; petite —, (lower) middle class

bourreau *m.* executioner, hangman

bourrée *f. dance of Auvergne*

bourrelet *m.*: en — serré tightly twisted

bourrer to stuff, fill

bourru, –e cross, crabbed

bourse *f.* purse; scholarship

bousculade *f.* jostling, pushing

bousculer to jostle, push about

bout *m.* end; piece

bout *see* bouillir

bouteille *f.* bottle

boutique *f.* shop; fermer —, to shut up shop

bouton *m.* button

boutonner to bud

boutonnière *f.* buttonhole

braillard, –e noisy; *m. & f.* brawler

brailler to bawl (out), squall

braise *f.* embers

brancard *m.* shaft; stretcher; float

brancardier *m.* stretcher bearer

branchage *m.* branch

brandir to brandish, wave

brandon *m.* torch, brand

branle *m.* brawl

braquer to fix, turn, direct

bras *m.* arm; hand, worker; à —, by hand; — dessus dessous arm in arm

brasier *m.* bed of coals, coal fire

brasillant, –e glowing

brasserie *f.* alehouse

brave good, worthy

braver to brave, defy

brebis *f.* sheep

breuvage *m.* beverage, drink

bréviaire *m.* breviary (*book containing the daily service of the Roman Catholic Church*)

bride *f.* bridle

brièveté *f.* shortness

brillant, –e shining

briller to shine

brimade *f.* fagging; hazing, practical joke

brin *m.* wisp

brindille *f.* twig

brio *m.* spirit, animation, vivacity

brioche *f.* cake

briser to break

broc *m.* jug, pitcher

broche *f.* brooch; spit

broder to embroider

broderie *f.* embroidery; grace note

brosse *f.* brush

brouillard *m.* fog

broussaille *f.* brush

broyer to grind, pulverize

bru *f.* daughter-in-law

bruit *m.* noise

brûler to burn

brume *f.* fog, mist

brumeu–x, –se misty, hazy

brusque sudden

brusquement suddenly

brut, –e rough, raw

bruyamment noisily

bruyant, –e noisy

bûche *f.* log; — de Noël the yule log

bûcher *m.* stake, pyre; bonfire; woodpile

buée *f.* mist

buffet *m.* refreshment room

buis *m.* box tree, boxwood

bureau *m.* office; — de bienfaisance charitable organization

but *m.* end, purpose; goal, mark

butte: en — à exposed to

buveur *m.* drinker

## C

çà et là here and there

cabaret *m.* wine shop

cacher to hide, conceal

cachet *m.* seal; character

cacheter to seal

cachette: en —, secretly, on the sly

cacophonie *f.* cacophony, noise (*discordant sound*)

cadeau *m.* gift, present

cadis *m.* serge

cadre *m.* frame; plan, outline

cagnotte *f.* money box

caillé, –e curdled

caillou *m.* stone, pebble

califourchon: à —, astride

calotte *f.* small round cap

calvaire *m.* calvary (*open-air representation of the crucifixion*)

camaraderie *f.* comradeship, friendship

camionnette *f.* small truck

camp *m.* (military) camp; team

campagnard, –e country, rural; *m. & f.* countryman, countrywoman

campagne *f.* country

campement *m.* camp

canard *m.* duck

candélabre *m.* candlestick

candidature *f.* candidacy, suit

canne *f.* cane

cantilène *f.* melody

cantini–er, –ère *m. & f.* sutler, canteen woman

cantique *m.* hymn

cantonné, –e shut up, restricted

cantonner to be stationed, exist

caparaçonner to caparison

cape *f.* cloak

capillaire tonsorial

capital, –e essential

capote *f.* hood, cover

caracoler to prance

caractère *m.* character; feature; *pl.* characteristics.

carafe *f.* decanter

carapace *f.* upper shell

carême *m.* Lent

carillon *m.* carillon, chime, peal

carmélite *f.* Carmelite (*nun*)

carné *see* aliment

carré, -e square; *m.* square

carrefour *m.* crossroad, street crossing

carrière *f.* career

carriole *f.* covered cart

carrosse *m.* carriage

carte *f.* card; —s à jouer playing cards; — de visite visiting card

carton *m.* board, cardboard; bandbox; portfolio

cas *m.* case; en tout —, at any rate

caser (se) to find a place, settle

caserne *f.* barrack

casque *m.* helmet

casquette *f.* cap

cassemuse *f.* cream puff, éclair (*lit.* face-cracker *from* casser to break, museau face)

casser to break

casserole *f.* pan, stewpan

causer to talk, chat

caution *f.* surety, bail; verser une —, to give surety

cavalcade *f.* procession

cavalier *m.* horseman

cave *f.* cellar

caveau *m.* vault

céans here

céder to yield, give up; sell; — le pas give way; qui ne le cèdent en rien in no way inferior

ceinture *f.* belt, girdle

ceinturer to girdle

céleste celestial, heavenly

cendre *f.* ashes, ash color

censé, -e supposed

cep *m.* vine plant

cependant however, nevertheless; meanwhile

cercle *m.* circle; metal tire (*of wheel*)

cercueil *m.* coffin

cérémonie *f.*: en —, in state

cerf *m.* stag

certes certainly, of course

cerveau *m.* brain, mind

cesse: sans —, endlessly, continuously

cesser to cease, stop

chacun, -e each, each one

chahut *m.* row, brawl, rush

chaîne *f.* chain

chair *f.* flesh; — à saucisses sausage meat

chaire *f.* pulpit

chaise à porteurs *f.* sedan chair

chaland, -e *m. & f.* customer, purchaser

châle *m.* shawl

chaleur *f.* heat, warmth

chaloupe *f.* sloop

chalumeau *m.* pipe, flute

chamarrer to cover, embroider, deck out

champ *m.* field; — de manœuvre drill grounds; — de repos cemetery

champêtre country, of the country

chance *f.* luck, good fortune

Chandeleur *f.* Candlemas

chandelier *m.* candlestick

chandelle *f.* candle; — de coton candle with a cotton wick

chanoine *m.* canon (*church dignitary*)

chanson *f.* song

chant *m.* song

chanter to sing; ring out

chanteur-compteur *m.* announcer-scorekeeper

chantre *m.* singer, chorister

chanvre *m.* hemp

chape *f.* cope (*ecclesiastical vestment*)

chapeau *m.* hat; — haut-de-forme silk hat

chapelet *m.* beads, rosary

chapelle *f.*: — ardente funeral chapel

char *m.* chariot, vehicle

charbon *m.* coal, ember

chargé, -e heavy, laden

chargé d'affaires *m.* manager

chargement *m.* load

charger to load; se —, take charge of

chariot *m.* carriage, wagon

charivari *m.* discordant music, noise

charmille *f.* yoke-elm tree

charpente *f.* framework

charrette *f.* cart

charrier to carry along

chasse *f.* hunt; livrer la —, to give chase

châsse *f.* shrine

chasseur *m.* hunter

chasubli–er, –ère *m. & f.* maker of church vestments

chat *m.* cat

châtaignier *m.* chestnut tree

châtiment *m.* punishment

chaton *m.* gem

chaud warm; tenir —, to keep warm

chaudronnier *m.* tinker, copper-smith

chauffage *m.* heating; — central furnace heating

chauffer to heat, warm

chaumière *f.* (thatched) cottage

chausser to wear (*on the feet*), put shoes on

chavirer to capsize, upset

chef *m.* chief, superior, head; — de file leader

chef-d'œuvre *m.* masterpiece

chemin *m.* road, way; — de fer railroad; grand —, highway

cheminée *f.* fireplace, chimney

cheminer to walk

chemise *f.* shirt

chenal *m.* channel

chêne *m.* oak

cher, chère dear, expensive

chercher to look for, seek; try,

endeavor; aller —, get; venir —, come to get

chère *f.* fare

chéri, -e cherished; dear

cherté *f.* dearness

cheval *m.* horse; — de labour draft horse

chevalier *m.* knight

chevet *m.* head (*of a bed*); au —, bedside

cheveu *m.* hair

chicorée *f.* endive

chiffonner to crumple

chiffre *m.* figure, number

chignon *m.* chignon (*knot of hair worn at the back of the head*)

chinois, -e Chinese

chirurgical, -e surgical

chirurgie *f.* surgery

chirurgien *m.* surgeon

chistera *f.* wicker racket

choc *m.* shock, knock, blow

chœur *m.* choir, chorus; enfant de —, choir boy; en —, in chorus

choir to fall

choix *m.* choice; de —, select, choice

chômer to be idle, refrain from work

choquer (se) to bump against one another

chose *f.* thing; peu de —, little

chou *m.* cabbage; — pommé round cabbage head

chouette *f.* owl

chrétien, -ne Christian

chrétienté *f.* Christendom

chuchoter to whisper

chut! hush! silence!

chute *f.* fall

ci: de — de là here and there

cierge *m.* taper, church candle

cigogne *f.* stork

cime *f.* top

cimenter to cement

cimetière *m.* cemetery

cintré, –e arched

circonstance f. circumstance; occasion; de —, made for the occasion

circuler to move

cire f. wax

cirque m. circus

ciseaux m. pl. shears

citadin m. city dweller, townsman

civière f. stretcher, litter

claie f. screen

clair, –e clear, distinct, plain; light colored; — de lune moonlight

clamer to cry, shout; — des vivats cheer

clameur f. outcry

claque f. tap

claquer to clack, click, flap, snap

clarté f. light

clé, clef f. key; fermer à —, to lock

clément, –e kind, gentle; merciful

clerc m. churchman

client, –e m. & f. customer

clientèle f. customers

clinquant, –e glittering

cloche f. bell; — pneumatique vacuum glass bell (in a pneumatic pump)

clocher m. steeple, belfry

clochette f. small bell

clore to end, close

clos, –e closed, shut

clôturer to close

clou m. nail

clouer to nail; confine

cocher m. driver

cochon m. pig

cochonnet m. small ball

cocorico m. cock-a-doodle-doo

cœur m. heart; avoir à —, to set oneself to; avoir le — gros be sad; de bon —, willingly; en plein —, in the middle of

coffre m. coffer, chest, trunk

coffret m. box; — à bijoux jewel box

cogner to strike, knock

cohue f. mob, throng, crowd

coiffe f. headdress, cap

coiffer (se) to put on, wear (of head covering)

coiffeur m. barber, hairdresser

coiffure f. headdress; hair dressing

coin m. corner; nook

col m. collar

colère f. anger; mettre en —, to make angry

collation f. collation, meal

coller to keep close to

collier f. necklace

colline f. hill

coloré, –e vivid, colorful

combattre to combat, fight

combler to load, supply, overwhelm; gratify, grant, fulfill

combustible m. fuel

comme as, like; tout —, just as

commémorati–f, –ve memorial

commerçant, –e commercial; m. business man

commettre to commit

communauté f. guild

commune f. village

communément commonly, ordinarily

communiant, –e m. & f. communicant

communier to take communion

communiquer (se) to spread, be infectious

compact, –e solid

compagne f. companion, mate, wife

compagnie: de —, together

compagnon m. companion; journeyman

compagnonnage m. service as a journeyman

compassé, –e formal, stiff

complainte f. lament, popular song

comporter to admit of, contain

composer to make up

composition f. theme, thesis

comprendre to understand; comprise, contain

comptable accountable, responsible

compte *m.* account

compter to count, consider

concerner to concern; en ce qui concerne with regard to

concevoir to perceive, comprehend; cela se conçoit it is easily understood

concierge *m. & f.* janitor

conclu, –e concluded

concorder to concur

concours *m.* assistance, coöperation; host

concurrence *f.* competition

concurrent, –e competitor

condamné, –e condemned, doomed

condisciple *m.* schoolmate

conduire to conduct, convey

confection *f.* making, preparation

confectionner to make, manufacture

conférence *f.* lecture

conférencier *m.* lecturer

conférer to confer, bestow; administer, perform

confiance *f.* confidence, trust

confiant, –e trusting

confier to confide, intrust

confins *m. pl.* borders, limits

confirmer to confirm, show

confiserie *f.* candy, confectionery

confiseur *m.* confectioner

confit, –e preserved

confondre, to confuse; se —, blend

conforme consistent

confrère *m.* colleague, fellow-tradesman

confrérie *f.* fraternity, brotherhood

congé *m.* holiday, vacation; leave

conjoint, –e *m. & f.* consort; —s husband and wife

conjugal, –e married

conjuration *f.* conjuring, magic

conjurer to avert, avoid; entreat

connaissance *f.* acquaintance

connaisseu–r, –se knowing; *m.* good judge

conquérir to conquer, win

conquête *f.* conquest, victory

consacré, –e consecrated, old, time-honored; devoted

consacrer to consecrate, ordain, hallow, perpetuate, immortalize

consciencieusement thoroughly

conscrit *m.* freshman

consécration *f.* consecration, perpetuation, culmination

conseil *m.* advice, counsel

consentement *m.* consent

conservateur *m.* curator

conserver to preserve, keep

consigner to confine, keep in

consolat–eur, –rice *m. & f.* consoler, comforter

constater to state; ascertain; testify to

constituer to assign

conte *m.* tale, story

contenir (se) to restrain oneself

contenter (se) to be satisfied

contenu *m.* contents

conteur *m.* story writer *or* teller

contre against; par —, on the other hand

contrée *f.* country, region

contrefait, –e deformed

contre-son *m.* half tone; overtone

contribution: mettre à —, to tax

convaincu, –e convinced, sincere

convenablement correctly

convenance *f.* convenience, expediency

convenir to suit, be fit *or* fitting, be proper

convenu, –e agreed; customary

convier to invite

convive *m. & f.* guest, table companion

convoi *m.* procession

convoquer to assemble, call

copieusement, copiously, fully

coq *m.* rooster

coquet, -te quaint, pretty

corbeille *f.* basket

corbillard *m.* hearse

cordage *m.* rigging

corde *f.* cord, string, rope

corne *f.* horn

cornemuse *f.* bagpipe

cornet *m.* paper cup

corporation *f.* guild

corps *m.* body, corps; — de métier guild, trade-union; — des sapeurs-pompiers fire brigade

correspondant *m.* guardian

corriger to correct

corsage *m.* bodice

Corse *f.* Corsica

corselet *m.* bodice

cortège *m.* procession, crowd

corvée *f.* duty, service, unpleasant task

cosse *f.* pod, shell

costumer (se) to dress up

côte *f.* coast, seashore; quotation; — à —, side by side

côté *m.* side; direction; à — de near, beside; de —, sidewise; tout à —, close by

coteau *m.* hill

cou *m.* neck

couche *f.* layer

couché, -e lying

coucher to put to bed; sleep; se —, go to bed

coude *m.* elbow

coudre to sew

coudrier *m.* hazel tree

coulaine *f.* singeing (*of trees*)

coulant *m.* pendant

couler to flow; — à flots flow abundantly

coulisse *f.* wings

couloir *m.* hall, passageway

coup *m.* blow, stroke, tap; — de fusil shot; — de grâce finishing stroke; — d'œil sight; à — sûr without fail; *see* éprouver

coupable guilty

coupe *f.* vase, cup

coupé fermé *m.* closed car

couper to cut; interrupt

couplet *m.* couplet, verse; song

cour *f.* court, yard; — de justice court of law; faire la —, to court

couramment readily

courant, -e current

courbe *f.* curve

courber to bend; submit

courir to run, go to; — le poisson d'avril be April-fooled

couronne *f.* crown, wreath

couronner to crown

cours *m.* course, lecture; au — de in the course of, during; donner libre —, to give free hand *or* rein

course *f.* run, race, chase, trip; errand; fight; — aux œufs egg race *or* hunt; — de taureau bullfight; — en sac bag race

coursier *m.* courser; horse

court: tout —, simply

courtiser to court

cousent *see* coudre

couteau *m.* knife

coûter to cost

coutumi-er, -ère customary, usual

couture *f.* sewing; needlework; seam; le monde de la —, the world of the dressmaking industry; maison de —, women's tailoring shop

couvent *m.* convent

couvercle *m.* cover, top, lid

couvert *m.* cover; table service; mettre deux —s sur la table to set the table for two

couverture *f.* blanket

couvrir to cover; drown (*sounds*)

cracher to spit, spew forth

craie *f.* chalk

craindre to fear

crainte *f.* fear

crainti-f, -ve timid

crânerie *f.* boldness
craquer to burst
cravate *f.* necktie
crayonnement *m.* writing with chalk
crécelle *f.* rattle
crèche *f.* manger, crib; infant asylum
créer to create; se —, arise, be formed, make for oneself
crème *f.* cream
crêpe *f.* griddlecake, pancake
crépuscule *m.* twilight
crête *f.* crest
creuser to dig, hollow; *see* rein
creuset *m.* crucible, melting pot
creu–x, –se hollow; narrow
crever to burst open
crevette *f.* shrimp
cri *m.* cry, yell; à grands —s lo. y
criailler to cry out, clamor
criaillerie *f.* clamor, noise
criard, –e glaring, loud, shrill
crier to scream, shout
crieur *m.* crier
crinière *f.* mane
crise *f.* fit; convulsion
crochet *m.* hook; en —, hooklike
croiser to cross, pass
croissant *m.* new moon (*in its first quarter*)
croître to grow, increase
croix *f.* cross; en —, crossed
croquemitaine *m.* bogie, bugbear
croquer to eat
crosse *f.* bishop's crosier
crotale *m.* rattlesnake
croupe *f.:* monter en —, to ride behind
croûte *f.* crust
croûton *m.* bit of crust
croyance *f.* belief
croyant, –e *m. & f.* believer
cru *m.* growth; vineyard
cueillir to pick; gather, scoop
cuiller *f.* spoon; — à pot soup ladle
cuillerée *f.* spoonful
cuir *m.* leather

cuire to cook, bake; — à l'étouffée stew
cuisine *f.* kitchen
cuisini–er, –ère *m. & f.* cook
cuit, –e cooked; — dur hard-boiled (*of eggs*)
cuivre *m.* brass, brass instruments
culbuter to overturn, upset violently
culminant, –e culminating
culotte *f.* breeches
culte *m.* religion, creed, worship; honor
cultivateur *m.* farmer
cultiver to make
culture *f.* cultivation; *see* terrain
cumuler to amass, acquire
curé *m.* priest
cuve *f.* vat

## D

dais *m.* canopy
dalle *f.* flagstone
dandiner (se) to waddle; swing
davantage more
déambuler to run, ride, progress
débarquer to arrive
débarrassé, –e free, relieved
débarrasser (se) to get rid of
débauche *f.* revelry, carousal
débiter to sell, retail; undergo
déboire *m.* drawback; disappointment
débonnaire good-natured, kind
débordant, –e unrestrained
déborder to overflow
déboucher to uncork; issue forth, come out
debout standing, upright
début *m.* beginning
débutant, –e *m. & f.* beginner
débuter to begin; faire —, begin
décès *m.* death
décharger to unload
déchirant, –e heart-rending
déchirement *m.* anguish

déchirer to rip open

déclenchement *m.* start

décolorer to discolor

décor *m.* decoration, setting, scenery

découpé, –e shaped

découper to outline; carve, cut up; se —, be outlined, stand out

découplé, –e uncoupled

découvert, –e bare

découvrir to discover, find; se —, uncover one's head

décrire to describe

décroître to decrease

dédaigner to disdain, scorn, disregard

dedans in, through

dédier to dedicate

déduire to deduct

déesse *f.* goddess

défaillance *f.* failing, faltering

défaite *f.* defeat

défaut *m.:* à son —, in his absence

défendre to defend; forbid

défense *f.* prohibition, veto; — de ... one must not

défenseur *m.* defender

déférence *f.* regard, respect

déférer to bestow, confer

défier to defy, challenge

défilé *m.* procession, line

défiler to pass by, march past, wind; se —, file off

défraîchi, –e faded

défunt, –e deceased, dead

dégradé, –e dilapidated

degré *m.* step, grade

dégringoler to tumble down

déguisement *m.* disguise

déguiser (se) to disguise oneself

déguster to eat

dehors: au —, outside; en —, besides

déjouer to defeat, withstand, baffle

délai *m.:* dans des *or* les —s within (a given) time

délaisser to abandon

délégué *m.* deputy

délicatesse *f.* tenderness

délices *f. pl.* delight

délicieusement delightfully

délier to loosen, untie

délimité, –e limited, marked

délimiter to fix the limits

délire *m.* frenzy

délivrer to set free

déloger to dislodge

demande *f.* request, asking

demander to ask; se —, wonder

demande–ur, –resse *m. & f.* applicant, petitioner

démarche *f.* gait, bearing; step, proceeding

démener (se) to spring about, exert oneself, strive hard

démentir to refute; belie

demeure *f.* home, dwelling, house, resting place

demeurer to remain

demi half; à —, half

démis, –e dislocated

démodé, –e old-fashioned, out of style

demoiselle *f.* young lady; — d'honneur bridesmaid

démolition *f.* destruction

dénommer to name, call

dent *f.* tooth; à belles —s heartily

dentelle *f.* lace

dentellière *f.* lace maker

dénuder to strip

dénué, –e deprived, barren

départ *m.* departure, leaving

dépasser to pass, surpass; project beyond; go beyond, exceed

dépêcher (se) to hurry; c'est à qui se dépêchera le plus everybody hurries

dépeindre to depict, paint

dépense *f.* expense, expenditure

dépeupler to depopulate

déployer to put forth; se —, spread out

déposer to place

dépôt *m.* warehouse

dépouille *f.* remains

dépouillé, –e stripped, bare

dépouillement *m.* stripping

dépouiller to despoil, rob, strip

dépourvu, –e deprived

De Profundis From the Depths (*the psalm which begins with these words*)

dérobade *f.* escape

dérober to steal, take away; se —, escape; shelter oneself

dérogation *f.* derogation; diminution, falling off

dérouler to unroll, display, spread out; se —, take place

derrière behind

dès from, since (*time*)

désaltérer (se) to quench thirst

désavouer to disavow, disdain

descendre to descend; take down

désemplir to become empty

désert, –e deserted

désespéré, –e desperate, despairing

désespoir *m.* despair

déshabiller to undress, strip

désigner to designate, indicate, point out, arrange

désireu–x, –se desirous

désormais henceforth

déssalé, –e unsalted

dessein *m.* design, purpose

dessin *m.* drawing, design

dessiner to sketch, outline, draw, describe; se —, take the form of

dessous under, underneath

dessus above, on; au-—, above, over; par-—, on top, over

destinataire *m. & f.* recipient

destination *f.* purpose

destiné, –e destined, for the purpose

désuétude *f.* desuetude, disuse

désunir to disunite, separate

détacher (se) to come *or* stand out

détailler to cut up

détenir to keep

détente *f.* relaxation

déterminer to bring about

déterrer to unearth, dig up

détonation *f.* explosion, report

détresse *f.* distress

détrôner to dethrone, displace

détruire to destroy

deuil *m.* mourning

dévaler to go down

devancier *m.* forefather

devant before; aller au — de to go out to meet

devanture *f.* front, door; shop window

développement *m.* condition

devenir to become

dévider to wind; unfold

deviner to guess

devineu–r, –se *m. & f.* diviner, soothsayer

dévoiler to unveil, reveal

dévorer to devour

dévouement *m.* devotion

diable *m.* devil

diadème *m.* diadem, crown

dicton *m.* saying, adage

Dieu, dieu *m.* God, god; la part à —, God's share

difforme deformed

digue *f.* dike

diminuer to diminish, decrease

dinde *f.* turkey

dire to say, tell; autrement dit in other words; c'est-à-—, that is to say; soi-disant so called; dit called, so called

direction *f.* administration

diriger to direct; se —, go

discours *m.* speech

discuter to discuss, argue

disgracieu–x, –se awkward, ungainly

dislocation *f.* breaking up

disparaître to disappear

disparition *f.* disappearance

disparu, –e disappeared; deceased

dispensat–eur, –rice *m. & f.* dispenser, giver

dispense *f.* dispensation

dispenser to dispense, give out; distribute, bestow

disperser (se) to disperse, break up

disposer to put, place, arrange; se —, be ready

disposition *f.* tendency, inclination

disputer (se) to contend for

disséminer to scatter

distraction *f.* amusement

divertir (se) to amuse oneself

divertissement *m.* amusement, sport, pastime

diviser to divide

documenter to instruct

dodo *see* faire

doigt *m.* finger

domaine *m.* estate

domestique *m. & f.* servant

domicile *m.* home

dominer to dominate, overlook

dompter to subdue, tame

dompteur *m.* animal tamer

don *m.* gift; —s en nature gifts of produce

donat–eur, –rice *m. & f.* donor, giver

donnant donnant give and take

donner to give; à un moment donné at an appointed moment; *see* joie

dorer to gild

dormant *m.* sleep

dormeu–r, –se *m. & f.* sleeper

dormir to sleep

dortoir *m.* dormitory

dos *m.* back

dossier *m.* back

dot *f.* dowry

doubler to line

doublure *f.* lining

doucement gently, slowly

douceur *f.* charm, delight; mildness

douche *f.* shower

doucher to shower, sprinkle

doué, –e endowed, gifted

douleur *f.* pain; sorrow, grief

douloureu–x, –se painful, sorrowful

douteu–x, –se doubtful

dragée *f.* sugarplum, sugar almond

drame *m.* drama, tragic event

drap *m.* sheet; cloth; cover; — mortuaire pall; —s de lit bed linen

drapeau *m.* flag; clout; cloth

draper to drape, hang

dresser to erect, set up; lift; place; dress; se —, stand; rise

droit *m.* right; law; avoir — à to be entitled to; de —, by right

droite: à —, to the right

drôle funny, amusing

dû, due (*p.p. of* devoir) due, proper

dualité *f.* dual character

duc *m.* duke

dûment duly

dur, –e hard

durant during

durée *f.* duration

durer to last

dureté *f.* harshness

## E

eau *f.* water; — bénite holy water

eau-de-vie *f.* brandy

ébattre (s') to enjoy oneself

ébaucher to attempt, make, sketch

ébène *f.* ebony

ébranler to stir, shake; s'—, begin to move

ébrouer (s') to play

écaille *f.* scale

écarlate scarlet

écart *m.* dodging, step *or* movement to one side

écarter to draw back, put out of the way, keep away, turn aside, spread out; s'—, stand aside

écarteur *m.* dodger, " fighter "

échafaudage *m.* heap

échafauder to erect, build

échange *m.* exchange

échanger to exchange

échapper to escape; laisser —, drop, let fall

écharpe *f.* scarf

échasse *f.* stilt

échassier *m.* stilt walker

échauffer (s') to get warm

échaulon *m.* nut

échelle *f.* ladder

échelon *m.* rank, degree

écheniller to rid trees of caterpillars

écheveau *m.* skein

échevelé, –e disheveled, disorderly; extravagant; hurly-burly

échoir to fall

éclair *m.* lightning, flash

éclairage *m.* lighting

éclairer to light, enlighten, illuminate; gleam

éclat *m.* disturbance, noise, sound; brilliance, glare, splendor; glory; sans —, without glory

éclatant, –e bursting; bright, brilliant, gorgeous, resplendent, splendid

éclater to break, burst forth, explode, resound; faire —, make burst

éclectique eclectic

éclopé, –e lame, crippled

éclore to bloom, open, appear

école *f.* school; grande —, technical school; se mettre à l'— de to learn from

écolier *m.* schoolboy, pupil

éconduit, –e refused, dismissed

économe thrifty

écorce *f.* bark

écorcher to flay, gall

écouler (s') to pass, flow into

écourter to shorten

écran *m.* screen, hand screen

écraser to crush; s'—, collapse

écrier (s') to exclaim, cry, shout

écrit *m.* writing

écrivain *m.* writer

écrouler (s') to collapse

écuelle *f.* dish

écume *f.* foam, scum

écurie *f.* stable (*for horses*)

édicté, –e issued

édification *f.* building, erection

édile *m.* municipal officer

édit *m.* edict

éditeur *m.* publisher

effacer to efface, rub *or* smooth out

effarement *m.* fright, terror

effarer to frighten, bewilder

effarouché, –e frightened

effecti–f, –ve real

effectuer to effect; s'—, occur

effervescence *f.* excitement

effet *m.* effect, purpose; à cet —, for this reason *or* purpose, for that; en —, indeed, in fact

efficace efficacious, effective

efficacement efficiently

efforcer (s') to strive

effort *m.*: faire tous ses —s to do all in his power

effrayant, –e frightening, frightful

effréné, –e wild, unrestrained

effroi *m.* fear

effroyable frightful

effusion *f.* cry

égal, –e equal, uniform

également also, as well, equally, likewise

égaler to equal

égalité *f.* equality

égaré, –e strayed, lost

égarer to lose, mislead; turn; s'—, lose oneself, wander

égayer to make gay

égide *f.* shield, protection

égoïsme *m.* selfishness

égorger to slit the throat, slaughter

égosiller (s') to chirp loudly

égréner to tell; trickle out; finger over

élaborer to elaborate, perfect, work out

élan *m.* striving; spring, burst

élargir to enlarge

élevage *m.* raising

élever to lift, raise; bring up; s'—, be built

élire to elect, choose

éloge *m.* eulogy, praise; faire l'—, to speak in praise

élogieu-x, –se eulogistic, flattering

éloigné, –e distant, far, remote

éloignement *m.* distance

éloigner to ward off; s'—, go *or* move away, withdraw

élu, –e *m. & f.* elected one

émail *m.* enamel

embarras *m.* embarrassment

embauchage *m.* hiring

embaumer to perfume, be fragrant

embrasé, –e burning; vibrant

embraser (s') to catch fire, glow

embrassement *m.* hug

embrasser to embrace, kiss

embroché *see* gâteau

embrasure *f.* recess

embûche *f.* ambush, trap, danger

émerveillement *m.* wonder

émerveiller to astonish, amaze

émeute *f.* riot

éminence *f.* elevation

emmailloter to wrap, swathe

emmener to lead away, take, conduct

émolument *m.* fee, salary

émoussé, –e dulled

émouvant, –e touching, moving, stirring

émouvoir to stir, touch, move

empaillé, –e stuffed

emparer (s') to take possession

empêcher to prevent, keep from, stop

empeser to starch

empiéter to encroach

empiler to pile up

emplacement *m.* place, site

emplâtre *m.* plaster, poultice

emplir to fill

emploi *m.* use

employé, –e *m. & f.* clerk

emporter to carry, carry away, carry home, bring

empreindre to imprint, tinge

empreint, –e imprinted, marked

empresser (s') to hasten

emprunter to borrow

ému, –e affected, moved, excited, anxious, earnest, ardent

émulation *f.* competition; pris d'—, caught by rivalry

émut *see* émouvoir

encaissé, –e with high embankments

encapuchonné, –e hooded

encastrer to fit

encens *m.* incense

enchaîner to chain, tie

enchantement *m.* charm, delight

enchante–ur, –resse enchanting, delightful

enchère *f.* auction, bid

enchérisseur *m.* bidder

enchevêtré, –e entangled

enclos *m.* enclosure, yard

encombre *m.* hindrance

encombrer to encumber, obstruct; crowd, fill

encre *f.* ink

encrier *m.* inkstand

endiablé, –e furious, mad

endormir to lull to sleep; s'—, go to sleep

endroit *m.* place

enduire to daub, cover, coat

enfermer to enclose, shut up, confine; conceal

Enfers *m. pl.* Hades

enfin finally, in fact

enflammé, –e flaming

enfoncé, –e buried; pulled over *or* down

enfoncer to sink, drive in, break down, smash in

enfouir to bury, hide, put in

enfuir (s') to flee

engageant, –e attractive

engagement m. hiring

engager (s') to take place

engaîner to incase

englober to include

engloutir (s') to be swallowed up

engouement m. enthusiasm

engouffrer (s') to be engulfed; rush

engourdir (s') to be dull

engourdissement m. dullness, torpor

engraisser to fatten

enguirlander to decorate, deck with wreaths and flowers

enjambée f. stride

enjoindre to enjoin, command

enjoué, –e lively, playful

enlèvement m. carrying off

enlever to remove, take off

enluminé, –e illuminated (of books), decorated in color

enluminure f. illumination

ennui m. weariness

énoncer to enunciate, assert

enraciné, –e imbedded, buried deep

enrichir to enrich; s'—, become rich

enrouler to roll (up); s'—, be wound

enrubanner to decorate or deck with ribbons

enseigne f. sign

enseignement m. teaching, instruction

enseigner to teach

ensemencé, –e planted, sown

ensevelir to bury

ensoleillé, –e sunny

ensuite then, afterwards, after that; therefore

ensuivre (s') to follow

entacher to taint

entaille f. cut, groove

entassement m. crowding

entasser to pile up; crowd in

entendre to hear, understand; s'—, arrange; ... s'entend of course

entendu, –e understood

entente f. understanding; la bonne —, good feeling

enterrement m. burial, interment

enterrer to bury

entêtement m. stubbornness, persistence

entêter (s') to be infatuated; be obstinate, be bent upon

enthousiasmer to make enthusiastic

enti–er, –ère entire, whole

entonner to intone, sing, begin to sing

entortiller to entangle

entourage m. circle, court

entourer to surround

entr'aide f. coöperation

entrain m. spirit, animation, enthusiasm

entraînant, –e alluring, lively, stirring

entraînement m. training

entraîner to bring about, involve; carry away or along; induce, lead

entre-bâillé, –e half open

entrechat m. caper

entrecouper to intersect, intersperse

entre-croiser to cross

entrée f. entry, entrance; entrée; — en ménage beginning housekeeping

entrelacs m. interlaced ornaments

entremets m. entremets, side dish

entreprendre to undertake

entreprise f. enterprise, business; — des pompes funèbres undertaker's office

entretenir to keep up; s'—, converse, talk about

entretenu, –e cared for, kept up

entr'ouvert, –e ajar, half open

entr'ouvrir to half open

envahir to invade, usurp

envahisseur *m.* invader

envelopper to wrap

envers: à l'—, reversed, inside out

envie *f.* envy; desire; birthmark

envier to envy

environ about

environnant, –e neighboring, surrounding

environner to surround

environs *m. pl.* vicinity, surrounding country; aux — de near

envisager to face; consider

envoi *m.* sending

envolée *f.* flight

envoyer to send

épais, –se thick, intense

épanchement *m.* outburst, overflowing, effusion

épanouir to open, expand

épanouissement *m.* blossoming, opening

épargner to save, spare

éparpiller to scatter

épaule *f.* shoulder

épée *f.* sword

éperdument wildly

éperon *m.* spur

éphémère ephemeral, short-lived

épi *m.* head *or* ear of grain

épice *f.*: pain d'—, gingerbread

épicier *m.* grocer

épier to spy, see, watch closely

épine *f.* thorn; — blanche hawthorn

épineu–x, –se thorny, sharp

épingle *f.* pin

épingler to pin

épique epic

éploré, –e in tears, weeping

époque *f.* epoch, time, period; à l'— de towards; at the time

épouse *f.* wife

épousée *f.* bride

épouser to marry

épouseur *m.* husband; suitor

épouvantail *m.* scarecrow

épouvante *f.* fright, terror

époux *m.* husband; *pl.* couple, husband and wife

épreuve *f.* examination, test, trial, ordeal

éprouvé, –e bereaved

éprouver to experience; — le coup de foudre fall in love at first sight

épuisé, –e exhausted

épuisement *m.* exhaustion

épuiser to exhaust

équipage *m.* carriage; crew

équipe *f.* team

équitation *f.* horseback riding

équivaloir to be the same as, be equal to

ériger (s') to be erected

errant *m.* wanderer

errer to wander

escabeau *m.* stool

escadrille *f.* flotilla

escalade *f.* climbing, scaling

escalader to scale, climb up (to)

escalier *m.* stairs, stairway

escarcelle *f.* purse

escholier = écolier *m.* student

esclave *m. & f.* slave

escorte *f.*: faire —, to accompany

escrime *f.* fencing

espace *m.* space, room

Espagne *f.* Spain

espagnol, –e Spanish

espèce *f.* kind, sort

espérance *f.* hope

espiègle roguish

espoir *m.* hope

esprit *m.* spirit, mind, intelligence, wit; Saint Esprit Holy Ghost

essai *m.* attempt

essayer to try, attempt

essence *f.* essence, substance; gasoline; species (*of trees*)

essieu *m.* axle

essor *m.* flight

essoufflé, –e out of breath

essouffler to put out of breath

essuyer to wipe, dry, dust

est *m.* east

estafette *f.* messenger

estampe *f.* engraving

estomac *m.* stomach

estrade *f.* platform, stage

estropié, –e crippled, disabled

estudiantin, –e student

étable *f.* stable (*for cattle*)

établir to establish

établissement *m.* establishment, institution; — d'enseignement supérieur school of higher education

étage *m.* floor, story; tier; bas —, low class

étain *m.* pewter; tin

étalage *m.* display, stall

étaler to spread out, display

étang *m.* pool

étape *f.* stopping place, stage (*of a journey*)

état *m.* state; —-civil social status

éteindre to extinguish, put out

étendard *m.* standard, banner

étendre to extend, spread *or* stretch out

étendue *f.* extent

étinceler to sparkle, glitter

étincelle *f.* spark

étoffe *f.* cloth, material

étoile *f.* star; à la belle —, in the open

étole *f.* stole (*priest's garment*)

étonnant, –e astonishing

étonner to astonish, surprise; s'—, wonder

étouffée *f.*: à l'—, stewed

étourdi, –e dizzy, made dizzy

étourdissant, –e deafening

étrange strange, odd

étrang-er, –ère *m. & f.* foreigner, stranger

étrangler to strangle

être to be; il s'en fut he flew away; que ce soit whether

être *m.* person, being

étreindre to grip, press

étrenne *f.* New Year's *or* Christmas gift

étrenner to give gifts (*on entering into new circumstances of life*)

étrier *m.* stirrup

étroit, –e close, narrow, small

étude *f.* study; study hall

étui *m.* case

évadé, –e escaped; departed

évaluer to estimate

évasion *f.* escape, flight

éveil *m.* awakening; en —, on the watch

éveiller to awaken; call to mind

événement *m.* event, incident, happening

éventail *m.* fan

éventaire *m.* flat basket

éventrer to disembowel

évêque *m.* bishop

évidé, –e hollowed

éviter to avoid, dodge

évocat–eur, –rice suggestive, calling up

évoluer to progress, change, evolve; revolve

évolution *f.* evolution, movement

évoquer to evoke, recall, bring back to memory

exalter (s') to be exalted, rise

exaucer to grant, hear prayer of

excès *m.* excess

exécuter (s') to pay

exercer to exercise, practise; s'—, practise

exhaler to exhale, give forth

exhorter to exhort, advise

exigence *f.* demand

exiger to require, demand

exigu, –ë small, narrow

exilé, –e exiled; *m. & f.* exile

expiatoire expiatory

exposer to exhibit

exprimer to express, explain

exquis, –e exquisite

extase *f.* ecstasy, trance
extasier (s') to go into raptures
extrait *m.* extract
ex-voto *m.* votive offering

## F

fabrication *f.* manufacture
fabriquer to make, manufacture
face: de —, in front; en —, facing, opposite
fâcher (se) to get angry
fâcheu-x, –se unpleasant
facies *m.* face
façon *f.* fashion, way, manner; de — à so as to; de — courante usually
facteur *m.* postman
factice imitation
faction: en —, on guard
factum *m.* memoir, statement
facultati–f, –ve optional
Faculté *f.* college
faillir to fail; nearly . . .
faire to make, do; give; — place à give way to; — dodo go to sleep; se —, be done, take place
faire-part *m.* announcement
fait *m.* fact, phenomenon; act; tout à —, altogether
faîte *m.* summit, roof, top
falaise *f.* cliff
fallacieu–x, –se fallacious, imitation
falloir to be needed, be necessary
famili–er, –ère familiar, informal
fanal *m.* light, lantern
faner to wither, fade
fanfare *f.* brass band; ringing; flourish
fanfaronnade *f.* blustering, bragging, boasting
fantaisiste fanciful, fancy
fantoche *m.* puppet
farandole *f.* farandole (*Provençal dance*)
farcir to stuff
fardeau *m.* burden

farin' = farine *f.* flour
farouche fierce, wild
faste *m.* pomp, magnificence
fastidieu–x, –se tiresome
fastueu–x, –se rich, magnificent
fatidique prophetic
faucille *f.* sickle
faufiler (se) to thrust oneself
faute *f.* mistake
fauteuil *m.* armchair
fauve tawny, fawn-colored; *m.* wild animal
faux, fausse false; hidden
favoriser to favor, facilitate, help
féconder to make productive
fécondité *f.* fecundity, fruitfulness
fée *f.* fairy
féerique enchanting, wonderful, fairylike
feignent *see* feindre
feindre to feign, pretend
félicitation *f.* congratulation, compliment
féliciter to congratulate
féminité *f.* womankind, women
fendre to split, break through
féodal, –e feudal
fer *m.* iron; — rouge red-hot iron; — à cheval horseshoe
férié *see* jour
ferme *f.* farm
ferme firm
fermer to shut, close; *see* clé
fermier *m.* farmer
ferrade *f.* branding (*of cattle*)
ferraille *f.* iron, ironwork
ferré, –e studded
ferrer to shoe; brand (*cattle*)
férule *f.* rod, ferule
fervent, –e faithful; eager; *m. & f.* fan, admirer
ferveur *f.* fervor; avec —, fervently, ardently
festin *m.* festival; de —, festive
fêtard *m.* reveler, gay dog
fête *f.* holiday; saint's day
fêter to celebrate

**fétiche** *m.* fetish; **plante —,** fetish plant (*a plant worshipped for its magical powers*)

**feu** *m.* fire; **— d'artifice** fireworks; **—x de Bengale** flares; **— de joie** bonfire; *see* mettre

**feuillage** *m.* foliage, leaves

**feuille** *f.* leaf

**feuillet** *m.* leaflet

**fève** *f.* lima bean

**fi: faire —,** to disdain, scorn

**fiançailles** *f. pl.* engagement, betrothal

**fiancés** *m. pl.* engaged couple

**ficeler** to tie up

**ficelle** *f.* string

**fichu** *m.* neckerchief

**ficti-f, -ve** artificial

**fidèle** faithful

**fier, fière** proud

**fierté** *f.* pride

**fièvre** *f.* fever

**fifre** *m.* fife

**figue** *f.* fig

**figuration** *f.* representation

**figure** *f.* face; character

**figurer** to figure, represent, appear; take part

**figurine** *f.* little figure

**fil** *m.* thread, string

**file** *f.* file, line; **chef de —,** leader; **en — indienne** in single file

**filer** to spin

**filet** *m.* net

**fileu-r, -se** *m. & f.* spinner

**filleul** *m.* godson; **—s** godchildren

**fin** *f.* end, purpose

**fin, -e** choice, fine, delicate

**fissent** *from* faire

**fixer** to place

**flac, flac** tap, tap

**flamand, -e** Flemish

**flambe** *f.* flame

**flambeau** *m.* torch

**flamber** to blaze

**flanc** *m.* flank, side

**flâner** to loiter

**flanquer** to border, adorn with

**flatter** to please

**flatteu-r, -se** flattering

**fléau** *m.* flail

**flèche** *f.* arrow

**flétrir** to wither, blight

**fleur** *f.* flower; choicest portion

**fleuri, -e** in bloom, flowery, decorated *or* decked with flowers; *see* barbe

**fleurir** to bloom, blossom; decorate with flowers

**fleuriste** *m. & f.* florist

**fleuve** *m.* river

**floconneu-x, -se** flaky

**floraison** *f.* bloom

**florissant, -e** flowering

**flot** *m.* wave, water, stream; tuft

**flotter** to float, hover

**fluet, -te** thin, delicate

**foi** *f.* faith; fidelity

**foie** *m.* liver

**foin** *m.* hay

**foire** *f.* fair, market

**fois** *f.* time; **à la —,** at the same time

**foison** *f.* abundance

**folie** *f.* madness

**follement** madly

**fonction** *f.* function, duty, office

**fonctionnaire** *m.* officer

**fond** *m.* bottom; stock; background; **au —** de at the bottom, in the depths *or* back; **dans le —,** in the back; in fact, in the main

**fondat-eur, -rice** *m. & f.* founder

**fondé** *m.:* **— de pouvoirs** proxy, agent

**fonder** to found, establish

**fondre** to jump at, charge; fall, rush; **se —,** be merged, blend

**fondrière** *f.* bog, quagmire

**fonts baptismaux** *m. pl.* baptismal font; **tenir sur les —,** to stand godfather *or* godmother to forain *m.* hawker, peddler, traveling merchant

force *f.* power, strength; à — de by dint of; de —, by force

forcément necessarily

forcer to break open; increase

forfait *m.* crime

forme *f.:* en haute et due —, according to due process of law

former (se) to form; associate oneself

fort, –e strong; much; loudly; soundly; very

fortement greatly, strongly, heavily

fortune *f.:* état de —, financial status

fosse *f.* grave

fossé *m.* ditch

fou, folle crazy, insane, wild; *m. & f.* fool

foudre *f.* lightning, thunderbolt; *see* éprouver

fouiller to search

foulage *m.* pressing

foulard *m.* scarf

foule *f.* crowd, mob, throng

fouler to press, trample

fouloir *m.* press, pressing house *or* vat

four *m.* oven

fourmilière *f.* ant hill

fourmiller to tingle

fourneau *m.* stove

fournir to furnish

fourrage *m.* forage, fodder

fourré, –e furred

fourreau *m.* scabbard

fourrure *f.* fur

foyer *m.* hearth, home; fire

fraîchement freshly, newly

fraîcheur *f.* coolness, freshness

frais *m. pl.* expense, cost; faire les —, to bear the expense; be the chief contributor; perdre ses —, waste his time; se mettre en —, go to the expense

franchement frankly, freely

franchir to pass over, cross

frange *f.* fringe

frapper to strike, knock, hit; clap

frêle frail, weak, thin

frémissement *m.* trembling

frénétiquement madly, furiously

fréquenter to frequent, patronize

friandise *f.* sweets, goodies, delicacy

frictionner to rub

frileu-x, –se *m. & f.* a person afraid of cold weather

friser to border upon

frissonner to flutter

frit, –e fried

frivolité *f.* trinket

froissement *m.* crumpling

frôler to graze, barely touch

fromage *m.* cheese

froncer to wrinkle

frondaison *f.* foliage

front *m.* brow

fronton *m.* fronton (*high wall against which pelota is played*)

frotter to rub

fruit *m.:* —s confits preserved fruits

fruste rough, unpolished, rude

fuir to flee, evade

fuite *f.* flight

fumant, –e smoking, steaming

fumer to smoke; steam

funèbre sad, funereal

funérailles *f. pl.* funeral

fur: au — et à mesure in proportion; as fast (as)

fureter to search

furie *f.* fury

furieu-x, –se raging

furtivement furtively, stealthily

fusée *f.* rocket

fuser to meet, unite

fusil *m.* gun

fustiger to flag

futaie *f.* forest (*of old trees*)

futur, –e future; *m. & f.* intended, betrothed

## G

gage *m.* deposit

gagnant, –e *m. & f.* winner

gagner to get, seize, reach, win

gaillard, –e lively, sprightly; *m.* fellow

gaîté *f.* gaiety, mirth

galant *m.* young man, suitor

gale *f.* mange, itch

galerie *f.* balcony; beading

galet *m.* pebble, stone

galette *f.* flat cake, pancake

galon *m.* stripe, band

galop *m.* gallop; au —, galloping

galoubet *m.* tabor pipe, fife

gambade *f.* caper, gambol

gamin *m.* lad, boy, child

gant *m.* glove

gantelet *m.* gauntlet

garanti, –e protected

garantir (se) to assure oneself

garçon *m.* young man; — d'honneur best man

garçonnet *m.* small boy

garde *f.* guard, hilt; faire bonne —, to guard well, keep a good watch; prendre —, pay attention

garder to keep, save; watch; se —, keep from, be careful not to

gardeur *m.* guardian; — de troupeaux shepherd

gare *f.* station, depot

garer (se) to take care, get out of the way

garni, –e stocked, stored

garnir to decorate, furnish, cover

garnison *f.* garrison

gars, gâs *m.* young man, lad, boy

gâteau *m.* cake; un — embroché a cake borne aloft

gauche left; à —, to the left

gaule *f.* staff, pole

Gaulois *m.* Gaul, Gallic

gave *m.* torrent, stream

géant *m.* giant

gel *m.* frost

gelée *f.* frost; — blanche sleet

geler to freeze

gendre *m.* son-in-law

gêner to trouble, hinder, stop

genêt *m.* broom (*plant*)

gêneur *m.* one who hinders

génie *m.* genius, spirit

genou *m.* knee; se mettre à —x to kneel down

genre *m.* kind

gens *m. pl.* people; jeunes —, young men, young people; braves —, good people

gentilhomme *m.* nobleman

géométral geometrical

gerbe *f.* sheaf, bundle; bouquet

gerbillon *m.* small sheaf

geste *m.* gesture, movement, act

gibus *m.* top hat

gigantesque gigantic

gilet *m.* waistcoat

gît: ci-gît here lies

glace *f.* looking-glass

glacé, –e icy, freezing

gland *m.* tassel

glaner to glean

glapissement *m.* cry, screeching

glas *m.* tolling, knell

glisser to slide, glide, slip; se —, creep (in *or* under)

glorifié, –e glorified, honored

goélette *f.* schooner

gorge *f.* throat

gorgée *f.* swallow

gorger to fill, gorge

gosier *m.* throat

goudron *m.* tar

goupillon *m.* holy-water sprinkler

gourde *f.* flask

gourmand, –e gluttonous, greedy

gourmandise *f.* gluttony

goût *m.* taste

goûter *m.* lunch; — d'honneur complimentary lunch

goûter to taste; lunch

goutte *f.* drop

gouttière *f.* gutter, rain spout

gouverner to man, steer, manage

grâce f. gracefulness, charm; — à thanks to

gracieu-x, –se graceful, gracious, pleasant, delightful

grade m. rank

gradin m. seat (part of a tier)

graduer to grade

graisse f. grease, fat

grandeur f. greatness, size, extent; dignity

grandir to grow, grow up

grange f. barn

granit m. granite

grappe f. cluster (of grapes)

gras, –se fat, rich, fertile; jour —, meat day

gratification f. gratuity, gift

gratifié, –e favored

gratter to scrape, scratch, rake

gratuit, –e free

gravé, –e engraved

graver to engrave

gravir to climb

graviter to gravitate; center

gré m.: à leur —, at their will

grec, –que Greek

grêle slender, slim

grêle f. hail

grelot m. bell

grelotter to shiver

grenier m. attic, garret

grès m. earthenware

grève f. beach, strand; se mettre en —, to strike

griffe f. clutch, claw

griffu, –e with claws

grille f. grate, gate

griller to burn (with a desire)

grimaçant, –e grimacing, grinning

grimper to climb

grincer to rattle, grate

gris, –e gray

gris-gris m. amulet, gew-gaw

grogner to grunt, grumble

grondant, –e roaring, rumbling

grondement m. roaring, rumbling

gronder to rumble; thunder

gros, –se large, big, great, heavy, strong

grossi-er, –ère coarse

grossir to increase, enlarge, magnify

grotte f. grotto

groupement m. group, society, organization

grouper to bring together, gather

guenille f. rag, tatter

guère: ne ... —, hardly, scarcely

guérir to cure, heal

guérison f. cure, recovery

guérisseur m. healer

guerre f. war

guerrier m. warrior

guerri-er, –ère warlike

guêtre f. legging

gueule f. mouth (of animals)

gui m. mistletoe

guimpe f. wimple, bonnet

guipure f. vellum lace

guirlande f. wreath, garland

guise f.: en — de as, by way of; à sa —, as one wishes; à leur —, to their taste

## H

habile clever

habillement m. clothes

habiller to dress

habit m. garment, garb, coat, suit; — de fête festive attire

habiter to live

habitude: d'—, ordinarily

habituellement usually

haie f. hedge

haillon m. rag

haleine f. breath

haler to haul, heave

haletant, –e breathless

haleter to pant, gasp for breath

hameau m. hamlet, village

hangar m. barn

harangue f. speech

harassé, –e harassed, fatigued, weary

harasser to tire out

hardi, –e bold, courageous; come !

hareng *m.* herring

haricot *m.* bean; — vert string bean

harnacher to harness

hasard *m.* chance; au —, at random; par —, perchance

hâte *f.* haste; à la — *or* en —, in haste

hâter to hasten; se —, hurry

hâti–f, –ve premature

hâtivement hastily

hausser to lift, raise; haussé sur lui-même standing on tiptoe

haut, –e high, top; loud; en —, on the summit; plus —, above, before

hauteur *f.* height; hill

hécatombe *f.* hecatomb (*great public sacrifice*)

hélas alas !

herbe *f.* grass; en —, young

hérissé, –e bristling, "roughed up"

hériter to inherit, succeed

hêtre *m.* beech tree

heure *f.* hour, time; de bonne —, early; tout à l'—, shortly, soon

heureu–x, –se happy, beneficent

heurter to touch, strike, hit

hideu–x, –se hideous, horrible

hiérarchique hierarchical

hiérarchiquement in order of importance

hirondelle *f.* swallow

hisser to lift, hoist

hivernement *m.* hibernation

homme *m.* man; — de bien honest man; —-bolide automobile driver

homogène homogeneous

honneur *m.* honor; à l' —, in favor; en —, in vogue; être à l'—, to be honored; mettent leur point d'—, make it a point of honor;

mettre en —, make fashionable; tenir à —, consider it an honor

honoraire emeritus

honorer (s') to pride oneself on

honorifique honorary

horloge *f.* clock

hors out; — d'usage no longer used

hors-d'œuvre *m.* appetizer

hospice *m.* almshouse, poorhouse

hostie *f.* host (*communion wafer*)

hôte *m.* guest, host

hôtel de ville *m.* city hall

hotte *f.* large basket (*carried on the back*)

houlette *f.* crook, sheep-hook

houleu–x, –se rough

houppelande *f.* overcoat

housse *f.* saddlecloth

huée *f.* hoot, shout

huer to hoot

huile *f.* oil

huître *f.* oyster

humeur *f.* temper

hurlement *m.* shout, jeer, yelling

hurler to yell, roar

hydromel *m.* mead (*a drink*)

## I

ici-bas here below, in this world

ignoré, –e unknown

ignorer to be ignorant of

île *f.* island

illettré, –e illiterate

illuminer to light up

imagination *f.* fancy; contrivance

imaginer to imagine, contrive

immatriculer to register, enroll

immobile still

immoler to sacrifice, slay

impassible impassive

impérieu–x, –se urgent

impie *m. & f.* unbeliever

impitoyablement without pity

imploration *f.* prayer, request

importer to be important; n'importe no matter; **n'importe qui** anyone

**imprégné, –e** impregnated

**impressionnant, –e** impressive

**impressionner** to impress

**imprévu, –e** unexpected

**imprimer** to print, communicate, mark

**inaccoutumé, –e** unusual

**inaperçu, –e** unnoticed

**inassouvi, –e** unsatisfied

**inaugurer** to inaugurate, open

**incandescent, –e** glowing

**incarnat, –e** pink; *see* rouge

**incarner** to incarnate, represent

**incassable** unbreakable

**incendie** *m.* fire, conflagration

**incendié, –e** *m. & f.* victim of fire

**inciter** to stimulate, induce

**incliner (s')** to bow, come lower

**incomber** to fall (upon)

**incommode** inconvenient

**inconnu, –e** unknown

**inconsciemment** unconsciously

**incroyable** unbelievable

**incrusté, –e** inlaid

**indescriptible** indescribable

**indication** *f.* direction

**indigent, –e** needy, poor; *m. & f.* poor person

**indiquer** to indicate, require

**indocile** disobedient, refractory

**inexprimable** inexpressible, unspeakable

**infidèle** *m. & f.* unbeliever

**infiltrer (s')** to creep, infiltrate

**infirme** invalid, feeble

**information** *f.* announcement

**infortune** *f.* ill fortune, bad luck

**infranchissable** insurmountable

**ingénier (s')** to strive

**ingénieu–x, –se** ingenious, clever

**inharmonieu–x, –se** discordant

**inhérent, –e** belonging to

**ininterrompu, –e** uninterrupted

**injure** *f.* insult, abuse

**inlassablement,** tirelessly, unceasingly, incessantly

**innombrable** innumerable, a great quantity

**inonder** to inundate, flood

**inopérant, –e** inactive

**inouï, –e** unheard of, excessive

**inqui–et, –ète** anxious

**inquiéter** to worry, cause anxiety; **s'—,** worry

**insaisissable** unseizable, elusive

**inscrire** to write; **s'—,** register

**inscrit, –e** registered

**insigne** *m.* insignia, badge; sign, mark

**insolation** *f.* sunstroke

**insouciant, –e** carefree

**inspirer (s')** to draw one's inspiration

**installation** *f.* temporary booth

**installer (s')** to place *or* seat oneself

**instituer** to institute, begin, establish

**instruire** to educate

**instruit, –e** educated

**insuffisamment** insufficiently

**intangible** unchangeable

**intarissablement** endlessly

**intégrant, –e** component, integral

**intempérie** *f.* inclemency

**intempesti–f, –ve** untimely

**intention** *f.:* à son —, for him

**interdire** to prohibit, forbid

**intéressé, –e** interested; selfish; *m. & f.* party concerned

**intérêt** *m.* interest; *see* question

**intérieur, –e** of the household; *m.* home; à l'—, inside

**intermédiaire** *m.* intermediary, go-between

**interne** *m.* boarding pupil

**interpellé, –e** *m. & f.* one addressed

**interpeller (s')** to call *or* speak to each other

**interroger** to interrogate, question

**intervenir** to interfere

**intervertir** to invert; reverse

**intime** intimate, private; deep; *m. & f.* intimate friend
**intituler** to entitle
**intransigeance** *f.* insistence
**intransigeant, -e** uncompromising
**intriguer** to puzzle, perplex
**introduire** to insert, put *or* conduct *or* bring into; s'—, enter
**inversement** inversely, the reverse
**investiture** *f.* investiture (*placing in office*)
**invité, -e** *m. & f.* guest
**invraisemblable** improbable, extraordinary
**irrité, -e** irritated, angry
**isolé, -e** isolated, remote
**issue** *f.* exit; end; à l'— de after, at the end
**ivre** drunken, intoxicated
**ivresse** *f.* drunkenness
**ivrogne** *m. & f.* drunkard

# J

**jaboo** *m.* jaboo (*dance*)
**jacasser** to twitter, chatter
**jacinthe** *f.* hyacinth
**jadis** formerly, of old
**jaillir** to throw up, flash, burst *or* leap forth; faire —, bring forth
**jalon** *m.* stake, indication; poser les premiers —s to make the first progress *or* advances
**jambon** *m.* ham
**jante** *f.* rim (*of a wheel*)
**jaquette** *f.* cutaway
**jardin** *m.* garden; — **potager** kitchen garden
**jardinier** *m.* gardener
**jarret** *m.* leg, calf of the leg
**jarretière** *f.* garter
**javelle** *f.* sheaf (*not bound up*)
**jet** *m.* toss, throw; jet, gush
**jeter** to throw; utter; se —, leap upon

**jeu** *m.* game; play, acting; — d'adresse game of skill; — **de massacre** game of Aunt Sally; en —, at stake
**jeûne** *m.* fasting
**jeûner** to fast
**jeunesse** *f.* youth, young people
**jeûneur** *m.* one who fasts
**joie** *f.* joy; s'en donner à cœur —, to enjoy oneself fully
**joindre** to join, add
**joint, -e** together, joined
**jonc** *m.* rush, bulrush
**joncher** to strew, scatter, cover
**joue** *f.* cheek
**jouer** to play; — le tout pour le tout stake everything; se —, play, trifle; be at stake
**jouet** *m.* toy
**joueur** *m.* player, participant (*in a game*)
**joug** *m.* yoke
**jouir** to enjoy
**joujou** *m.* toy
**jour** *m.* day; light; — anniversaire birthday; —férié holiday; — gras meat day; de nos —s in our time; le — des morts All Souls' Day; petit —, dawn; se faire —, to appear
**journal** *m.* newspaper
**journali-er, -ère** daily
**journellement** daily
**joyau** *m.* jewel
**jubiler** to rejoice
**juché, -e** perched
**juger** to judge; think; — **bon** consider (it) well
**jupe** *f.* skirt
**jurer** to swear
**juron** *m.* oath
**jus** *m.* juice
**jusque-là** until then
**justaucorps,** *m.* jerkin, jacket
**juste:** au —, exactly
**juxtaposer** to juxtapose, place end to end

## L

**là:** de —, whence; for that reason; **là-haut** up there
**labeur** m. work
**labour** m. plowing; see **cheval**
**labourer** to plow
**laboureur** m. farmer
**lacet** m.: en —, winding
**lâche** loose
**laine** f. wool; — brute rough wool
**laïque** lay, non-religious, secular
**laisse** f. leash
**laisser** to leave; — **voir** show; se —, allow oneself
**lait** m. milk
**laiterie** f. dairy
**lambeau** m. shred; fragment
**lambris** m. ceiling
**lamentable** wretched
**lamento** m. mournful plaint
**lampadaire** m. lamp-post; torch
**lampion** m. Japanese lantern
**lancer** to throw, hurl, cast; urge, spur; se —, rush
**landais, -e** of the Landes
**lande** f. heath, sandy moor
**lange** m. swathe, wrap
**langue** f. tongue; de — agile smooth-tongued
**lapider** to stone
**lapin** m. rabbit
**lard** m. bacon
**large** wide; le —, the open sea
**largement** broadly; at ease
**largesse** f. generosity
**larme** f. tear; à chaudes —s bitterly
**larron** m. thief, robber
**las, -se** tired, weary
**lasser (se)** to be tired or weary
**latitude** f. latitude, freedom
**lauréat, -e** m. & f. prize winner
**laurier** m. laurel; prize
**layette** f. baby linen
**lazzi** m. trick
**lect-eur, -rice** m. & f. reader

**lecture** f. reading
**lég-er, -ère** light, slight, fleet
**légion** f. legion, host
**légitimer** to justify
**legs** m. legacy
**légume** m. vegetable
**lendemain** m. next day
**lent, -e** slow
**lenteur** f. slowness
**lessive** f. washing, wash
**lettre** f. letter; pl. literature
**levée** f. removal; raising
**lever** m. rising
**lever** to raise, lift
**levier** m. lever
**lèvre** f. lip
**libraire** m. bookseller
**librairie** f. bookstore
**libre** free; empty; — **penseur** without religion, unbeliever
**licencieu-x, -se** licentious
**lier** to tie
**lierre** m. ivy
**liesse** f. mirth, merriment, rejoicing
**lieu** m. place; au — de instead of; avoir —, to take place; avoir tout — de croire have every reason to believe
**lieue** f. league (about three miles)
**lieutenant** m. lieutenant, deputy
**lièvre** m. hare
**ligne** f. line, row
**ligot** m. bundle
**ligoter** to tie, bind
**lilas** m. lilac
**limousin, -e** of Limousin
**limpidité** f. clearness
**lin** m. flax
**linceul** m. shroud
**linge** m. linen, cloth
**lingerie** f. linen
**liqueur** f. liquor
**lis** m. lily
**lisse** smooth
**lit** m. bed; — clos closed bed
**litanies** f. pl. litany

livre *m.* book; — d'étude textbook; — d'heures prayer book; — d'occasion secondhand book

livrer to deliver; — bataille give battle; — la chasse give chase; se —, take place; start; indulge, practise, devote oneself

livreur *m.* delivery man

location *f.* rent

loger to lodge, shelter

logis *m.* lodging; home; house

loi *f.* law

loin far, distant; au —, in the distance, far and wide; de —, from a distance; de — en —, at intervals

lointain, -e remote; *m.* distance

long *m.:* au —, along; le — de along

longer to go along

longuement at length, a long time

longueur *f.* length

loque *f.* rag, tatter

loqueteu-x, -se ragged, tattered

lorrain, -e of Lorraine

lot *m.* share

lotissement *m.* subdivision

louer to rent; praise

loup *m.* wolf

lourd, -e heavy

lourdeur *f.* heaviness; clumsiness

loyer *m.* rent

lucarne *f.* skylight

lucidité *f.* lucidity, clearness (*of mind*)

lueur *f.* light

lugubre mournful

luire to shine, glitter

lumière *f.* light

luminaire *m.* lights

lumineu-x, -se bright

lune *f.* moon

lupercales *f.* Lupercalia (*annual festival formerly held in Rome.*)

lustre *m.* splendor

lutin *m.* goblin, spirit, imp

lutrin *m.* lectern, choir desk

lutte *f.* struggle, fight

lutter to fight, struggle

luxe *m.* luxury

luxueu-x, -se luxurious

luxueusement sumptuously, magnificently

lycée *m. a French secondary school*

lycéen *m.* schoolboy, student

# M

macabre morbid

mâchoire *f.* jaw

maçon *m.* mason

madrier *m.* piece of timber

magasin *m.* store; grands —s department store

mage *m.* Magi

magistrat *m.* judge

magnifier to glorify

mai *m.* May; Maypole

maigre thin, meager

maillot *m.* swaddling band

main *f.* hand; —-d'œuvre ouvrière handicraft

maint, -e more than one; —s many

maintenir to maintain, preserve, hold, keep

maire *m.* mayor

mairie *f.* town hall

maître *m.* master; — de maison head of the family; *see* autel

maîtresse *f.* mistress; — de maison housewife; *see* qualité

majestueu-x, -se immense

major *m.* senior

mal *m.* evil, misfortune; illness, disease

malade *m. & f.* sick person

maladie *f.* illness, disease

maladroit, -e clumsy

malaise *m.* uneasiness

maléfice *m.* spell, witchcraft

maléfique malignant, malevolent

malencontreusement unluckily

malentendu *m.* misunderstanding

malfaisant, -e evil

malheur *m.* ill luck, misfortune;
— à lui woe unto him

malheureu–x, –se poor; unhappy

malingre puny, weak

malmené, –e mistreated

malmener to maltreat, abuse

malsain, –e dangerous; unwhole-
some

maltraiter to mistreat

malveillant, –e malevolent, evil

manche *f.* sleeve; La Manche
the English Channel

manche *m.* handle

manchon *m.* muff

mander to summon

manège *m.:* — de chevaux de bois
merry-go-round

maniéré, –e affected

manifestation *f.* expression

mannequin *m.* manikin, dummy

manœuvrer to maneuver, move

manquer to miss, lack, fail, be
without

manteau *m.* cloak, coat; mantel

marais *m.* marsh

marchand *m.* merchant; — des
quatre saisons peddler; — ambulant huckster, peddler

marchander to bargain, haggle

marche *f.* walk, step; ouvrir la —,
to head the procession

marché *m.* market

marcher to go along, progress

marcheur *m.* walker

mardi *m.* Tuesday; Mardi-Gras
Shrove Tuesday

marécage *m.* marsh, swamp

maréchal-ferrant *m.* blacksmith,
farrier

marée *f.* tide; de —, tidal

marguillier *m.* churchwarden

mari *m.* husband

marié, –e *m. & f.* groom, bride,
husband, wife; jeunes —s
newly married couple

marier to marry; à —, of mar-
riageable age

marin *m.* sailor

marmot *m.* small child; urchin

marmotte *f.* marmot

marmotter to mumble

marque *f.* mark, sign; make

marquer to mark; express

marraine *f.* godmother

marron *m.* chestnut

marteau *m.* hammer

martinet *m.* cat-o'-nine-tails

martyre *m.* martyrdom

masqué, –e *m. & f.* masked person

massé, –e massed

massepain *m.* almond cake

masser (se) to mass, gather

massi–f, –ve massive, large

mât *m.* mast, pole; — de Cocagne
greased pole

mat, –e dull

matelot *m.* sailor

matière *f.* subject

matin early; *m.* morning

matinal, –e morning

matinée *f.* morning, forenoon

Maure *m. & f.* Moor

méchant, –e bad, wicked

mèche *f.* lock (*of hair*)

mécontent, –e unsatisfied, dis-
contented

médaille *f.* medal

médaillon *m.* locket

méfait *m.* misdeed, crime, harm

méfiance *f.* suspicion, mistrust

mélange *m.* mixture

mêlée *f.* medley

mêler to mix, mingle; se —, blend;
join

mélopée *f.* chant, song

membre *m.* limb

même: de —, likewise; similarly;
de — que just as; quand —,
nevertheless, just the same

menacer to threaten

ménage *m.* household; se mettre
en —, to marry; *see* entrée

ménager to make, contrive; spare

ménagère *f.* housewife

mendiant, –e *m. & f.* beggar

mener to take, lead; **menant un beau tapage** making a great uproar

ménestrel *m.* minstrel

ménétrier *m.* fiddler

menhir *m.* menhir (*an upright rough stone or monolith*)

menton *m.* chin

menu, –e minor, small, thin

mépris *m.* scorn

mer *f.* sea

mercredi *m.* Wednesday; **Mercredi des Cendres** Ash Wednesday

méridional, –e southern; *m. & f.* Southerner

méritant, –e worthy

mériter to merit, be worthy of

merveilleu–x, –se marvelous, wonderful

mesquin, –e paltry, poor, shabby

messe *f.* mass; **grand'—**, high mass

mesure *f.* measure, step, action; bounds; **à —**, in proportion

mesurer to measure

métamorphose *f.* metamorphosis, complete change

métier *m.* trade, occupation

mets *m.* food, dish

mettre to put, place; put on, wear; take; **— le feu à** set fire to; **se — à** begin; **— à l'abri** shelter

meuble *m.* article of furniture; *pl.* furniture

meule *f.* stack

meunier *m.* miller

meurtrir to bruise

mi half; **à mi-chemin** half way

miaulement *m.* mewing

Mi-Carême *f.* mid-Lent

midi *m.* noon; south; **à — sonnant** exactly at noon

mie *f.* soft part (*of bread, etc.*)

mieux better; **à qui — —**, vying with each other, eagerly; **de son —**, as best one could; **le — qu'il peut** the best he could

mignon, –ne *m. & f.* darling, favorite

milieu *m.* middle; environment, class, place; **au —**, in the midst

millénaire thousand-year-old

millier *m.* thousand

mimer to mimic, imitate

minable wretched, miserable-looking

minauder to mince, smirk

mince thin

mineur, –e inferior, minor

minime small, minute

minuit *m.* midnight

minuscule small, minute

minutieusement carefully

minutieu–x, –se minute

mioche *m. & f.* small child

mirer (se) to be reflected, look at oneself

mis, –e dressed

mise *f.* putting; laying; **— à mort** putting to death

misérable wretched, poor

misère *f.* sorrow, misery

miséreux *m.* unfortunate person

missel *m.* missal (*Roman Catholic book of prayers*)

mitre *f.* miter (*bishop's hat*)

mitré, –e mitered

mobile mobile, moving

mobilier *m.* furniture

mode *f.* fashion; **à la —**, popular, in vogue, latest, fashionable

mode *m.* method

modifier (se) to change

modiste *f.* modiste, milliner; dressmaker

mœurs *f. pl.* customs, morals

moindre lest, least, smallest; **le —**, the slightest

moineau *m.* sparrow

moins less; **à — de, à — que** unless; **du —, pour le —, tout au —**, at least

moisi, -e mouldy
moisson f. harvest
moissonner to harvest
moissonneu-r, -se m. & f. harvester
moitié f. half
mollesse f., indolence, laxity
mollet m. calf (of the leg)
momentanément momentarily
mondain, -e m. & f. person of high society
monde m. world; people; audience; tout le —, everybody
mondial, -e of the world
monnaie f. money
monôme m. procession of students
monstrance f. monstrance (receptacle for the consecrated Host)
mont m. mountain
montagnard, -e mountain; m. & f. mountaineer
montagne f. mountain
monter to go up; arise, rise; ride; man; set up; mount
montre f.: faire —, to exhibit, reveal
monture f. mount
morceau m. slice, piece
moribond, -e moribund, dying
morne gloomy, dull, sad
mort f. death; see mise
mort, -e m. & f. dead person
mortier m. mortar, cannon
mortuaire mortuary, of death
morue f. codfish
motiver to cause
mouchoir m. handkerchief
moudre to grind
mouette f. seagull
moule m. mold
moule f. mussel
moulin m. mill
mourant, -e m. & f. dying person
mourir (se) to die
mouron m. chickweed
mousse m. cabin boy
mousse f. moss

mousseline f. muslin
mousseu-x, -se effervescent, sparkling
mouton m. sheep, lamb; mutton
moutonnant, -e foaming, curling
mouvoir to move
moyen m. means, way; middle (form); au — de by means of
moyennant for, in return for
moyette f. shock (sheaves of grain)
mu see mouvoir
muet, -te mute, silent
mufle m. muzzle
mugir to low, roar, bellow
muguet m. lily of the valley
mulot m. field mouse
multicolore many-colored
multiple many, numerous
munir to supply, provide, furnish
mur m. wall
muraille f. wall
mûrir to ripen
muscat m. muscatel wine
musée m. museum
musique f. band
mutin, -e unruly
mutité f. dumbness
myrrhe f. myrrh
myrtille f. bilberry

# N

nævus m. birthmark
nager to swim
naguère formerly, not long ago
naissance f. birth; prendre —, to arise
naît from naître
naître to be born, begin; faire —, cause
nappe f. sheet; tablecloth
napperon m. napkin covering tablecloth
narcisse m. narcissus
narine f. nostril
nasillard, -e nasal
natal, -e native, of one's birth

natte *f.* plait, braid
nature: en —, in kind
naufrage *m.* shipwreck
nautonier *m.* ferryman
navette *f.* shuttle; faire la —, to go back and forth
navire *m.* ship
néanmoins nevertheless
nécessité *f.* necessity; de première —, indispensable
nécropole *f.* necropolis, burial place
nef *f.* nave
néfaste harmful
négligé, –e careless
négliger to neglect
nerf *m.* nerve
nerveu-x, –se sinewy, brawny
nettement clearly, sharply
netteté *f.* distinctness, clearness
nettoyer to clean
neuvaine *f.* novena (*nine days' devotion or prayers*)
nezille *f.* hazelnut
nid *m.* nest
nier to deny
Nil *m.* Nile
nimbé, –e surrounded with a halo
noce *f.* wedding, wedding party
nocher *m.* ferryman
Noël *m. or f.* Christmas; *m.* Christmas song
nœud *m.* knot, bow, tie; — coulant slipknot
noisette *f.* nut, hazelnut
noix, *f.* nut, walnut
nombre *m.* number; many; sans —, numberless
nombreu-x, –se numerous
nonne *f.* nun
nord *m.* north
notabilité *f.* notable, prominent person
notaire *m.* notary
notamment notably, especially, particularly
note *f.* grade, report card
nouer to knot, tie

nougat *m.* almond cake
nourrice *f.* nurse
nourrici–er, –ère *see* terre
nourrir to nourish
nourrisson *m.* nursling
nouveau, nouvel, nouvelle new; à —, de —, again, anew; —-né newborn
nouveau *m.* novelty
nouvelle *f.* story
novat–eur, –rice innovating; *m.* innovator
noviciat *m.* probation
noyé, –e *m. & f.* drowned person
noyer to drown
nu, –e bare, naked
nuage *m.* cloud
nuée *f.* cloud
nuire to be harmful, harm
nuisible harmful
nuit *f.* night; il fait —, it is night

## O

obéir to obey
obligatoire compulsory
obligatoirement compulsorily
obligé, –e usual
oblique: en —, obliquely
obscurci, –e darkened, dark
obsédé, –e obsessed
obsèques *f. pl.* funeral
observer (s') to be observed
obstiné, –e obstinate, stubborn
occasion: d'—, chance; livre d'—, secondhand book
occasionner to occasion, cause, produce
occuper (s') to concern oneself
octave *f.* octave (*period including a festival and the week after*)
odorant, –e fragrant
œuf *m.* egg
œuvre *f.* work, book
offertoire *m.* offertory
office *m.* church service, mass; faire — de to take the place of

officiant *m.* officiating priest
officier to officiate
officine *f.* store; laboratory
offrande *f.* offering, present
offrir to offer; **aux plus offrants** to those offering most
oie *f.* goose
oignon *m.* onion
oiseau *m.* bird
oisi–f, –ve idle; *m. & f.* idler
olivier *m.* olive tree
ombragé, –e shaded, shady
ombre *f.* shadow, shade
onde *f.* water, wave
onduler to undulate, wave
onguent *m.* ointment
opéré, –e *m. & f.* person operated on
opérer to effect; operate; s'—, take place
opulent, –e rich, wealthy, luxuriant
or now
or *m.* gold; —s pompeux golden splendor
orage *m.* storm
oraison *f.* prayer
oranger *m.* orange tree; **fleur d'—**, orange blossom
oratoire *m.* oratory, small chapel
orbe *m.* orbit
ordre *m.* kind
ordure *f.* dirt
oreille *f.* ear; avoir l'— dure to be hard of hearing; prêter l'—, listen
oreiller *m.* pillow
orfèvrerie *f.* gold *or* silver work
organiser to organize, plan out
orge *f.* barley
orgiaque excessive, carousing
orgie *f.* orgy
orgue *m.*, orgues *f. pl.* organ
orgueil *m.* pride
orgueilleusement proudly
orgueilleu–x, –se *m. & f.* proud person
originaire: — de from

origine *f.*: à l'—, originally
oripeau *m.* tinsel, tinseled finery; *pl.* clothes
ormeau *m.* young elm tree
orner to decorate, ornament
orphéon *m.* glee club, choral society
os *m.* bone
osciller to swing, pivot, oscillate, lean
oser to dare
osier *m.* reed, wicker
ossements *m. pl.* bones
ossuaire *m.* ossuary (*receptacle for the bones of the dead*)
ostensoir *m.* monstrance (*a receptacle for the consecrated Host*)
ôter to remove
ouaille *f.* sheep, flock
oubli *m.* forgetfulness, oblivion
oublieu–x, –se forgetful
ouest *m.* west
ouïe *f.* hearing
ourlet *m.* hem, border
outil *m.* implement, tool, utensil
outre: en —, besides, in addition to
ouvert, –e open; grand —, wide open
ouvrage *m.* work
ouvragé, –e worked, wrought
ouvri–er, –ère working; *m. & f.* worker, laborer
ouvrir to open; *see* marche

# P

païen, –ne pagan
paille *f.* straw
paillé, –e straw-covered
pain *m.* bread; — de sucre sugar loaf
pair: de —, on an equality
paisible peaceful, quiet
paître to graze
paix *f.* peace
palais *m.* palace; Palais de Justice law court

pâle pallid

palefrenier *m.* groom

palmarès *m.* prize list

palmier *m.* palm tree

palpiter to palpitate, pant, tremble

paludier *m.* salt-marsh worker

panacée *f.* panacea, cure-all

panache *m.* plume, feather

panier *m.* basket

panneau *m.* panel

panser to bandage, dress

pantagruélique extravagant, bountiful, Pantagruelistic

pantalon *m.* trousers

pantin *m.* puppet

pape *m.* Pope

papeterie *f.* stationery

Pâques *m.* Easter

paquet *m.* package; share

parade *f.* parade, display, boast; parry

parage *m.* vicinity, quarter

paraître to appear, seem; paraît-il it seems

parapluie *m.* umbrella

parchemin *m.* parchment

parcimonieu-x, -se parsimonious, stingy

parcourir to run *or* pass through, overrun, travel over

parcours *m.* journey, trip, procession; road, way

par-dessus on top, over

pardon *m.* pardon (*religious festival*); pilgrimage

parer to adorn, embellish, dress up; provide, provide against, meet; se —, dress; assume

parfaire to complete, perfect

parfois sometimes

pari *m.* bet, wager

parlementer to parley

parmi among

parodie *f.* parody, imitation

paroi *f.* wall

paroisse *f.* parish

paroissien, -ne *m. & f.* parishioner

parole *f.* word; l'usage de la —, power of speech; prendre la —, to speak

parquer to place

parquet *m.* floor

parrain *m.* godfather

parrainage *m.* state of being godfather

parsemé, -e replete (with), bestrewn

part *f.* share, part; à —, specially; d'autre —, on the other hand; de la — de in the name of; de ma —, for me; de toutes —s on all sides, everywhere; faire —, to inform; la — à Dieu God's share; mettre à —, leave out; prendre —, share

partage *m.* division; recevoir en —, to receive one's share

partager to share, divide

partant therefore, hence

partenaire *m. & f.* partner

parti *m.* party

particularité *f.* particular feature

particuli-er, -ère particular, individual, peculiar; private; tout —, entirely its own

particulièrement specially, particularly

partie *f.* game, party; part, portion; faire — de to take part in

partir to leave, start, go off; arise; à — de from

partout everywhere; — où wherever

parure *f.* attire, finery; ornament, adornment, decoration

parvis *m.* parvis (*open space in front of a church*)

pas *m.* step; — piqué *a provincial dance;* au —, at a walk; à petits —, slowly

pascal, -e paschal, of Easter

passage *m.* crossing, passing; au —, in passing

passant *m.* passer-by

passementé, –e laced

passer to pass, spend; enter into; receive; slip; se —, take place; se — de do without

passionné m. enthousiast, fan

pâte f. dough; — feuilletée flaky pastry

pâté m. pastry

Pater m. Lord's Prayer

paterne paternal

pâtisserie f. pastry

pâtissier m. pastry cook

patois m. patois, dialect

pâtre m. shepherd

patriarcal, –e patriarchal

patron, –ne m. & f. employer, master, protector; patron saint

patronner to patronize, protect

patte f. foot (of an animal)

pâturage m. pasturage

paume f. palm; tennis

pauvresse f. poor woman

pauvret, –te m. & f. poor little thing

pauvreté f. poverty

pavé m. pavement, paving-stone

pavoiser to decorate, deck with flags

peau f. skin

peccadille f. slight offense

pêche f. fishing

pêcher to fish

pêcheur m. fisherman

pêcheur m. sinner

pécuniaire pecuniary

peigner to comb

peindre to paint

peine f. pain, difficulty, trouble; à grand'—, with much difficulty; à —, scarcely; être à la —, to suffer; — perdue in vain; sous — de at the risk of

peint, –e painted

peintre m. painter, artist

peinture f. paint, painting

peler to peel

pèlerin m. pilgrim

pèlerinage m. pilgrimage

pelisse f. pelisse (outer garment of fur)

pelle f. shovel; — à feu fire shovel

pelletée f. shovelful

pelotari m. pelota player

pelote f. handball, pelota; ball

pelouse f. lawn, grassplot

pelure f. peeling

penaud, –e crestfallen, abashed

pencher to lean over; se —, bow, weigh down

pendre to hang

pendule, f. mantel clock

pénible painful, difficult, hard

péniblement painfully

penne f. feather

penseur m.: libre —, without religion, freethinker

pensi–f, –ve thoughtful

pension f. boarding house or school

pensionnaire m. & f. boarder

pente f. slope

Pentecôte f. Pentecost

pénurie f. scarcity

pépinière f. nursery

perçant, –e shrill, high

percer to pierce, prick

perche f. stick, stave, pole

percher to perch, place

perdre to lose; see frais

perdreau m. young partridge

perdu, –e distant, remote

père m. father; de — en fils from father to son

périlleu–x, –se perilous, dangerous

péripétie f. incident, development, catastrophe

périr to perish, die

perle f. pearl

perquisition f. search

perruque f. wig

perruquier m. wigmaker

persienne f. blind

persister to persist, exist

perte f. loss

peser to weigh

pétard m. firecracker

pétillant, –e sparkling, crackling
pétiller to crackle, snap out
pétrir to knead; wring, twist
peu: depuis —, of late; un —, for a moment
peuple m. people, nation, common people; un —, a large crowd
peuplé, –e peopled, filled
peupler to people, inhabit; se —, fill
peur f. fear; de — de for fear of
phalange f. bone-joint
phare m. beacon, light
photographe m. photographer
physionomie f. face
physique m. constitution
pic: à —, perpendicular(ly)
pichet m. jug
pièce f. coin; play; document; room; — de monnaie coin
pied m. foot; plant, stalk
pied-à-terre m. temporary lodging
pierre f. stone
pierrot m. pierrot, fool
piété f. piety, worship
piétiner to tread, move one's feet about, step
pieu m. stake, post
pieu-x, –se pious
piler to crush, pound, compound
pimpant, –e smart, new
pincée f. pinch
pionnier m. pioneer
pipeau m. reed pipe
piquet m. stake, pole, post
piqûre f. prick
pire worse
pirouetter to pirouette, whirl
piscine f. pool, pond
piste f. track
pistole f. pistole (*old French coin worth ten francs*)
piston m. cornet
piteu-x, –se piteous
place f. public square; room; seat; faire — à to give way to; la grande —, the principal square; sur —, on the spot

plafond m. ceiling
plage f. beach
plaider to plead
plaidoirie f. pleading
plaie f. wound
plainte f. complaint; lamentation
plaire to please
plaisant m. jester, wag; mauvais —, trickster, mischievous wag
plaisanter to joke
plaisanterie f. joke, joking
plaisir m. pleasure
planche f. board, plank
plancher m. floor
planchette f. small board
planer to hover
planter to fix, drive in, place, thrust
plantureu-x, –se plentiful
plaque f. back (*of a chimney*)
plaquer to give, draw out
plaquette f. small thin layer, slab
plat m. dish, tray; — de résistance chief dish
plat, –e flat
platane m. plane tree
plateau m. tray
plâtre m. plaster
plein, –e full; en — air in the open air; font leur —, are filled to capacity
plénitude f. fullness, plenitude
pleurer to cry, weep
pleuvoir to rain, shower (down)
pli m. fold, wrinkle
plier to fold, bend; keep
plisser to wrinkle, plait
plomb m. lead
plonger to plunge, dip
pluie f. rain
plume f. pen; feather
plus more; de — en —, more and more; — ... —, the more ... the more; tout au —, at the most; en — de besides
plutôt rather; — que rather than
poche f. pocket
poêle f. frying pan

poésie *f.* poetry, idealism

poids *m.* weight

poignant, –e keen, poignant

poignée *f.* handful; — de main handshake

poindre to appear, peep

poing *m.* fist

point *m.* point; period; au plus haut —, in the highest degree

point *see* poindre

pointe *f.* point, tip; — des pieds toe

pointu, –e pointed

poire *f.* pear

pois *m.* pea

poisson *m.* fish; — d'avril April fool

poitrine *f.* breast, chest

poli, –e polite, polished

polichinelle *m.* Punch, buffoon

polisson *m.* rascal

politesse *f.* politeness

pommé, –e filled out, headed up

pompe *f.* pomp, splendor; —s funèbres *see* entreprise

pompeu–x, –se pompous

pompier *m.* fireman

pont *m.* bridge; stage

pontife *m.* pontiff

populeu–x, –se populous

porc *m.* pig, hog

porche *m.* porch, portal

portail *m.* portal, doorway

porte-bonheur *m.* talisman, amulet

portée *f.:* à sa —, within his reach

porte-plume *m.* penholder

porter to wear; bear; se —, go; be; be directed; — un toast offer *or* give a toast; — atteinte alter

porteu–r, –se *m. & f.* bearer

posément sedately, gravely

poser to set, place, show

posséder to possess

postiche imitation, mock

postulant, –e *m. & f.* candidate

pot *m.* pot, jug, dish; — de terre earthen crock

potence *f.* beam

poulailler *m.* henhouse

poule *f.* chicken, hen

poulet *m.* chicken

poulie *f.* pulley

poupée *f.* doll

poupon *m.* baby; Poupon Christ-child

pour que in order that, so that

pourboire *m.* gratuity, tip

pourceau *m.* pig

pourpre purple, dark red

pourrir to rot, decay

poursuite *f.* pursuit; à sa —, after her

poursuivre to follow, pursue; se —, continue, go on

pourtant however, nevertheless

pourtour *m.* circuit

pourvoyeur *m.* purveyor, provider

pourvu, –e provided

pousser to grow; utter; push, urge, drive; — un soupir heave a sigh; se —, press forward

poussière *f.* dust

poussin *m.* chick

poutre *f.* beam, rafter

pouvoir *m.* power, authority

pouvoir to be able; on ne peut plus exceedingly, extremely

pratiquant *m.* communicant; practitioner, one engaged in ...

pratique *f.* practice, custom; customer

pratiquer to practise; perform; play

pré *m.* meadow, field

préalablement previously

précaire precarious

préchantre *m.* precentor (*one who leads the singing of a choir*)

prêcher to preach

précieusement with great care

précipiter to hasten; se —, hurry, rush, rush forward

préconiser to commend, sanction, recommend

**prédire** to predict, foretell

**préféré, -e** *m. & f.* one preferred, favorite

**préjugé** *m.* prejudice

**prélever** to levy, take off

**premier-né** *m.* first-born

**prendre** to take, capture, catch, seize; **— d'assaut** take by assault; **se — à** set about

**preneur** *m.* taker, customer

**prénom** *m.* given name, first name

**préoccupation** *f.* thought

**préoccuper (se)** to be interested *or* concerned; trouble oneself

**préparatif** *m.* preparation

**préposé, -e** in charge

**préposer** to intrust

**prérogative** *f.* privilege

**près** near; **à peu —,** almost, about; **de —,** closely, soon; **de — ou de loin** from near or far

**présage** *m.* presage, omen; **heureux —,** good omen

**prescrit, -e** prescribed, ordered

**présenter (se)** to appear

**préservatif** *m.* preservative, protection

**présider** to preside, prevail, exercise control

**pressé, -e** eager, in haste

**pressentiment** *m.* presentiment, foreboding

**pressentir** to foresee; warn; surmise; **faire —,** foretell, inform

**presser** to hurry; press; **se —,** crowd

**prestigieu-x, -se** fascinating

**prétendant** *m.* suitor

**prétendre** to pretend, assert

**prêter** to lend, give; add; give rise; **— l'oreille** listen; *see* **serment**

**prêtre** *m.* priest

**preuve** *f.* proof; **faire — de** to give proof of, show

**prévaloir** to prevail

**prévenance** *f.* kind attention, kindness

**prévenir** to inform

**prévenu, -e** foretold, warned

**prévoir** to foresee, provide for

**prie-Dieu** *m.* prayer stool

**prier** to ask, pray

**prière** *f.* prayer

**printani-er, -ère** spring, of springtime

**priorité** *f.* priority, right of way

**pris, -e** made

**privé, -e** private

**prix** *m.* price; reward, prize

**procédé** *m.* process, way

**procès** *m.* lawsuit, trial

**processionnellement** in procession

**prochain, -e** next

**proche** near, nearby, close

**proches** *m. pl.* relations, relatives

**procurer (se)** to obtain, get

**prodigué, -e** wasted, thrown away

**prodiguer** to lavish; put

**produire** to produce, present

**produit** *m.* article, product, result

**professer** to practise, teach

**profond, -e** deep; **au plus — de** to the bottom of

**proie** *f.* prey, victim

**projet** *m.* project, plan

**projeter** to throw

**prolongé, -e** long

**promener** to conduct, carry about, parade, move about, walk about; cast

**promesse** *f.* promise

**prometteu-r, -se** promising

**promettre** to promise

**promise** *f.* bride

**promotion** *f.* class

**promouvoir** to promote; admit

**promut** *see* **promouvoir**

**prône** *m.* sermon

**prononcer** to pronounce, utter; deliver (*of speeches*); **se —,** speak up propager to propagate, spread

prophétie f. prophecy

propice propitious, lucky, favorable

propos m. words, talk; à —, with regard to, about; by the way

propre own, peculiar

propriété f. property; virtue, quality

prose f. prose hymn

prospère prosperous

prosterner (se) to prostrate oneself, bow down

protect-eur, –rice protective

protégé, –e m. & f. ward

protéger to protect

protocolaire formal, ceremonial

protocolairement by formula

prouesse f. prowess, feat

prouver to prove

provençal, –e of Provence

provende f. provender, food

provenir to come (from), proceed

proviseur m. principal

psalmodier to sing

psaume m. psalm

pudeur f. modesty

puéril, –e childish

puiser to draw, fetch; — ... dans borrow ... from

puissance f. power

puissant, –e powerful

puits m. well, fountain

punir to punish

pupille m. & f. ward

pythonisse f. fortune teller

## Q

quai m. wharf, street bordering on water

qualité f. quality, trait; en cette —, as such; — maîtresse essential trait

quand même always, all the same

quant à as for

quarantaine f. about forty

quart m. quarter

quartier m. quarter, section of town; piece

quasi half, partly, nearly

quelconque any, some ... or other

quelque about, some; whatever

quenouille f. distaff

querelle f. quarrel; chercher —, to pick a quarrel

question f.: —s d'intérêt money matters

quête f. quest, search, collection

quêter to ask, collect, beg

quêteu-r, –se m. & f. solicitor

queue f. end; tail; handle

quille f. ninepin

quincaillier m. hardware dealer

quinquet m. lamp

quinzaine f. fortnight; première —, first half of the month

quittance f. receipt

quitte: en être —, to escape with, be let off with

quitter to leave, quit, abandon, lay aside

quoi que whatever; quoi qu'il en soit whatever the case may be

quoique although

quotidien, –ne daily; m. daily (newspaper)

## R

rabattu, –e pulled down

raccommoder to mend

radeau m. raft

radieu-x, –se radiant, shining

rafale f. gale, tempest

raffiné, –e refined

rafraîchir (se) to refresh oneself

rafraîchissements m. pl. refreshments

raisin m. grape

raison f. reason, mind; avoir — de to get the better of

râle m. death rattle; avoir des —s to rattle

ralliement m. rally, rallying

rallumer to relight

ramasser to pick up, gather

rameau *m.* sprig, branch; le dimanche des —x Palm Sunday

ramener to bring back, take back

rampe *f.* slope

ramper to crawl

rancart *m.:* au —, cast-off

rançon *f.* ransom

rancune *f.* rancor, spite, grudge

rang *m.* rank, position

rangée *f.* row

ranger to put, place, arrange, set, set in order; put away; se —, make room

râpé, –e threadbare, shabby

rapine *f.* plunder

rappel *m.* reminder, remembrance

rappeler to recall, remind

rapport *m.* relation, connection, regard; en —, in keeping, in harmony; par — à with reference to

rapporter to bring back; report

rapprocher to bring together, bring nearer

rapt *m.* abduction

rare: les —s absents the few (who are) absent

ras, –e smooth, close cut

raser to shave

rasoir *m.* razor

rassasier to satisfy

rassemblement *m.* gathering

rassembler to assemble

rattacher (se) to be centered

ravi, –e charmed

ravir to take away

raviver to revive, replenish

rayé, –e striped

rayon *m.* ray; radius

rayonner to radiate

réapparaître to appear again

rébarbati–f, –ve gruff, stern

rebondir to rebound

rebord *m.* edge

rebot *m.* line of rebound

rebours: à —, in the opposite direction

rebouteux *m.* bonesetter, healer

rebut *m.* refuse, rubbish

récalcitrant, –e stubborn

recéler to conceal, hide

recensement *m.* census

recette *f.* collection; receipt

recharger to reload

réchauffer to heat, warm

recherche *f.* search; *see* rivaliser

récidiver to repeat

récipient *m.* receptacle

réciproque mutual; *f.* converse

récit *m.* account

réclame *f.* advertisement, advertising

réclamer to demand, ask, claim

recoin *m.* corner, nook

récolte *f.* harvest

récolter to harvest, gather; accept

reconduire to conduct back, accompany

réconfortant *m.* tonic, stimulant

réconforter to refresh; comfort

reconnaissable recognizable, distinguishable

reconnaissance *f.* gratitude

recourir to have recourse, resort

recours *m.* recourse

recouvert, –e covered

récréati–f, –ve recreational

recteur *m.* rector

recueillement *m.* meditation, devout attention, stillness

recueilli, –e calm, devout, meditative; hidden; captured

recueillir to collect, reap, gather; se —, meditate

reculé, –e remote, distant; backward

reculer to draw back, retreat; postpone

rédaction *f.* wording

redevable indebted

redevenir to become again

redingote *f.* frock coat

rèdite *f.* repetition

redoutable formidable, dreadful

redouter to fear; suspect

réduire to reduce, limit; en être réduit be obliged

refaire to do again, repeat

réfectoire *m.* dining-hall

refermer to close, shut

reflet *m.* reflection

refléter (se) to reflect; be reflected

réfugier (se) to take refuge, hide

refus *m.* refusal

regagner to regain, reach again, return

régaler to treat (*to food or drink*); se —, regale oneself

regard *m.* look; en — de considering

regarder to look; consider

régate *f.* regatta, boat race

régional sectional

régir to govern, rule

régisseur *m.* manager, director

registre *m.* register; —s de l'état-civil registers of the municipality

règle *f.* rule; régime; de —, the rule, customary

règlement *m.* regulation, laws, ruling

réglementaire provided by the rules of

régler to settle, regulate, fix

règne *m.* reign

régner to reign; prevail, be in style

regorger to be filled, abound, teem, be crowded, overflow

regret: à —, regretfully, slowly

rehausser to enrich, enhance

rein *m.* loin, back; le — creusé with back arched

reine *f.* queen

rejeter to reject

rejoindre to join, come up to; return, regain; se —, come together

réjouir (se) to rejoice, make merry

réjouissance *f.* rejoicing, merry-making, festivity

relâche: faire —, to close

relancer to throw again

relayer (se) to relay, take turns

reléguer to relegate, banish

relever to pick up, get up again; se —, rise

religieuse *f.* nun

religieusement religiously; closely

religieux *m.* monk

relique *f.* relic

reliure *f.* binding

remède *m.* remedy

remémorer (se) to remember

remettre to hand, give, return; repair; postpone; se —, start; s'en — à trust to, resort to

remonter to date back; go up; come up again

remorquer to tow, drag

rémouleur *m.* (knife) grinder

remous *m.* backwater, eddy, ripple

rempart *m.* rampart, outpost

remplaçant, -e substitute

remplacer to take the place of, replace

remplir to fill, fulfill; rempli à craquer filled to bursting

remporter to carry away

remuer to move

renaître to be reborn, come to life again

renard *m.* fox

rencontre *f.* meeting, encounter

rencontrer to meet, find

rendement *m.* return, yield

rendre to return, give, give back; make; se —, surrender; go, turn, lead; se — compte realize

renfermer to enclose, hold, contain

renfler to rise

renfort *m.* help, addition; à grand — de with the help of; prêter —, to give assistance

renfrogné, -e sullen, scowling

renom *m.* renown, fame

renommé, –e famous

renommée *f.* fame, renown

renoncer to renounce, give up

renouveau *m.* spring

renouveler to renew, change

renouvellement *m.* renewal, renewing

renseignements *m. pl.* information

rente *f.* income, pension, rent

rentrée *f.* reopening, return

rentrer to return; bring in

renverser to upset, reverse, overturn, overthrow

renvoyer to send (back)

répandre to spread, scatter

répandu, –e widespread

répartir (se) to divide, allot

repas *m.* meal; — de noce wedding feast

repeindre to paint again

repentir (se) to repent

répercuter to reverberate

replier to refold

répondre to reply, correspond

repos *m.* rest; de tout —, sure

reposer (se) to rest

reposoir *m.* improvised altar

repoussant, –e repulsive

repousser to reject, push back

reprendre to continue, take up; reprimand; hit again; — le chemin return

représentation *f.* performance

réprimer to check

reprise *f.:* à plusieurs —s several times

repu, –e satiated

réputé, –e of repute, of note

requête *f.* request

requis, –e required, necessary

rescapé, –e *m. & f.* person saved

rescousse *f.* rescue

résigné, –e resigned

résine *f.* resin

résonner to resound

résoudre to resolve

respirer to breathe

ressembler to resemble

ressentir to feel, perceive

ressort *m.* spring

ressortir to come out again

ressouder to set

restant *m.* remainder, rest

restaurer to refresh

reste *m.* remains; du —, moreover, by the way

rester to remain, stay

restreint, –e restrained, meager

résultat *m.* result

rétablir to reëstablish

retard *m.* delay

retardataire *m. & f.* tardy person

retarder to delay

retenir to retain, keep

retentir to resound

retenu, –e held, bound

retirer (se) to leave, withdraw

retomber to fall, fall back

retour *m.* return; de —, returned, back

retracer to outline

retraite *f.* retreat; — aux flambeaux torchlight procession

rétrécir to make narrow

rétribution *f.* recompense, pay

retrousser to roll up

retrouver to find again; se —, be found

réunion *f.* meeting, gathering

réunir to gather, bring together, collect

réussir to succeed

réussite *f.* success

revanche *f.* revenge; reversal (*of conditions*); en —, as a compensation for, on the other hand

rêve *m.* dream; ideal

réveil *m.* awaking

réveiller to awaken

réveillon *m.* Christmas Eve celebration

réveillonner to celebrate (*Christmas Eve*)

revenir to return; belong; reconsider; change one's mind; en — à return to

revenu *m.* revenue, income

rêver to dream

revers *m.* back stroke

revêtir to dress, wear

revoir to see again

revue *f.* review, military review

rez-de-chaussée *m.* ground floor

riant, -e lively, cheerful

ribambelle *f.* swarm, crowd

rideau *m.* curtain

ridée *f.* ridee (*Breton dance*)

rieu-r, -se laughing, cheerful

rigoureu-x, -se rigorous

rigueur *f.* rigor, harshness; de —, necessary, obligatory

rillettes *f. pl.* minced pork (*cooked in fat*)

rime *f.* rhyme, verse

ripaille *f.* revelry, feasting, drinking

rire *m.* laughter

rire to laugh

risquer to risk, be apt to

rituel, -le ritual, ritualistic

rivage *m.* shore, bank

rivaliser to compete, rival, vie; — de recherche try to beat one another

rive *f.* shore, bank

riverain, -e riverside

robe *f.* dress; coat (*of animals*)

robinet *m.* tap, faucet

roc *m.* rock

rocailleu-x, -se stony

roche *f.* rock

rocher *m.* rock

rocheu-x, -se rocky

rôdeu-r, -se *m. & f.* prowler

Rogations *f. pl.* Rogation Days (*days of special supplication*)

roi *m.* king; la fête des —s Twelfth-night; les trois —s mages the Magi, the three Wise Men

rôle *m.* part; à tour de —, in turn

roman *m.* novel; — d'aventures romance

romanci-er, -ère *m. & f.* novelist

rompre to break

rond *m.* circle

ronde *f.* round, dance; à la —, one after the other, round about; within a radius

rondin *m.* billet, stick

ronfler to snore; hum

ronger to wear away

rosace *f.* rosette

rosaire *m.* rosary

rosée *f.* dew

rosier *m.* rosebush

rosir to turn pink *or* rosy

rossignol *m.* nightingale

rôti *m.* roast

rôtir to toast, roast

roue *f.* wheel

rouet *m.* spinning wheel

rouge red; — incarnat carnation

rougeâtre reddish

rougeaud, -e ruddy, red-faced

rougeoyant, -e ruddy

rougir to blush

roulement *m.* rolling, beating, rumble

rouler to roll

roulis *m.* rolling, roll

roux, rousse red, sandy, russet

royaume *m.* kingdom

royauté *f.* royalty

ruban *m.* ribbon

rubrique *f.* head, heading; column (*of a newspaper*)

ruche *f.* hive; — d'abeilles beehive

rude rude, harsh, strong

ruelle *f.* small street

ruer to kick; se —, rush

rugissement *m.* roaring

ruisseau *m.* stream

ruisseler to run down, trickle

rumeur *f.* rumor; noise

ruse *f.* trick, slyness

rusé, –e crafty, sly
rutilant, –e shining (*like gold*)

## S

sable *m.* sand; — mouvant quicksand
sabot *m.* sabot; wooden shoe; hoof
sac *m.* sack, bag
sacerdotal, –e sacerdotal, priestly
sachet de parfum *m.* sachet
sacre *m.* coronation
sacré, –e sacred, holy
sacrer to crown; consecrate
sacristie *f.* sacristy, vestry
sage good, well behaved
sage-femme *f.* midwife
sagesse *f.* wisdom
saignée *f.* bleeding
saignement *m.* bleeding
saigner to bleed
saillant, –e salient
sainement soundly; moderately
saint, –e holy
saisir to seize, catch, take, grasp
saison *f.* season; la belle —, in the summer
sale dirty
salé, –e salted; *m.* salt meat (*pork*); petit —, half-salted pork
salir to soil, dirty
salle *f.* hall, public place; grande —, living room; — des fêtes auditorium
saloir *m.* salting-tub
salon *m.* drawing-room; — de coiffure hair-dressing parlor
saltimbanque *m.* mountebank, quack
salubrité *f.* salubrity, health
saluer to greet, salute, bow, welcome
salut *m.* greeting, salute; salvation
salve *f.* salvo, volley, salute
sanction *f.* penalty
sang *m.* blood
sang-froid *m.* coolness, composure

sanglant, –e bloody
sanglot *m.* sob
santé *f.* health
santon *m.* little saint
sapeur-pompier *m.* fireman; corps des —s fire brigade
sapin *m.* fir tree; — de Noël Christmas tree
sarment *m.* branch of a vine
saucisse *f.* sausage
saucisson *m.* sausage
sauf except, save
saumâtre briny
saupoudrer to powder; — de plumes feather
saut *m.* jump, bound; dance
sauter to jump; faire —, explode
sauvegarder to safeguard, protect
sauver to save; se —, escape, flee
Sauveur *m.* Savior
savamment artistically, skillfully
savant, –e clever, skillful, learned; *m.* scholar
saveur *f.* taste, savor
savoir-faire *m.* skill, ability
savon *m.* soap
savourer to enjoy
savoureu-x, –se savory, tasty; pleasant, delectable
saynète *f.* short comedy
sceller to seal
scène *f.* stage, platform
scolaire academic
scruter to scrutinize
séance *f.* meeting; game
seau *m.* bucket, pail
sec, sèche dry, sharp
sécher to dry
secouer to shake, rock
secourable benevolent, helping, ready to help
secours *m.* help, assistance; porter —, to give aid
secousse *f.* jolt
secrétariat *m.* secretary's office
séculaire century-old
séditieu-x, –se seditious

seigneur *m.* lord

sein *m.* midst

séjour *m.* residence

sel *m.* salt

selon according to

semaille *f.* sowing, planting

semblant: faire —, to pretend, appear as though

sembler to seem

semer to sow, scatter, spread, strew

sens *m.* sense; meaning

sensible sensitive

sensiblement perceptibly

senteur *f.* odor

sentier *m.* path

sentir to feel, note

seoir to be fitting, be becoming

sergent *m.:* — de ville policeman

sérieux *m.* earnestness, seriousness

serment *m.* oath; prêter —, to take an oath, swear

serpentin *m.* roll of confetti

serrer to press, tighten, hold tight, fit closely, clasp, shake (*hands*)

serrurerie *f.* ironwork

serviable obliging, serviceable

service *m.* department

serviette *f.* napkin; towel

servir to serve; se faire —, have served; se — de use; — de *or* — pour serve as

serviteur *m.* servant

seuil *m.* threshold, doorway

sève *f.* sap

siècle *m.* century

sied *see* seoir

siège *m.* siege; seat, chair

siffler to whistle

signaler to signal, notice; se —, distinguish oneself

significati–f, –ve significant

signifier to signify, mean, show

sillon *m.* furrow

sillonner to furrow, flash through

simplet, –te simple

simpliste very simple

simulacre *m.* semblance, sham

simulé, –e fictitious, sham

simuler to simulate, imitate

singe *m.* monkey

singuli–er, –ère strange

sinon if not, otherwise

sitôt: ils n'étaient pas — . . . , no sooner had they . . .

situer to place, locate

soi-disant so called, styled

soie *f.* silk

soigné, –e well cared for

soigneusement carefully

soin *m.* attention, care, treatment

soit . . . soit either . . . or

sol *m.* ground, soil, land

soldat *m.* soldier

soleil *m.* sun; sunflower

solennel, –le solemn, great

solennité *f.* solemn occasion

solide good, firm

solidité *f.* strength

solliciter to request, entreat

sombre dark, somber

sombrer to sink, be submerged

somme *f.* sum

sommeil *m.* sleep

sommeiller to sleep, lie dormant

sommer to summon, call upon

sommet *m.* summit, top

somnoler to drowse

somptueu–x, –se sumptuous, rich

somptuosité *f.* splendor

son *m.* sound, tone

songer to dream, think

sonner to ring, sound; — à toute volée ring loudly

sonnerie *f.* ringing

sonnette *f.* bell

sonneur *m.* ringer, bell ringer

sonore sonorous

sorci–er, –ère *m. & f.* sorcerer, wizard

sort *m.* lot, fate, chance, destiny

sorte *f.* kind; de — que so that

sortie *f.* exit, coming out, leaving; walk; holiday; going home; à la —, at the end sortilège *m.* witchcraft, charm

sortir to come out, take out, deviate

sosie *m.* exact image, double

sot, sotte stupid; *m. & f.* fool

soubresaut *m.* start, jerk; le dernier —, the last sign of life

souci *m.* worry, care; avoir —, to care about; preserve; sans —, without minding

soucier (se) to care, mind

soucieu-x, -se careful, mindful

souder to solder; se —, be joined

souffle *m.* breath, blowing, blast

souffler to puff, breathe, blow; prompt

souffrance *f.* suffering, pain

souffrir to suffer

souhait *m.* wish; à —, as well as one could wish

souhaiter to wish

soulager to relieve, ease

soulever to raise, lift up, arouse

soulier *m.* shoe

souligner to emphasize

soumettre to subject

soumission *f.* submission

soupçonner to suspect

soupe *f.:* — au lait milk porridge

souper *m.* supper

souper to sup

soupeser to weigh (*by hand*)

soupière *f.* soup tureen

soupir *m.* sigh; *see* pousser

souplesse *f.* suppleness, flexibility

source *f.* spring; source

sourd, -e deaf, dull; hollow

souriant, -e smiling

sourire *m.* smile

sourire to smile

soustraire (se) to avoid, escape, take away

soutacher to braid

soutane *f.* cassock

soutenir to support, hold up, sustain, aid

souvenance *f.* remembrance

souvenir *m.* remembrance, memory; se —, to remember, recall

souverain, -e sovereign, supreme

spacieu-x, -se spacious

spectacle *m.* show

spirituel, -le witty

sporti-f, -ve sportive, of sport, concerning sport

stade *m.* stadium

stigmate *m.* mark, stigma, brand

stoïquement stoically

strass *m.* tinsel

stupéfait, -e stupefied, amazed

stupeur *f.* stupor

stylo *m.* fountain pen

subir to undergo, submit to, be subject to

subitement suddenly

subsister to live, exist, last, remain

subvenir to meet

succéder to follow, take the place of; se —, follow (each other)

succomber to fall, give way

succulent, -e succulent, juicy, tasty

sucre *m.* sugar

sucré, -e sweet

sucreries *f. pl.* sweets; en —, of sugar

sud *m.* south

sud-ouest *m.* southwest

suédois, -e Swedish

suffir to suffice, be enough

suffisamment sufficiently

suffisant, -e sufficient

suie *f.* soot

suisse *m.* beadle

suite *f.* train, series; à la —, to follow, after, following; dans la —, later, afterward; tout de —, at once

suivant, -e following, next; according

suivre to follow, take

sujet *m.* subject; à ce —, about that, as regards that

superficie *f.* area

suppléer to make up for

supplémentaire additional

supplice *m.* punishment, execution

supplier to pray, beg

supporter to stand, support, bear, hold

supprimer to suppress, abolish

sur on, upon

sûr, –e sure; pour —, surely

suraigu, –ë very shrill

suranné, –e old

surchargé, –e laden, loaded

surcroît *m.* increase; — des dépenses additional expense

sûrement certainly, surely

surgir to spring up, rise, come out, arise

sur-le-champ immediately

surmener (se) to overwork oneself

surplis *m.* surplice

surprendre to overtake

survécu *see* survivre

surveillance *f.* overseeing

surveillant *m.* supervisor

surveiller to watch, watch over, look after

survivance *f.* survival

survivre to survive

susceptible susceptible, likely

susciter to create, stir up, arouse, produce

suspendre to suspend, hang

svelte slender

syndic *m.*: — de marine port officer

synthétiser to unite, combine

## T

tablier *m.* apron

tabouret *m.* stool, chair

tache *f.* spot, blemish

tâche *f.* task

tacher to soil

tâcher to try

taille *f.* waist; size, body, form

tailler to cut, cut out, carve

tailleur *m.* tailor

taire (se) to be silent

talon *m.* heel

tambour *m.* drum

tambourin *m.* tabor (*small drum*)

tandis que while, whereas

tant many, as many *or* much, as *or* so long, to such an extent; — que as long as; — et si bien so

tantôt ... tantôt now ... now

tapage *m.* noise, uproar; *see* mener

tapageu–r, –se noisy

taper to tap; se — dans les mains clasp hands

tapi, –e crouched, hidden

tapinois: en —, stealthily

tapis *m.* carpet, cloth

taquer to strike

tarder to delay, be long

tardi–f, –ve late

tarir to dry up, stop

tarte *f.* pie

tartellete *f.* small pie

tartine *f.* slice of bread (*with butter, etc.*)

tas *m.* pile

tasse *f.* cup

tassé, –e piled, heaped

taupe *f.* mole

taureau *m.* bull

tavernier *m.* tavern keeper

tel, –le such, such is

télégraphiste *m.*: petit —, messenger boy

tellement so, so much, to such a degree

téméraire reckless

témoignage *m.* evidence, proof, witness, mark, token

témoigner to witness, show, give proof of

témoin *m.* witness

tempête *f.* tempest, storm

temps *m.* time; weather; de — en —, from time to time; de tout —, in all times; entre–—, meanwhile; grand —, high time

**tenace** tenacious

**tenaille** *f.* pincers, tongs

**tendre** to stretch (out), tend, offer, hold up *or* out, hang

**tendu, -e** tense; hung

**teneur** *f.* tenor, purport

**tenir** to hold; fulfill, make; speak; **se —,** stand, be, take place; **— à honneur** consider it an honor, be proud; **— chaud** keep warm

**tentation** *f.* temptation

**tentative** *f.* attempt

**tenter** to try, attempt

**tenture** *f.* hanging

**tenue** *f.* dress; manner; shape

**terne** dull, dim

**terrain** *m.* ground, lot, land; **—s de culture** arable land; **— de jeu** playing ground

**terrasse** *f.* terrace, balcony

**terre** *f.* earth, ground; **pot de —,** earthen crock; **Terre Neuve** Newfoundland; **— nourricière** mother earth

**terroir** *m.* soil

**théâtral, -e** theatrical

**théâtre** *m.* theater; place; **— ambulant** traveling show

**théorie** *f.* procession; troop

**thermes** *m. pl.* hot springs

**thyrse** *m.* thyrsus (*staff tipped with a pine cone ornament*)

**tiare** *f.* tiara (*the triple crown of the papacy*)

**tiède** warm, mild

**tige** *f.* stem

**tilleul** *m.* lime tree

**tintamarre** *m.* din, uproar

**tintement** *m.* toll, ringing, tinkling

**tinter** to ring, strike (*of clocks*), toll

**tir** *m.* shooting; shooting gallery

**tire: à —-d'aile** as fast as its wings could carry it

**tirelire** *f.* money box

**tirer** to draw, pull, clutch; take from, get, derive; fire, set off, shoot

**tison** *m.* brand, torch

**tissage** *m.* weaving

**tissu** *m.* cloth, material

**titre** *m.* title; **à juste —,** rightly

**titubant, -e** reeling, staggering

**titulaire** *m. & f.* recipient, possessor

**toge** *f.* gown, robe

**toile** *f.* cloth, linen, canvas

**toilette** *f.* dress, attire; **— de ville** street attire; **faire grande —,** to be elaborately dressed

**toison** *f.* fleece

**toit** *m.* roof

**tombe** *f.* grave, tomb

**tombeau** *m.* tomb, grave

**tombée** *f.:* **à la — de la nuit** at nightfall

**tomber** to fall, cease; **faire —,** drop

**ton** *m.* tone, shade

**tondre** to clip

**tonitruant, -e** noisy

**tonneau** *m.* barrel

**tonnelle** *f.* arbor, bower

**tonnerre** *m.* thunder, burst

**toque** *f.* cap

**torpédo** *f.* roadster

**tort** *m.* wrong; **bien à —,** wrongly

**tortiller** to twist

**tortueu-x, -se** winding

**tôt** early; **— levé, -e** risen early

**touchant, -e** moving, tender, touching

**touffe** *f.* tuft, bunch, cluster

**tour** *f.* tower, belfry

**tour** *m.* turn, trip, tour; trick; **à son —,** in his *or* her turn; **à — de rôle** in turn; **faire le —,** to go around; **faire un —,** make the rounds; **faire un — de fête** visit the fair; **jouer des —s** play tricks; **opérer un demi-—,** turn around

**tourang-eau, -elle** of Touraine

**tourbillon** *m.* whirlpool

**tourbillonner** to whirl

**tournée** *f.* tour, visit; **en —,** on a tour

tourner to turn; faire —, whirl, turn; — à tend to become

tournoyer to whirl

Toussaint *f.* All Saints' Day

tout, –e all, whole; *m.* whole; jouer le — pour le —, to stake everything; le —, the whole thing; — aussi just as well; — comme just as; — en while; — un(e) quite a; — à coup suddenly

train *m.* speed; train; aller bon —, to fall thick and fast

traîner to draw, pull, haul, drag; se —, lag behind

trait *m.* feature; d'un seul —, with one gulp; à grands —s roughly

traiter to negotiate, execute; — en treat as

traître, –sse treacherous

trajet *m.* journey, voyage, trip, procession

tranche *f.* slice

transcrire to transcribe

transgresser to transgress, break

transmettre to transmit, hand down, deliver

transporter (se) to go

traquer to inclose, ferret out, follow hard, run down

travail *m.* work, task

travaillé, –e worked, fashioned

travailleu–r, –se industrious; *m. & f.* worker

travers: à —, across, through; among

traversée *f.* crossing

traverser to cross, pass through

tremble *m.* aspen

trémousser (se) to bestir oneself, sway

tremper to soak, wet, dip; — la soupe pour broth over bread; soupe fraîchement trempée soup just prepared

trentaine *f.* about thirty

trépas *m.* death

trépassé, –e dead, deceased

trépasser to die

trépidant, –e agitated, hurrying

trépied *m.* tripod

trépigner to stamp one's feet

trésor *m.* treasure

tressaillir to tremble, startle

tréteau *m.* platform, trestle

trêve *f.* truce, stop

tributaire *m.* purveyor

tricolore tricolored

tricot *m.* sweater

tricoter to knit

trier to sort, pick out

trille *f.* trill

trimestre *m.* quarter; three months

trinquer to touch glasses

tripier *m.* dealer in tripe

tristesse *f.* sadness, sorrow

troène *m.* privet

tromper to deceive; elude; se —, make a mistake

tronc *m.* trunk, stump

trône *m.* throne

trottoir *m.* sidewalk

trou *m.* hole, socket

troubler to disturb

trouer to cut

troupeau *m.* flock, herd

trousseau *m.* trousseau, outfit

trouvaille *f.* find

trouver to find; se —, be, be found; find oneself

truffe *f.* truffles

truffé, –e stuffed with truffles

truie *f.* sow

T. S. F. (Télégraphie Sans Fil) *f.* wireless, radio

tubéreuse *f.* tuberose

tuer to kill, destroy

tuile *f.* tile (*of roof*)

Turc *m.* Turk

tutelle *f.* tutelage, guardianship; protection

tuteur *m.* guardian

tuyauté, –e fluted

## U

un: les uns some
union *f.* union, marriage
unique only one, odd, single, only
uniquement solely, only
unir to unite, join
urbain, -e urban, city
us *m. pl.* way, custom
usage *m.* custom; d'—, customary;
  l'— de la parole power of speech
user to wear, wear out
utilitaire utilitarian
utilité *f.* usefulness, utility

## V

vacarme *m.* tumult, uproar
vache *f.* cow
vacillant, -e wavering
vague *f.* wave, swell
vaillance *f.* courage
vaincre to overcome, conquer
vainqueur conquering, winning;
  *m.* conqueror, victor, winner
vaisselle *f.* dishes
valet *m.* farm hand
valeur *f.* value, worth
valide strong
valoir to be worth; qui lui a valu
  d'être . . . , which caused him to
  become
vannerie *f.* basketwork, baskets
vanneur *m.* winnower
vanter to praise
vaporeu-x, -se vaporous; filmy
vaquer to attend, attend to, apply
  oneself
variante *f.* variation
varier to vary
veau *m.* veal, calf
vécu, vécurent *see* vivre
vedette *f.* striking *or* outstanding
  feature; en —s like sentries
veille *f.* day *or* evening before, eve
veillée *f.* evening, eve; sitting up,
  night's attendance, vigil

veiller to watch, look after, stay
  up, stay awake
velours *m.* velvet
vendange *f.* grape harvest
vendangeu-r, -se *m. & f.* grape
  harvester
vendéen, -ne of Vendée
vendeu-r, -se *m. & f.* seller
vendre to sell; se —, cost, be sold
vendredi *m.* Friday; — saint
  Good Friday
vénérer to venerate, worship
venger to avenge
venge-ur, -resse revengeful,
  avenging
venir to come; faire —, order; —
  de have just; — à happen; —
  de ce que come from the fact
  that; venus jusqu'à nous come
  down to us
vent *m.* wind; en plein —, in the
  open air
vente *f.* sale
ventouse *f.* leech, bloodsucker
ventre *m.* stomach
venu, -e *m. & f.* arrival, comer
vêpres *f. pl.* vespers
ver *m.* worm; — blanc grub
verdoyant, -e verdant, green
verge *f.* stick, rod
verger *m.* orchard
vergogne *f.* shame
vermeil, -le red
verni, -e varnished, patent-
  leather
verrouiller to lock, bolt
verre *m.* glass
vers to, toward
vers *m.* verse
verser to pour, shed, drop, dis-
  charge, deposit
vert, -e green
vertèbre *f.* vertebra
vertu *f.* virtue; power, property
verve *f.* enthusiasm, animation,
  life, spirit, fancy
verveine *f.* verbena

veste *f.* jacket, coat
vestige *m.* vestige, remains
veston *m.* jacket, coat
vêtement *m.* garment, dress; —s clothes
vétérinaire *m.* veterinary surgeon
vêtir to dress
vêtu, –e clothed, dressed
vétuste old, deteriorated
veuille *from* vouloir; que Dieu —, that God may
veuve *f.* widow
viande *f.* meat
vibrer to vibrate
victorieusement victoriously
victuaille *f.* food, victuals
vide empty; *m.* vacuum
vider to empty
vie *f.* life; de toute leur —, during their whole lifetime
vieillard *m.* old man
vieillot, –te oldish, somewhat old
vielle *f.* hurdy-gurdy
vierge *f.* virgin; la Vierge the Virgin Mary
vif, vive sharp, violent, lively
vigne *f.* vine, vineyard
vigneron *m.* vine grower
vil, –e vile, low, base
villageois, –e *m. & f.* villager
vin *m.* wine
violacé, –e purple
viole *f.* viol (*old musical instrument*)
violon *m.* violin
vipère *f.* viper, snake, adder
virevolter to turn
visage *m.* face
vis-à-vis opposite
viser to aim, refer to, strive
visser to screw, screw down
vitesse *f.* speed
vitrail *m.* glass (window)
vivace alive
vivant, –e living, life; *m. & f.* living person
vivat hurrah! long live!

vivement quickly
vivre to live; vive la France! long live France!
vivres *m. pl.* provisions, fare
vœu *m.* wish
vogue *f.* popularity
voile *f.* sail
voile *m.* veil
voiler to veil, cover
voir to see; faire —, show
voire even; — même nay even
voisin, –e neighboring, nearby; *m. & f.* neighbor
voisiner to be neighborly, live beside
voiture *f.* car, carriage
voiturette *f.* small carriage, handcart
voix *f.* voice; à pleine —, loudly, aloud; à — basse hushed, in a low voice; de vive —, in person
vol *m.* flight
volaille *f.* fowl, poultry
volatile *m.* domestic fowl, poultry, bird
volée *f.* peal; à toute —, a full peal; at full force
voler to fly
volet *m.* shutter
volonté *f.* will, wish
volontiers willingly
vomitoire *m.* main entrance
vouer to doom
voûte *f.* ceiling, vault
voyant, –e gaudy, bright
vrai, –e true, real
vu *see* voir; au — et au su de tous in everybody's sight; — leur âge considering their age
vue *f.* sight
vulgaire vulgar, common
vulgarisation *f.* popularization

## Z

zélé, –e *m. & f.* very active person